D1239249

ÁNCORA Y DELFÍN. 87

MIGUEL DELIBES - MI IDOLATRADO HIJO SISÍ

MIGUEL DELIBES

MI IDOLATRADO HIJO SISÍ

EDICIONES DESTINO
Tallers, 62 - BARCELONA

Primera edición: julio 1953
Segunda edición: diciembre 1959

Depósito legal B 6948 - 1959

*Creced, multiplicaos y
henchid la tierra.*

A mis hermanos Adolfo, Concha, José Ramón, Federico, María Luisa, Manuel y Ana María, en la confianza de que —como un día me dijiste, querido José Echánove— ocho hermanos unidos pueden conquistar el mundo.

LIBRO PRIMERO
(1917-1920)

I

El establecimiento «Cecilio Rubes. Materiales higiénicos» tenía en 1917 tres amplias vidrieras a la calle, iluminación eléctrica, buena calefacción y un local holgado, atiborrado de enseres sanitarios. Cecilio Rubes era en 1917 un experto negociante, lo que se dice un agudo hombre de negocios, avalado por una tradición de lustros. De niño, Cecilio Rubes no se sentía atraído por los negocios de su padre; a él le hubiese gustado alterar la tradición familiar, dedicarse a una profesión que exigiera más cerebro y más iniciativa, pero Cecilio Rubes dejó pasar los años decisivos, bien porque Cecilio Rubes no fuese lo que se dice un hombre intuitivo y audaz, bien porque el comercio de materiales higiénicos latiese en la sangre de los Rubes con una fatalidad inexorable.

A las siete de la tarde del día de Nochebuena de 1917, el establecimiento «Cecilio Rubes. Materiales higiénicos» tenía las luces apagadas y los blancos enseres asumían en la penumbra —a la feble, verdosa luz de gas que a través de los tres grandes ventanales se adentraba de la calle— la incierta y rígida pasividad de un camposanto abandonado.

Al fondo del establecimiento se hallaban los despachos de la administración y en el de Valentín, el contable, había luz, y en ese momento Cecilio Rubes, de pie, con los pulgares en las axilas, decía morosamente, como si le costase un esfuerzo desplazar los enormes bigotes rubios para dar paso a su voz:

—Es así, Valentín. Yo cada Nochebuena me siento un poco mejor, y hoy... Bien. Hoy no me siento un poco mejor, sino más duro de corazón que de ordinario. Algo raro me sucede.

El contable, sentado frente a un libro, era viejo y tenía sus gafas de présbita sobre la frente. Dijo:

—...Algo raro me sucede. También su papá hacía examen de conciencia todas las Navidades y se sentía especialmente confidencial esta noche, señor Rubes. Eso es propio de seres bondadosos como usted y como su papá.

Cecilio Rubes dibujó un gesto ambiguo con su mano ancha, blanda y bien cuidada. Tal vez su ademán expresara un secreto fondo de hastío. Cecilio Rubes dijo:

—¿Cree usted que un hombre puede estar cansado de la vida a los treinta y cinco años hasta el extremo de no desear seguir viviendo?

El contable se incorporó. En su rostro monótono había un poco de susto; sus barbitas temblaban levemente. Respondió:

—...Seguir viviendo. Puede, ya lo creo. Pero éste no es su caso, señor Rubes. Usted maneja uno de los más asentados negocios de la ciudad y tiene una hermosa mujer y una hermosa casa, y la vida le sonríe.

Cecilio Rubes vacilaba:

—¡Ah! —dijo, al fin—. Vivimos una época difícil, Valentín. En el mundo no hay más que odio y mala voluntad. Guerra en Francia, guerra en Portugal, revolución en Rusia. ¿Es posible que alguna vez lleguemos todos a entendernos?

—...Todos a entendernos —dijo el contable—. ¿Quién lo sabe, señor Rubes? El mundo es muy obstinado. Tal vez ganemos más limitando nuestro mundo a las paredes de nuestra casa: ello es un poco egoísta, pero es mejor. Estamos mal, ciertamente, pero peor lo pasarán esta noche los soldados en las trincheras, entre la nieve, y el zar en Rusia.

Cecilio Rubes volvió la cabeza para mirar a su empleado. Hacía días que se preguntaba si el contable y sus dependientes simpatizarían con el movimiento bolchevique. Cecilio Rubes era desconfiado. Desde muy joven presentía que los que servían lo hacían a la fuerza, en espera de su oportunidad. Le invadía la sensación de que de ocurrir en su ciudad algo semejante a lo ocurrido en Rusia, sus propios empleados le degollarían sobre una de sus inmaculadas bañeras. Esta idea provocaba en él un inevitable estremecimiento.

Cecilio Rubes detestaba la violencia y padecía de un exceso de sensibilidad. ¿Por qué preocuparse ahora de cosas que podrían ocurrir? Estaba deprimido y eso era todo. Pero, bien mirado, no había razón para este abatimiento. Contaba con un próspero negocio en marcha, una bonita mujer y todas las comodidades apetecibles. Valentín tenía razón. Por más que tampoco las cosas le fueran tan favorables a Cecilio Rubes como creía el contable. El negocio no marchaba mal, pero no prosperaba. Los constructores se aferraban a la antigua usanza y las nuevas viviendas se construían sin cuartos de baño. Las bañeras con agua corriente eran un lujo insólito en la ciudad y tan sólo las utilizaban los aristócratas. Su denodada lucha de diez años no se tradujo en ningún resultado práctico. Claro que lo mismo ocurrió veinte años antes con los inodoros. El hombre en su ciudad se agarraba de una manera patética a la tradición. La gente se bañaba mensualmente en el Círculo o en las Casas de Baños o no se bañaba. Cecilio Rubes se preguntó si el progreso caminaría de siempre con paso tan lento y mesurado; si su porvenir seguiría ligado, como hasta ahora, a una regularmente periódica venta de retretes. Esta idea le desazonaba. Él soñaba con poder decir un día: «Recibí diez y hoy tengo ciento.» El comercio, la habilidad mercantil, no se demostraba sólo viviendo, y aun viviendo confortablemente como en su caso, sino viviendo confortablemente y doblando, triplicando y aun decuplicando la fortuna inicial.

Cecilio Rubes, cuando meditaba sobre su negocio, llegaba a la conclusión de que era preciso hacer algo, derivar, introducir alguna innovación, mas la cuestión inmediata era insoluble: ¿Qué hacer? ¿Hacia qué derivar? ¿Qué innovación introducir? La cabeza se le desbocaba entonces hacia ideas impracticables: La bañera vertical, la cisterna con música, el lavabo-espejo y otras ensoñaciones igualmente pueriles. Mas el cerebro de Cecilio Rubes no descansaba en su afán revolucionario-mercantil. Le poseía el convencimiento de que el éxito en los negocios dependía las más de las veces de un detalle insignificante que halagase la vanidad o avivase la convicción del cliente. Uno no podía dormirse mientras la Humanidad, la pequeña humanidad de su ciudad, ofreciese un vasto mercado latente.

Cecilio Rubes consideró a su contable y se preguntó una vez más si Valentín simpatizaría con los revolucionarios rusos; luego dijo, hundiendo su puño derecho en su fofo costado:

—Aquí tenemos el hígado ¿no es eso?

—Y la vesícula biliar, señor Rubes.

—Llevo unos días que me molesta aquí —añadió.

—Aquí —dijo el contable—. ¿Ha consultado usted al doctor, señor Rubes?

—¡Ah, bien el doctor! No me gustan los doctores. Le arreglan a uno o lo acaban de estropear ¿sabe? Son un negocio muy arriesgado. Yo sé, además, que bebo y me duele aquí y no bebo y me deja de doler. Bien, habrá que prescindir de la bebida. Eso es todo.

El contable consultó su reloj. Sonrió bondadosamente. Dijo de súbito:

—Lleva usted unos días que se queja del negocio, se queja de la marcha del mundo y se queja de dolores. ¿Me permite que le dé un consejo, señor Rubes?

Cecilio Rubes miró atónito a su subalterno:

—¿Qué es ello? —dijo, casi sin voz.

El contable seguía sonriendo. Añadió:

—¿Por qué no prueba de tener un hijo?

—¿Un hijo? —dijo Rubes desalentado.

—Los hijos arreglan más cosas que desarreglan, señor Rubes. Es difícil entender la Nochebuena y la vida sin un hijo, señor Rubes. Créame.

A Cecilio Rubes le daba vueltas la cabeza. A Cecilio Rubes no le gustaban los niños. Entendía que de todos los martirios conocidos, soportar a un niño era el más metódico y refinado. ¿Por qué ahora su contable le salía con este cuento? ¿No le constaba a Valentín su aversión innata a los chiquillos? «¿Quién fue el necio primero que dijo que la edad da experiencia?» —pensó. Luego dijo:

—¿Lo cree usted así o es una broma?

—...Una broma —dijo Valentín—. ¡Ah, no es una broma eso, señor Rubes! El hombre exige una prolongación y no está satisfecho mientras no la tiene. Es ley de vida, señor Rubes.

El contable volvió a consultar el reloj. Había en sus movimientos una mal reprimida impaciencia:

—Son las ocho —dijo.

Cecilio Rubes no le oía. Cecilio Rubes reflexionaba. Cecilio Rubes dijo:

—Con el corazón en la mano, Valentín, si usted, que es un buen contable, tuviera que hacer un balance detallado de las satisfacciones y disgustos recibidos de sus hijos en la vida, ¿qué saldo le daría?

—Un saldo claramente favorable, señor Rubes —dijo el contable, y añadió—: Note que no he necesitado reflexionar.

Cecilio Rubes cavilaba. Se diría que en la vida de Cecilio Rubes se abría, de pronto, una senda insospechada. «Un hijo» —pensó. ¿Es que este hombre me quiere mal porque simpatiza con los proletarios rusos? El contable dijo:

—Me esperan en casa, señor Rubes, son ya las ocho dadas. —Cecilio Rubes volvió a la realidad:

—¡Ah! —dijo—. Puede usted marchar cuando quiera, Valentín. Apuesto a que su mujer y sus hijos le esperan impacientes con la cena en la mesa. Bueno. Dígame, Valentín: ¿son seis o siete?

—Cinco, señor Rubes.

—¿Todos varones?

—...Varones. Tengo dos hembras, señor Rubes. ¿No recuerda a la pequeña Matilde?

—¡Ah, claro! ¿No es la pequeña Matilde mi ahijada?

—...Ahijada. Así es, señor Rubes.

El contable se colocaba el abrigo con parsimonia. Se dio dos vueltas a la boca con la bufanda. Su voz salió como de detrás de un muro:

—Si no me manda otra cosa, hasta pasado mañana, señor Rubes.

—Feliz noche, Valentín.

El establecimiento quedó en silencio. Cecilio Rubes recostado indolentemente en la mesa aparentaba que pensaba, pero no pensaba. Cecilio Rubes entendía que un hombre gana mucho adoptando, de cuando en cuando, aptitudes reflexivas aun en la intimidad. Cecilio Rubes era un hombre de treinta y siete años que aparentaba cuarenta y hubiera deseado detenerse en treinta y cinco. En suma, un hombre descentrado por dentro y por fuera.

Al cabo de un rato extrajo del bolsillo del chaleco un enorme reloj de oro sujeto a una cadena, de oro también, oprimió el resorte con el dedo pulgar y la placa superior se levantó. «Las ocho y cuarto —murmuró—; es hora de marchar.» Se incorporó. Se encontraba pesado y apático. Al abandonar el despacho, dio las luces del establecimiento. Cecilio Rubes recorrió minuciosamente las dependencias. No le hubiera sido fácil a Cecilio Rubes determinar la razón de esta última inspección diaria. Cecilio Rubes no sabría decir si buscaba en ella un conato de incendio, o un ladrón agazapado en una bañera. Llevaba quince años haciendo lo mismo sin que jamás se diese el caso de constatar la eficacia de esta medida de precaución.

Mientras efectuaba el cotidiano reconocimiento, Cecilio Rubes daba vueltas a su llavero y a su cerebro. «Un hijo» —pensó—. Y por un instante advirtió que su hogar era algo destemplado, a pesar de Adela y de su apetitosa anatomía, y su vida algo semejante a un barco sin rumbo.

Al concluir el recorrido mató la luz, se dirigió al despacho y se embutió en un impecable abrigo azul con cuello de terciopelo. Le fue difícil darse el botón; su tripita progresaba. Recogió los guantes y el bastón y salió a la calle. Hacía frío. Un frío seco y cortante y, sin embargo, a Cecilio Rubes le pareció que el ambiente no era de Nochebuena. Hacía tiempo que no sentía estas noches en su interior la inefable emoción de otras épocas. «Tal vez sean los años», se decía; «tal vez que los hombres somos cada día menos propicios a esta clase de emociones». Y recordó su infancia y reconoció que los tiempos iban evolucionando imperceptiblemente y que la evolución tenía un matiz materialista poco grato. «Los hombres acabaremos por estropear el mundo» —se dijo—. Se llevó la mano al costado derecho y pensó: «Me duele aquí.» Se cruzó con una sombra apresurada y oyó decir: «Feliz noche, señor Rubes.» «¡Ah, feliz noche, feliz noche!» —respondió—. «¿Quién era?», se preguntó. Cecilio Rubes no se encontraba a sí mismo esta noche. «Los tiempos actuales están muy enconados. En vida de mi padre eran otra cosa —pensó—. No había guerras y los de abajo estaban contentos de su suerte. Hoy todo el mundo quiere ser más de lo que es y ahí está el peligro.»

Llegó a la plaza y comprobó que la ciudad se extendía por esta parte, aun sin bañeras. Se edificaba allí y la línea de los nuevos edificios corría paralela al río. El nuevo alcalde no podría salirse con la suya. ¿A qué ese afán de salvar el río con dos puentes y edificar en la otra ribera? ¿No había, por cierto, en esta parte solares para dar y tomar? Cecilio Rubes no sentía simpatías por el nuevo alcalde. Él sabía bien de qué pie cojeaba. El alcalde deseaba meter ruido, hacer algo sonado y que su nombre trascendiera de la esfera ciudadana. Utilizaba el Ayuntamiento de trampolín para su carrera política. Y eso no estaba bien. El alcalde debería ser para la ciudad y no la ciudad para el alcalde. Le gustó esta idea a Cecilio Rubes y la repitió para sus adentros aunque tenía el presentimiento nebuloso de haber leído algo semejante en alguna parte. «Sería un buen latiguillo —pensó— para un hombre de la oposición.»

Salvó la plaza y penetró en la calle Mayor. Había poca gente allí. «Todo el mundo estará ahora alrededor de una mesa con sus hijos» —pensó—. En otros tiempos también él se reunía con sus padres alrededor de una mesa. Entonces Cecilio Rubes, hijo, «materiales higiénicos», era un niñito sonrosado y fláccido, bien educado, con una cabeza poblada de encantadores ricitos rubios. ¡Qué tiempos tranquilos aquellos! Él, Cecilio Rubes, hijo, sorprendía cada año a sus padres ocultándoles bajo las servilletas unas postales con flores, y campanitas, y muérdago que decían: «Felices Pascuas»; y sus padres daban gritos de júbilo y de sorpresa al descubrirlas, y él, entonces, se sentía persona importante y eje y centro de gravitación de algo, aunque no supiese qué. Luego le besaban y le felicitaban, aunque su madre lo hiciera siempre con una estudiada composición y como con lejanía. Después, cenaban y su padre bebía y a cada plato se tornaba más locuaz y expansivo y cuando, al concluir, Cecilio Rubes, hijo, se encaramaba en una silla y lanzaba un discursito sobre el «Niño Dios» y «los pastores» y «los magos» y «los hombres de buena voluntad», con su redonda carita de inocencia resplandeciente de dicha, su padre lloraba ruidosamente entre grandes convulsiones y se limpiaba las lágrimas y la nariz con la servilleta. Su madre, entonces, le decía que se acostase y Cecilio Rubes, hijo, se iba también a la cama persuadido de su poder, y de su importancia, y de sus dotes de orador. Y una vez en el lecho, continuaba oyendo los desgarrados sollozos de su padre durante un gran rato. Así, una Nochebuena y otra, hasta que Cecilio Rubes, hijo, cumplió los once años y entonces se dio cuenta de que su padre lloraba de esa manera porque estaba ebrio y no porque le enterneciesen sus palabras, ni sus llamadas a la paz y a la buena voluntad entre los hombres. Aquel descubrimiento le decepcionó y hasta le hizo llorar apretando sus dóciles ojitos azules contra la almohada. Mas, al día siguiente, Cecilio Rubes, hijo, se confesó que lloraba de pensar que sus palabras fueran una cosa vana y no porque su padre fuese un borracho.

La contera del bastón de Cecilio Rubes golpeaba rítmicamente la calzada. Se dijo a sí mismo: «Cecilio, te estás volviendo sentimental.» Y sonrió por dentro. Bien mirado, Cecilio Rubes era un hombre instintivo, que se desconocía completamente a sí mismo. En ocasiones, desistía de cambiar de actitud, aunque previera la conveniencia, por ahorrarse el liviano esfuerzo de romper la inercia. En tales situaciones, Cecilio Rubes pensaba: «Soy un perezoso; un incorregible holgazán.» Mas si al día siguiente se levantaba con ganas de actuar y a su llegada al Establecimiento trataba de imprimir al negocio un ritmo revolucionario, totalmente inusitado, se decía: «Rubes, eres un hombre diligente. Lástima que no te secunden.»

Otras veces, Cecilio Rubes creía ver en sí el prototipo de hombre emprendedor que su país necesitaba, lo que no impedía que, veinticuatro horas más tarde, se menospreciase y se confesase a sí mismo: «Soy un rutinario. Bien, si mi padre me hubiera enseñado a elevar globos de papel con aire caliente en lugar de vender retretes, no sabría hacer otra cosa que elevar globos de papel con aire caliente.» Cecilio Rubes pensaba ahora: «Rubes, te estás volviendo sentimental.» Media hora antes, cuando charlaba con su contable, se había dicho: «Me encuentro insensible, egoísta, demasiado duro de corazón.» No obstante, pese a este aparente espíritu contradictorio, Cecilio Rubes guardaba en el último repliegue de su conciencia un alto concepto de sí mismo. Ocasionalmente podía despreciarse, incluso denostarse, pero Cecilio Rubes, por encima de depresiones transitorias, se consideraba un hombre físicamente atractivo, inteligente, de lúcidas y trascendentales determinaciones. «Sí, tal vez sea una equivocación el que yo no tenga un hijo» —pensó.

Dio un conterazo especialmente agudo en el pavimento y penetró en el portal de su casa. Se detuvo un instante y respiró fuerte. Cecilio Rubes temía apurar la capacidad de sus pulmones en la calle, durante los meses fríos, e inspiraba con cautela. Cecilio Rubes suponía que cuanto menos aire frío aspirase de un golpe, menos riesgo corría de agarrar una pulmonía o, de agarrarla, siempre sería más leve que respirando a pleno pulmón, sin método alguno. La contención le fatigaba. Por eso se detenía siempre en el portal a regularse antes de adentrarse en el ascensor de agua.

La casa tenía un oscuro y amplio portal y ancha escalinata de mármol blanco, cuidadosamente alfombrada; la barandilla era de hierro forjado con pasamanos de caoba. Era una de las casas eminentes de la ciudad y Cecilio Rubes se pagaba de vivir en ella. Le gustaba el confort y, aún más que el confort, guardar las apariencias. Para Cecilio Rubes, un hombre se definía por su casa, su indumentaria y su habitación. Él cuidaba de estas tres cosas como un médico o un abogado velan por su prestigio profesional.

Le abrió Cristina, la doncella, y mientras le ayudaba a desembarazarse del abrigo, el sombrero y el bastón, analizó concienzudamente su uniforme. Tenía el borde de la cofia sucio y se disgustó. Le ofendían estos detalles de desaseo que, en su opinión, redundaban en perjuicio de su honorabilidad y de su negocio. Pensó advertírselo a su mujer, pero se distrajo, de nuevo, evocando su conversación con el contable. «¿Será posible que Valentín tenga razón?» —se dijo. Se sentía incómodo y hallaba cierto placer esta noche en alimentar su propio malestar. Pasó a la sala y se desplomó en un sillón tapizado de gutapercha.

Enfrente había un gran espejo y se examinó con atención concentrada. Se retorció cuidadosamente las guías de los bigotes y estudió la postura. Admitía la inmediata presencia de Adela como un mal necesario. Había ocasiones en su vida, y hoy era una de ellas, que la proximidad de Adela no levantaba en él sino un sombrío impulso de contrariedad. Precisaba violentarse para comportarse correctamente. Le parecía mentira que fuese ésta la misma mujer que unos años antes despertase en él, con un simple ademán o una mirada, un turbulento deseo. Entonces Cecilio Rubes no reparaba en lo que su mujer guardaba dentro, sino en la adecuada disposición de sus senos y sus curvas, en la proporción y correspondencia del conjunto de sus encantos. Pero ahora su mujer no le llenaba, ni tan siquiera físicamente. Era una belleza impávida, un poco pasada, otro poco decaída, con un desconocimiento absoluto de la técnica de la seducción. Adela, en cualquier momento, era un ser pasivo, desmayado, que correspondía como cumpliendo un deber y un deber no muy agradable. Esto decepcionaba a Cecilio Rubes. Él, en determinados momentos y lugares, amaba la incitación, la violencia, la pérdida pasajera de la compostura y la dignidad. Adela no sabía darle esto y como, por otra parte, los temas de conversación con su mujer eran muy cortos y limitados, Cecilio Rubes no halló en el matrimonio el estado armonioso que ambicionara.

Mas el secreto de esta incomprensión tal vez fuera otro. Cecilio Rubes estimaba que él daba más de lo que recibía. En este aspecto, se juzgaba defraudado. Él dio a Adela una posición social, una fortuna y a sí mismo. La contraprestación, unos encantos disminuidos por encogimiento y frialdad, no era, desde luego, equitativa ni justa.

En los últimos tiempos, Cecilio Rubes daba la razón a su madre. Su madre se opuso desde un principio a su matrimonio. Adela era huérfana de un modesto funcionario y vivía de una modesta pensión. Su madre —la madre de Cecilio Rubes— consideraba que el matrimonio debía de asentarse sobre un pie de igualdad en aficiones, gustos, clase social y fortuna. Por eso se opuso a la boda de su hijo con Adela. Pero, entonces, Cecilio Rubes no vio en la oposición obstinada de su madre más que un nuevo incentivo.

Cecilio pensaba, además, que el hecho de rescatar a su mujer de una clase social inferior ya la obligaba al reconocimiento y al amor de una manera apasionada y vitalicia. Luego, se equivocó. Al menos de un tiempo a esta parte, Cecilio Rubes pensaba que se había equivocado. Aun sin una declaración expresa, él guardaba en el fondo de su alma el convencimiento de que se merecía mucho más. Esta convicción inesperada era, sin duda, el principal motor de su descontento y de su resentimiento, a duras penas callado, contra su esposa.

Últimamente Adela no era para él más que una satisfacción momentánea y algo que forzosamente había que soportar durante dos o tres horas al día. A veces, también, una ocasión de descargar su irritación y sus malos humores. Él no amó nunca a Adela y tal vez no pudiera nunca amar a ninguna mujer, porque Cecilio Rubes se consideraba superior a todas. Hubo un tiempo en que deseó a Adela con desasosiego, pero su posesión, contrariamente a lo esperado, jamás le satisfizo plenamente.

Cecilio Rubes se miró de nuevo al espejo y se retorció los bigotes. Después, se incorporó y abrió un mueble pequeño y brillante y, al abrirle, sonó una musiquita lejana, de débiles notas. Cecilio Rubes sacó una botella y un vaso y cerró; la musiquita cesó bruscamente. Se sirvió una copa y se sentó de nuevo. En ese momento apareció su mujer:

—Hola, querido —dijo. Le besó formalmente en la mejilla.

—Hola, querida —dijo él—. Estamos con el balance y me retrasé un poco.

Se abrió un pesado silencio. Su esposa sentada frente a él, observándole, le erizaba los nervios. Prefería, con mucho, la libertad que le brindaba Paulina. Bebió por llenar el tiempo, y se sirvió otra copa. Estaba incómodo. Ella dijo:

—¿Qué tal el balance?

—Bien.

No se esforzaba en mostrarse condescendiente y amable como otras veces. Le dominaba su mal humor.

—¿Favorable?

—Sí.

—¿Mejor que el último año?

—Puede que sí.

—¿Encargaron, al fin, las bañeras para la nueva casa de la Plaza?

—No.

Le desazonaban los esfuerzos de Adela por enhebrar una

conversación continuada. Cecilio Rubes entendía que su mujer no tenía derecho a tanto, máxime cuando a la legua se advertía que él, esta noche, deseaba pensar, beber y estar solo. Adela no le agradecía lo que hizo por ella. Pensó: «¿Qué sería de ella si yo no la redimo?» Se había alzado una pausa entre ambos. A Rubes le tiraban los nervios y para sujetarlos bebió otra copa. Dijo su mujer:

—¿Sabes que Matías, el de «La Bola de Fuego», tiene parte en esa casa?

—¿En qué casa?

—En la de la Plaza, querido.

—¿Sí?

—Sí.

Los dos callaron. Cecilio Rubes pensaba: «¿No se irá? Bien, ¿será capaz de seguir espiándome hasta la hora de cenar?» Se sirvió otra copa.

—¡Oh! —dijo ella—. No debes beber tanto, Cecil; te está mal.

—¿Quién dijo que me esté mal?

—Querido, tú lo dijiste. Ayer dijiste: «La bebida me pega al hígado. Habrá que pensar en dejarla.»

—¿Dije eso?

—Sí.

—Hoy estoy mejor. Bien, además es Nochebuena —dijo él.

Cecilio Rubes se mostraba mordaz y desconsiderado, pero no trataba de evitarlo. Se sentía furioso esta noche bajo la implacable mirada de su mujer. Ni por un momento admitía que la presencia de Adela allí y su noble deseo de entablar conversación entrase en un normal y equilibrado curso de las cosas. Él era lo primero y la voluntad de él debería respetarse a costa de lo que fuese. No obstante, le faltaba valor para plantear sus exigencias al desnudo y decirle a su mujer: «¡Vete!, quiero estar solo.» En el fondo, Cecilio Rubes era un pusilánime y temía despertar enojos, trastornos y convulsiones. Prefería que los demás adivinaran sus pensamientos y obrasen en consecuencia. Era la cerril incomprensión de los que le rodeaban lo que le ponía fuera de sí. Aún insistió Adela:

—¿Sabes que conocí esta tarde a la nueva vecina?

—¿Sí?

—Sí. Es una muchacha muy atractiva.

—¿Quién es él?

—Un abogado recién casado.

—¿Sí?

—Sí.

Evitaba mirar de frente a su mujer; temía mirarla de frente. Temía que ella descubriera sus pensamientos y, al mismo tiempo, lo deseaba. ¡Oh, qué cruel indecisión la suya esta noche! Aún ingirió otra copa y tomó un libro, cuidadosamente encuadernado en piel, de una librería próxima. Se fingió abstraído en la lectura. Su esposa se rebulló en el sofá. La molestaba el desinterés de él hacia su persona y sus problemas. Cecilio Rubes no leía. Pensaba: «¿Fue mi padre feliz con mi madre? Mi madre medía las distancias y no se doblegaba ante nadie. ¿Se emborrachaba mi padre porque no era feliz con mi madre? ¿Es mi descontento algo adherido al apellido Rubes como un estigma?» Adela dijo:

—Voy a vestirme para la cena, Cecil.

Cecilio Rubes emitió un ancho suspiro. Pero ahora que estaba solo seguía encontrándose hipersensible y molesto. Intentó concentrarse en el libro, pero existía algo dentro de él que le impedía interesarse en las vidas ajenas esta noche, máxime si estas vidas eran fruto, como en este caso, de una imaginación calenturienta.

El reloj de pie, a su lado, dio las nueve y media. «Ya falta menos» —pensó. No veía el momento de poder acostarse, dormir y olvidarse de todo. Le invadía, por momentos, ese cruel estado de ánimo que nos impele a considerar la vida como un reducido y siniestro círculo vicioso. Pensó: «Mañana fiesta. El Club (el teniente coronel López, la cara de pájaro de Fidel Amo, Ramón Prado y su descomunal nariz: «No, eso no está bien. No es humano, correcto, ni razonable.») La partida; Paulina («¡Vaya! ¿Qué me traes?») y vuelta a sentarse en este sillón. Pasado, a la tienda (Valentín: «Sí, señor Rubes.» Méndez: Granos y sofocos). Y al otro, y al otro, y al otro. ¿Así hasta cuándo?» —se preguntó.

Entreveía los horizontes de su existencia tremendamente sombríos y limitados. Y Cecilio Rubes sabía que esto era un mal. Su abuelo, el padre de su madre, se mató por eso. Su madre le decía que se había trastornado, pero él sabía que no; él, Cecilio Rubes, sabía que su abuelo se mató, simplemente, de cansancio, hastío y aburrimiento.

Abandonó el libro en sus rodillas e intentó dilucidar si su actual estado de postración era anterior a su conversación con el contable o nació precisamente de ella. Resultaba una cuestión ardua y compleja en su mismo convencionalismo, pero Cecilio Rubes, a pesar de su natural indolente, indiferente de ordinario a las posibles causas de las cosas, se entregó a ella con especial y desusado ardor. Cecilio Rubes ansiaba demostrarse a toda cosa que no era la falta de un hijo lo que le trastornaba; que con un hijo seguiría todo lo mismo que sin un hijo y que el contable no tenía, por tanto, ninguna razón. En principio, la idea de un hijo le había aterrado, pero, poco a poco, y aun a regañadientes por su parte, la idea iba amoldándose a su cerebro, tomando cuerpo y posibilidades, e incidía en él como un posible remedio para su vida, irritante en su holgura y uniformidad. Era, pues, la sugerencia del contable, en lucha con sus principios, lo que originaba su actual desazón, aunque Cecilio Rubes no lo advirtiese. Cecilio Rubes carecía de la suficiente agudeza para dar con la raíz del mal. Puesto a meditar sobre un problema, las ideas brotaban de todos los rincones de su cerebro, entrechocando, contraponiéndose, y vedándole de entrada el hallazgo de una solución convincente. De aquí que sus grandes decisiones, o lo que él tomaba por grandes decisiones, le asaltasen a Cecilio Rubes como a traición, a contrapelo, cuando su mente se ocupaba en un asunto diametralmente distinto.

Se sobresaltó cuando Cristina, la doncella, le anunció la cena. Por primera vez advirtió Cecilio Rubes que aquel comedor de muebles pesados y brillantes, escrupulosamente organizado, era excesivo para su mujer y para él. Aun comiendo a la misma mesa, entre Adela y él existían unos enormes espacios vacíos por donde escapaban el calor y la cordialidad.

Adela había colocado sobre el mantel flores de muérdago y adornos de escarcha artificial. Adela retocaba los detalles con una meticulosidad casi ofensiva. Cecilio Rubes miró un momento a su mujer y se preguntó qué pensaría en aquel momento. Constataba que entre ambos mediaba un abismo que iba ensanchándose con el tiempo. Adela tenía aspecto de cansancio pero reconoció que era atractiva y apetecible. Le pareció, también, que su esposa cenaba tranquilamente, sin el menor sobresalto. Cecilio Rubes se dijo: «La mujer es el animal más elemental del universo. Bien, ¿sabe Adela que estamos cenando en el vértice de un volcán? ¿Sabe siquiera que en Francia hay guerra, y en Portugal hay guerra y en Rusia ha estallado la revolución?» Se sintió repentinamente recorrido de una fiebre vehemente. Dijo:

—Valentín dijo esta tarde que peor está el zar en Rusia.

—¿El zar? —preguntó ella.

—Sí, el zar. ¿No sabes acaso quién es el zar?

Adela guardó silencio. Cecilio Rubes bebía desordenadamente. Dijo:

—Bueno, el zar. Es muy complicado eso para ti. ¿No es cierto, querida? Bien. Es mucho más sencillo saber que Cristina está sirviendo la cena con un guante roto y el borde de la cofia sucio, ¿no es así?

Cecilio Rubes bebió otra copa. De nuevo recordó a su padre y se representó a sí mismo con su linda cabecita sembrada de ricitos rubios hablando del «Niño Dios», de «los pastores» y de «los hombres de buena voluntad». Pensó: «Un niño ahí entre los dos, podría solucionarlo todo». Le ardía la cabeza y notaba que el sudor le resbalaba por los sobacos hasta los costados, produciéndole una extraña sensación de frío. Adela dijo:

—Perdona, Cecil; nada de esto volverá a ocurrir. Te lo aseguro.

Habían concluido de cenar y Cecilio Rubes se incorporó. El vino activaba en él un monstruoso deseo de ensañamiento. Rodeó con un brazo la espalda de su mujer:

—¿No es cierto —dijo— que mi mujer no sintió en la vida la menor inclinación hacia su esposo? ¿No es cierto que lo soporta por guardar las apariencias, y por propia estimación, y por aquello de la buena conformidad y la paciencia y la resignación cristianas?

Adela se había quedado rígida. La desagradaba, de pronto, sentir el brazo de él oprimiendo sus hombros. Lentamente se incorporó. La mirada de ella reducía, ahora, la destemplanza de Cecilio Rubes:

—¿Qué te sucede esta noche, Cecil? —dijo—. ¿No será que has bebido demasiado?

Cecilio Rubes remitía. Emanaba de la firme serenidad de Adela un algo que rompía de antemano todo conato de violencia. Ella añadió:

—Había preparado champán para brindar esta noche.

Cecilio Rubes se desfondó de súbito. Experimentó un vívido sentimiento de humillación. Cecilio Rubes rara vez tenía la suficiente voluntad para llevar las cosas hasta el fin. Dijo con voz ronca:

—Bien. Brindemos. ¿Por qué no hemos de brindar?

Adela llenó las copas. La mano regordeta y pulcra de Cecilio Rubes temblaba.

—Por el zar —dijo.

—Porque la guerra concluya pronto —dijo Adela.

Bebieron. A través de la copa, Cecilio Rubes observó a su mujer y, al acabar, sin otras explicaciones, la rodeó la cintura y la besó en la boca torpemente. Estaba demasiado grueso y pesado para besar así, por sorpresa. Su cabeza se hallaba confusa ahora. Mas, sobre todas las cosas, predominaba un ardiente deseo de su mujer. Apagó la luz y la empujó suavemente hacia la puerta.

Dijo Adela, en un vano intento:

—¿Por qué no pruebas de afeitarte si ello te cambia el humor?

—¡Ah! Esta noche no. Estoy fatigado —refunfuñó Cecilio.

Se encontraba mejor ahora descansando los pies desnudos en la muelle alfombra del dormitorio. Le dominaba una excitación febril, que avivaban los suaves crujidos de la seda, a su lado, tras el biombo. Dijo:

—¿Sabes qué dijo Valentín esta tarde?

Le excitó la risa de Adela tras el biombo:

—Que peor está el zar en Rusia —dijo.

—¡Oh, no!; no es eso ahora —dijo él.

—¿Qué?

La voz de Cecilio Rubes temblaba:

—Que me conviene tener un hijo.

Adela no respondió. Cecilio Rubes no supo contenerse. Nunca se había atrevido a tanto. El biombo se desplomó, a su torpe manotazo, con gran estrépito. Adela trató, en vano, de cubrirse. Nunca, en sus seis años de matrimonio vio Cecilio Rubes así a su mujer.

—¡Dios mío! —dijo.

—¡Oh, no, Cecil! ¿Por qué haces estas cosas?

Él la abrazó. Dijo:

—Bien, lo quiero. ¿Entiendes, Adela? Quiero un hijo. Necesito un hijo.

Cecilio Rubes constató que la cintura de Adela perdía su primitiva flexibilidad, circundada por un cinturón de grasa. Pero no le importó. Adela se sentía desfallecida. Dijo:

—¡Oh, Cecil, nunca quisiste un hijo! A poco de casarnos me hiciste prometer que nunca tendríamos un hijo. ¿No lo recuerdas ahora?

La conversación se hizo más confidencial y luego cesó, por un momento, en el lecho. Cecilio Rubes tornaba a experimentar una caótica confusión en su cabeza. De repente, el cuerpo de su mujer le daba calor y le molestaba su proximidad. Le pareció mentira que fuese él, el comedido y discreto Cecilio Rubes, quien unos minutos antes derribara un biombo de cinco mil duros de un manotazo. Casi se avergonzó de sí mismo. Después pensó que su derecho de marido alcanzaba a derribar un biombo y a mucho más y deploró haber demorado su uso hasta seis años después de su matrimonio. Quizá cinco años antes, cuando la cintura de Adela era aún estrecha y elástica, un acto de esta naturaleza hubiera remediado muchas cosas. Tal vez no fuera tarde tampoco ahora. De nuevo sintió calor y se refugió en el extremo del lecho que le correspondía. Dijo:

—Debemos poner dos camas aquí. Un hombre a mi edad necesita cama propia. Esto es incómodo.

La voz de Adela le alcanzaba sofocada por el embozo:

—Sólo tienes treinta y siete años, querido.

—Treinta y cinco — dijo él.

—¿No te casaste a los treinta y uno?

—Sí.

—¿Y no hace seis años que nos casamos?

—Exactamente; pero tengo treinta y cinco años, ¿comprendes?

—Ya.

—Hay otra cosa, querida — dijo —. ¿Sabes que roncas de madrugada?

—Cecil, por amor de Dios, no digas cosas desagradables — dijo ella.

Cecilio Rubes no respondió. A Cecilio Rubes iba ascendiéndole de los pies un cálido y enervante sopor. Guardó silencio. Se encontraba bien, divinamente así. Permaneció muy quieto, con las manos aprisionadas entre las rodillas, hecho un ovillito, sin atreverse casi a respirar. Al poco rato se quedó dormido con los ojos y la boca entreabiertos, emitiendo un breve, intermitente ronquido.

II

El periódico del día 24 de diciembre de 1917 decía: «Amsterdam. — Un telegrama de la frontera anuncia el incendio de las fábricas Krupp. Hay víctimas y daños.» «*La guerra*. En el frente italiano se han registrado nuevos combates desde el Piave hasta el Brento. Los italianos rechazaron al enemigo causándole pérdidas crueles.» También decía el periódico de la víspera de Navidad de 1917: «En las bronquitis agudas y crónicas y en la dilatación de los bronquios, las *Cápsulas Serafón*, de guayacol yodoformado y de guayacol eucaliptol yodoformado consiguen la curación, secan los bronquios y hacen desaparecer la fetidez de los esputos.» En segunda plana, decía el periódico del día 24 de diciembre de 1917: «Hermosee sus senos con *Pilules Orientales*.» Poco más abajo, se leía: «La mejor tintura progresiva es la *Flor de Oro*. Usando esta privilegiada agua, nunca tendréis canas ni seréis calvos. El cabello abundante y hermoso es el mejor atractivo en una mujer. Usando esta agua, se cura la caspa, se evita la caída del cabello, se suaviza, se aumenta y se perfuma.» En su página tercera decía el diario del día 24 de diciembre de 1917: «Ayer se puso en escena en el Teatro Bretón, *El Húsar de la Guardia* y *La Famosa*, debutando con esta obra la tiple cómica Pepita Álvarez, que obtuvo una excelente acogida por parte del numeroso y selecto público que llenaba la sala.»

Cecilio Rubes plegó el periódico y se estiró en el lecho. «Bien. Nada nuevo», se dijo. No tuvo tiempo de leerlo la víspera, y ahora, en el descanso de la Navidad, se distrajo echándole un vistazo. Los sangrientos titulares de la primera página no le causaron la menor impresión. Cecilio Rubes entendía que no tiene mayor importancia lo que se lee en los periódicos que lo que se lee en las novelas. A fin de cuentas, para Cecilio Rubes lo que ocurría a más de mil kilómetros de distancia era casi lo mismo que si no ocurriera. El hecho de que sucumbieran quinientos italianos en el Piave, o cien alemanes en el incendio de las fábricas Krupp, no implicaba para él ni la mezquina contrariedad de trastornarle la venta de una bañera. A Cecilio Rubes, en una palabra, no le quitaban el sueño los acontecimientos lejanos. Desde niño sintió así, seguramente porque su padre y su abuelo y la larga dinastía de los Rubes, sintiera siempre de la misma manera. Cecilio Rubes tan sólo se afectaba por aquellos hechos que, en cierto modo, atentasen contra su perfumado baño matinal, su amable tranquilidad interior y su digestión. Si a Cecilio Rubes se le preguntase cualquier mañana, al despertar: «¿Qué prefiere usted, que perezcan tres mil japoneses en un terremoto o que le brote un grano insignificante en el interior de la nariz?», respondería sin vacilar: «Lo de los japoneses, claro». Suponía Cecilio Rubes que ni los italianos, ni los alemanes, ni los japoneses, ni los rusos, ni los operarios de las fábricas Krupp, ni el propio señor Krupp, ni aun el mismísimo zar, se preocupaban por Cecilio Rubes y que sería idiota y desproporcionado que Cecilio Rubes se fuese a preocupar por ellos. Su posición era, según él, la consecuente y la justa. Cecilio Rubes no gustaba de engañar ni de ser engañado.

De nuevo se estiró perezosamente entre las sábanas. Había dormido bien, profundamente, y se encontraba eufórico. Cecilio Rubes no se extrañó de su repentino cambio de humor porque estaba habituado a sus volubilidades. Tampoco se sentía inquieto ni aburrido de la vida. Le apetecía la perspectiva de este día de holganza y estaba satisfecho de sí mismo y de la salud de roble de su cuerpo blando y sonrosado. De momento, no se acordaba de la obstinada resistencia de la ciudad a aceptar sus bañeras, ni de los presuntos sentimientos de sus empleados hacia la revolución rusa, ni de la supuesta desafección de su mujer, ni aun de su hígado. Cecilio Rubes era, esta mañana de Navidad de 1917, el íntegro, ponderado, discreto, expeditivo Cecilio Rubes de las grandes solemnidades.

Frente al espejo del cuarto de baño, el rostro de Cecilio Rubes se contrajo en una serie de estudiadas muecas. La luna reflejaba las paredes de la habitación de aseo, la cómoda bañera —dos metros de eslora, uno de manga y 75 cm. de puntal—, el higiénico y moderno inodoro con sobrecubierta barnizada, el blanco portapapeles, los relucientes toalleros de cristal, todo tan colocado y pulcro como si jamás hubiera sido utilizado.

Cecilio Rubes sonrió complacido, puso la boca en forma de «O», se pasó las chatas manos por las mejillas y aprestó los útiles de afeitar. Su barba era poco concentrada y floja y para él suponía un placer eliminarla. Llevaba razón Adela en lo de que el afeitado le cambiaba el talante. Sus malos humores desaparecían ante el espejo reflejando su cara bien jabonada. Solía tararear, entonces, alguna vieja canción; el rostro enjabonado le inundaba de una esponjosa dicha.

Se rasuraba con cuidado, meticulosamente. No ignoraba que su fino cutis rubio no admitía más allá de dos pasadas y las efectuaba a conciencia. Casualmente le asaltó el recuerdo de la escena del biombo y, entonces se volvió y abrió los grifos de la bañera. Alguna extraña concatenación de ideas bullía, ahora, en el cerebro de Cecilio Rubes. «Con gusto me bañaría con ella aquí», pensó. Tenía medio rostro afeitado y, el otro, blanco de jabón. «Bien —se dijo—. Sería un estupendo negocio fabricar bañeras de matrimonio.» Los grifos del baño gorgoteaban. «Ya lo creo que sería un buen negocio.» Inmediatamente denegó con la cabeza. Obraba a impulsos de un secreto proceso mental. «Bien, quizás en Francia o en los Estados Unidos lo fuera. Pero, ¿qué puede esperarse de este pueblo de cafres que no admite en sus leyes el divorcio?»

A Cecilio Rubes le poseía el convencimiento de que la frivolidad estaba en razón directa con el progreso. Los pueblos más adelantados eran los que mayor número de cabarets, revistas picantes y casas alegres podían ofrecer a sus ciudadanos. «¿Tendrá razón Unamuno —pensó— cuando dice que el Cristianismo ensombrece la vida y veda los placeres?» Estuvo a punto de cortarse al denegar nuevamente con la cabeza. Cecilio Rubes no era hombre de arraigada fe; era hombre de misa de una los domingos y tres ayunos anuales a regañadientes, pero en el último plano de su alma guardaba un asomo de respeto por las instituciones religiosas. Un inconcreto temor hacia las penas del infierno alicortaba sus ligerezas, sus más audaces determinaciones. Concluyó de afeitarse y se quitó la chaqueta del pijama. Tenía un torso rosado y blando, un poco levantado y picudo como las liebres, y las tetillas tenuemente brillantes en las puntas. Se llevó los puños a los hombros, hinchó el pecho y se contempló en el espejo. Aún tenía rastro de jabón en las orejas. Estiró los brazos e intentó el ejercicio de pectorales dobles. Un dolor incisivo junto a la axila derecha le hizo desistir. Cerró los grifos de la bañera, introdujo un dedo en el agua, se lo llevó a la boca, y concluyó de desnudarse.

Cecilio Rubes solía dejar en el baño matinal todos los problemas y quebrantos. El agua lo limpiaba por dentro y por fuera. Y era un placer, además, sentirse sumergido, a excepción de la nariz y la redondeada curva del vientre que emergía a la superficie como un islote. Se jabonó con deleite todo el cuerpo y, al concluir, se zambulló de nuevo, chapuzando, en el agua, quedándose inmóvil. «¡Qué placer! —suspiró—. ¡Qué gran placer!» Creía ingenuamente que estas particulares exclamaciones favorecían la difusión de sus bañeras por todas las casas de la ciudad. «Bien. Quién sabe si la telepatía...», pensaba. Se incorporó y se envolvió en una amplia toalla blanca. Cecilio Rubes se sentía, de súbito, plenamente equilibrado. Tarareó tímidamente una canción mientras se secaba. Después, al friccionarse el torso con colonia de muchos grados, cantó a media voz:

Yo no sé qué tendrá la primavera
que todo lo altera el mes de abril;
la primavera
la sangre altera
y tra la la, la lá.

Se friccionaba con suavidad y con método, velando por su piel delicada. Su piel no permitía grandes excesos. A veces pensaba que si hubiese sido mujer tendría un cutis atractivo pese a sus treinta y siete años. Más tarde, pensó hasta qué años sería atractiva y deseable Adela, su mujer. «Bien, está echando caderas de cuarentona y su cintura no es lo que fue», se dijo. Comenzó a vestirse y en ese momento oyó unos golpecitos tímidos en la puerta. Cecilio Rubes buscó, en su interior, la voz de trueno:

—¿Quién es? —gruñó ásperamente—. ¿Quién llama?

—Soy yo, Adela. Abre.

Cecilio abrió la puerta y suavizó el tono.

—¡Vaya, vaya, querida! Buenos días, querida.

Advertía en su mujer una expresión preocupada y distante. Recordó la escena del biombo. «Bueno, tendrá que acostumbrarse» —se dijo.

—Cecil, querido, quiero saber... He estado pensando... Me pregunto... —dijo Adela.

—Bien. ¿No acabarás? —dijo él.

Adela bajó los ojos. Dijo, al fin:

—Me he preguntado muchas veces esta noche si lo de ayer

fue sólo cosa del vino o... o... ¡Oh, Cecil, qué necia soy! ¡No sé lo que me pasa!

Adela rompió a llorar sobre su pecho. Cecilio pensaba: «¡Ah, el cochino pudor de este pueblo de cafres que sólo engendra beatas y toreros!» Esperó que se desahogase, propinándola palmaditas alentadoras en la espalda. Con disimulo fue bajando la mano hasta la cintura. «Bien, sí ha engordado —pensó—. Tiene un neumático de grasa aquí.» Dijo:

—¿Te refieres a lo del biombo?

Ella apretó los ojos contra su camisa. Dijo con cierta solemnidad:

—Prométeme, Cecil, que nunca me avergonzarás con ese recuerdo. ¡Prométemelo!

—Prometido. ¿Bien?

—No es eso lo que te quiero decir —añadió Adela.

Cecilio Rubes se impacientaba.

—Habla, nena —dijo—. Ayer bebí un poco de más y te dije una serie de inconveniencias. Luego, en fin... el que a mí me agrade verte así debe enorgullecerte. Bien, no eres una mujer de mala nota por ello, si es eso lo que te preocupa.

—Por favor, Cecil.

—Habla.

—Quiero decir —añadió Adela—, que si ayer, cuando me dijiste «eso», lo pensabas así y lo deseabas, o... o... todo fue porque te tomaste dos copas de más y no sabías lo que decías.

Cecilio Rubes estaba desconcertado.

—Bien —dijo—. No es cierto que yo crea que no me quieres, ni es cierto que yo piense que me soportas por propia estimación ni por buena conformidad ni, en realidad, tampoco me corre mucha prisa todo eso de las dos camas...

La tomó con un dedo de la barbilla y levantó su rostro abatido hacia él. Le decepcionó la persistencia de su desencanto:

—Por favor, Adela, ¿qué es lo que quieres de mí? —dijo, con una sombra de irritación—. Tengo prisa.

—Dime, Cecil. ¿Es cierto que quieres un hijo?

—¿Un hijo... yo?

—Tú lo dijiste.

—Eh, bien. No te preocupes por ello. Anoche me dio por ahí. Son ventoleras, nena. Los hombres somos a veces muy complicados; no sabría explicarte qué me pasó.

—Cecil...

—¿Qué?

—Yo creo, querido..., me parece que espero un bebé.

—¿Qué? ¿Qué estás diciendo?

Los ojos de Cecilio se agrandaron; parecían dos bocas con sendos huevos dentro. Miró a su esposa como la primera vez que vio un escorpión. Sentía curiosidad y miedo a la vez.

—Tú dijiste anoche que deseabas un hijo, Cecil, y vamos a tener un hijo. Eso es lo que pasa.

—¡Oh, oh! Entonces...

—Es de antes —dijo ella—. Dentro de seis meses nacerá.

—¡Oh, oh! ¿Quieres decir...?

—¡Por amor de Dios, Cecil, no me mires así! No es un crimen, al fin y al cabo, tener un hijo. Un exceso de confianza, eso es todo. ¡Por favor, no me mires así!

Por primera vez en la vida, una impresión dominaba del todo a Cecilio Rubes, hasta hacerle perder la ecuanimidad. ¡Un hijo...! ¿Es que Adela sabía lo que decía? Ea, bien; las cosas había que aceptarlas como fuesen. Iban a tener un hijo y sus treinta y siete años, o sus treinta y cinco, o los que fueran, iban a cambiar de rumbo inopinadamente. «Un hijo no es una gran cosa, después de todo —pensó— Valentín tiene cinco, y es un pobre hombre y asegura que le han dado más satisfacciones que disgustos. Bien. Bien. Tal vez un hijo me evite esos terribles momentos de depresión que me asaltan de cuando en cuando».

—¡Oh, Cecil! — dijo Adela —. Estoy muy asustada, ¿sabes?

Cecilio Rubes vio, de pronto, a su mujer como una mujer distinta. Comprendió que se había roto la rutina y que ni su audacia del biombo tenía importancia ya. Por primera vez miró a su mujer como a algo trascendente; como a un ser sensible y cerebral.

—No hay por qué preocuparse, nena. Todas las mujeres tienen hijos alguna vez.

—Pero, querido, mi madre...

—Tu madre, tu madre... —Cecilio Rubes entendía que su mujer no tenía ningún derecho a mezclar el pasado en sus conversaciones íntimas. Le molestaba la sola mención de su suegro o de su suegra. El había liberado a Adela de una existencia mezquina y los malos tragos no había que recordarlos. Añadió—: Eso pasa una vez; no pasa siempre.

Intuía Cecilio Rubes que en su vida entraba, de improviso, aun antes de nacer, un nuevo factor fundamental. Le ganaba por instantes un ansia creciente de estar solo y ordenarse por dentro. Sobre su pecho gravitaba un peso desconocido, quizá el primer brote de una inminente responsabilidad.

—Querida, queridita —dijo—. Voy a dar un paseo. Bien. Necesito pensar y que me dé el aire. Me has impresionado, ¿sabes? Esto sí que es un regalo de Pascua. No es que me importe o no me importe. Aún no sé si me importa o no me importa. Bien. Sólo sé que es algo nuevo y tengo que pensar en ello.

Adela le miró como con un condicionado reconocimiento. Se dijo: «Ya está». En cinco minutos se había descargado de un enorme peso. Verle salir a la calle fue para Adela como un escape. También ella precisaba estar sola y meditar. Por un momento pensó cruzar el rellano y decirle a Gloria, la nueva vecina, que Cecilio ya estaba al corriente de todo. Luego decidió que esperaría a arreglarse y luego decidió no arreglarse hasta más tarde, porque sentía pereza.

En la calle hacía frío y Cecilio Rubes no reparó en que no había desayunado hasta que el estómago vacío le produjo una intermitente sensación de destemplanza. En realidad, lo de tomar el aire era una disculpa; Cecilio Rubes necesitaba cambiar impresiones y, quizá, también, una pequeña orientación en aquel laberinto imprevisto, en el que, de súbito, se veía hundido. Entendía que Adela no valía para ello, ya que Adela tenía un susto dentro del cuerpo casi tan grande como el suyo. Y era, además, uno de los factores del problema. Dudó entre encaminarse en busca de su madre, o de Paulina. Finalmente tomó el paseo de junto al río, en el nuevo ensanche de la ciudad. Se vería con Paulina. La chiquilla era optimista, y en cierto modo sensata, y acertaría a ver las cosas en frío.

Lo de Paulina fue un capricho; Cecilio Rubes lo entendía así. Pero su vida estaba llena de caprichos porque precisamente para eso Cecilio Rubes era un hombre rico y sensible a todas las influencias. Paulina cosía en un taller cuyas ventanas traseras daban al patio del establecimiento «Cecilio Rubes: materiales higiénicos». Era, por tanto, una cosa destinada a entrar en la órbita de su vida; por eso y porque para eso Cecilio Rubes no se entendía del todo con su mujer y pasaba a veces las penas del Purgatorio, y era un hombre rico, y Paulina pobre, y una chiquilla, y pelirroja, y tenía la loca cabecita llena de pájaros.

Cuando él se asomaba al patio, Paulina se reía y se daba de codo con sus compañeras de trabajo. Cecilio Rubes llevaba entonces dos años casado y Paulina acababa de cumplir los diecisiete. También el hecho de que Paulina tuviera diecisiete años y las cosas personales bien distribuidas influyó, sin duda, en la resolución de Cecilio Rubes.

Una tarde la esperó y, a la salida, la dijo: «¿De qué te ríes, peque, si puede saberse?» Ella dijo: «¡Ah, no me río de nada importante, señor!» Cecilio Rubes se sintió audaz. La pelirroja Paulina le daba pie. Dijo: «Tú no estás hecha para andar todo el día de Dios con la aguja. Bien, tú eres bonita y puedes aspirar a más». «¿Sí?» —preguntó ella. «Si tú lo quieres te llevo a Madrid conmigo» —dijo Cecilio Rubes, con voz temblorosa. «¡Vaya, Madrid! —dijo ella. Mi hermano es un demonio. ¿Comprende usted?» «Ya. ¿No tienes padres?» Añadió ella: «Si yo tuviera padres no me iría a Madrid con usted». Cecilio Rubes tenía las orejas calientes y los ojos le pesaban. «Bien. ¿Te vienes, entonces?» Rió ella y a Cecilio Rubes le apeteció su redonda garganta y su boca y todo lo suyo. «¡Claro! ¿No se lo estoy diciendo?»

Al regresar, Cecilio Rubes la puso un pisito. Nada de despilfarros, desde luego. Un modesto ático en la parte nueva de la ciudad, junto al río, con dos amplias habitaciones —salón y dormitorio—, bañera e inodoro «Rubes» y una minúscula y agradable cocina. Rubes dijo: «¿Qué dice tu hermano?» Ella le abrazó: «El pisito es muy lindo. Soy muy feliz» —dijo. Insistió Cecilio: «Bien. ¿Acepta tu hermano este estado de cosas?» «¡Ah, claro! —dijo Paulina—. Mi hermano dice que ya era hora de que pudiera quitárseme de encima». Luego añadió: «Voy a decirte una cosa, yo quiero ser actriz». «¡Bien, pequeña! Tú serás actriz. Claro. Tú tienes talento y personalidad. Bueno. Hay muchas actrices que no tienen alguna de las dos cosas o les faltan las dos». Preguntó Paulina: «¿Sabes cómo te llamábamos en el taller?» Se reía. Cecilio Rubes se sintió molesto. Dijo: «¿Es que me llamabais de alguna manera?» Paulina volvió a reir y cuando se reía agitaba su cabello rojo: «Tú eras el gordito» —dijo. «¡Ah!» Cecilio Rubes se pasaba insistentemente la mano por el vientre como si quisiera plancharlo. Paulina le besó: «Yo sé que no eres gordo —dijo—. Eres todo un hombre, tú».

Paulina sabía halagarle y sabía satisfacerle. Paulina tenía una disposición innata para el amor. A su lado advirtió Cecilio

Rubes que su mujer no era más que una infeliz pacata con los escrúpulos y dengues propios de un modesto funcionario. Paulina era su antítesis: Viva, resuelta e incitante. En los primeros tiempos, Cecilio Rubes estuvo excesivamente sometido. Visitaba a diario a la muchacha y, a veces, se quedaba a cenar con ella. Su mujer se extrañaba de la frecuencia de «las cenas en el club», pero jamás se lo reprochaba. A Cecilio Rubes, en ocasiones, le asaltaba algún remordimiento, pero lo desechaba apelando «a la tradición libidinosa de los Rubes». (A ciencia cierta desconocía las inclinaciones de sus antepasados en este sentido, pero Cecilio Rubes era un experto en eso de arreglar las cosas a su conveniencia.)

Subió despacio las escaleras porque le repugnaba entrar jadeando; no quería que ella pensase de él que era un viejo. Cecilio Rubes ponía buen cuidado en guardar las apariencias. A sus años era necesario guardar las apariencias. Sorprendió a Paulina perparándose el desayuno:

—¡Vaya, chico, qué temprano hoy! ¡Felices Pascuas!

La besó tímidamente Rubes.

—¿No me abrazas?

Cecilio la abrazó sin la nerviosa y como electrizada tensión de otras veces. «Está cansado» — pensó ella. Paulina vestía una bata azul eléctrico y el contraste con su pelo rojo era ya una tentación. Rubes no reparaba en la tentación esta mañana.

—¿Qué me traes? —dijo ella—. ¿Qué me traes hoy? —Le registraba los bolsillos del gabán ávidamente. Después le ayudó a desprenderse de él y le registró la americana y el chaleco.

—¡Vaya! —dijo—. ¿No me traes siquiera flores?

Volvió a notar Cecilio Rubes una desfalleciente vaciedad de estómago.

—Sólo vengo a desayunar contigo —dijo—. Pensé que me gustaría desayunar contigo y he venido. Bien. Traigo también... una noticia para ti.

Paulina pasó los desayunos al salón. Era agradable aquel compartimiento, con su confortabilidad desprovista de todo lujo y el blanco y frío sol del invierno y el reflejo del río adentrándose por el amplio ventanal.

Cecilio Rubes se sentó en una butaca. Paulina se puso al respaldo y pasó los brazos por encima de sus hombros:

—Dime, ¿es buena, o mala?

Rubes hizo una pausa.

—Voy a tener un hijo —dijo, finalmente, con oscura timidez.

Le ofendió la risa loca de Paulina.

—¡Vaya! ¿A tus años vas a tener un bebé?

—Yo, no. Mi mujer.

—¡Vaya! —respondió Paulina—. Un bebé. También yo cuando pasen unos años, deseo tener un bebé. Yo creo que todas las mujeres querrían tener un bebé en alguna ocasión. ¿Tú que dices, Lilito?

—¡Oh, no me llames así, Paulina! Te lo suplico. Siempre te he dicho que no me gusta que emplees conmigo esos nombres horribles.

Paulina se sentó en el brazo del sillón. Repentinamente se puso seria:

—Dime —dijo—. ¿Es eso todo?

—Sí.

—En realidad, no es una noticia importante el que un hombre casado vaya a tener un hijo.

—Yo no iba a tener hijos, Paulina. Tú lo sabes.

—Ah, sí. Pero las cosas no salen siempre a la medida de nuestros deseos, cariño. Yo quiero ser actriz y sé esperar. Y llevo cuatro años esperando. ¿No es eso exactamente?

Se incorporó y sirvió el café con leche. Cecilio Rubes lo tomaba a pequeñas dosis, velando por la integridad de su bigote.

—Bueno —dijo—. Son cosas diferentes.

En un rápido movimiento, no provocado por su parte, Paulina se sentó en sus rodillas y le abrazó. Dijo:

—Espero, cariño, que la novedad no altere nuestra vida. Lo nuestro es distinto, ¿no es así?

El la estrechó. Dudaba, ahora, si era el café con leche o la proximidad del cuerpo de Paulina lo que le estimulaba. Enredó los dedos en su cabello y zarandeó la roja cabecita.

—Desde luego —dijo—. Por eso no te preocupes. —La besó en los labios.

Paulina se incorporó de un salto:

—¡Ah, ven, pequeña! —se quejó él, desamparado.

Paulina, recostada en una pequeña mesa, con un gramófono encima, sonreía y guiñaba los ojos al sonreir; estaba bonita. Cecilio Rubes procuró apaciguarse: «No es momento; no es momento oportuno» —se dijo. Habló en tono fuerte, pretendiendo acallar su incipiente apetito:

—Bueno —dijo—. Lo raro no es que un hombre casado vaya a tener un hijo. No es tampoco importante. Todo eso ya lo sé, pequeña. Otros hombres más viejos que yo tienen hijos todos los días y el mundo no se vuelve del revés por ello. Bien. Todo eso es correcto, Lina. Estamos de acuerdo. Pero yo... ¿Tú crees...? Bueno, concretamente. Yo ayer deseaba un bebé y hoy no sé si lo quiero. Eso es lo raro. ¿Tú crees que es normal desear hoy una cosa ardientemente y mañana hacerle ascos? ¿Has sentido tú alguna vez de esa manera, pequeña?

Se ensombreció el rostro de Paulina:

—¡Vaya! —dijo—. ¿Es eso todo lo que ves de particular? ¡Ah, cariño! No te compliques la vida. Yo te dije una vez: «Regálame ese collar». ¿Recuerdas? Y al día siguiente te dije: «No me regales ese collar, cariño. Regálame ese gramófono».

Cecilio concluyó de beber el café e irguió la cabeza. Tenía dos bolsas moradas bajo los ojos y el rostro un poco pálido y como mate:

—Es otro caso ése —dijo—. Yo te regalé el collar y el gramófono, y asunto concluido.

Paulina levantó los brazos y trenzó los dedos detrás de la nuca. La bata se entreabría y el descote del camisón mostraba la iniciación de sus pequeños pechos vigorosos.

—Bueno, bueno —añadió Paulina—. Tú no puedes tener un bebé y dejar de tenerle. ¡No pidas imposibles!

—Bien. Por eso es distinto —dijo Rubes.

Paulina fue hacia él y se sentó, de nuevo, en sus piernas. Con los labios formaba un hociquito, tibio con un nido, para que él la besase. Cecilio no vio más allá y hundió los labios en aquel refugio, como un sediento. Ella le miró de cerca, con un leve matiz de severidad en los ojos. Dijo:

—Vamos a acabar con estas pamplinas de una vez, cariño. No me gusta ver tu cabeza enredada en ninguna cosa. Ayer querías un bebé y hoy también lo quieres, aunque todavía no te des cuenta de ello. Más tarde, cuando estés bien despabilado, pensarás: «¡Vaya alegría tener un chico!». Y desearás ponerle tu nombre, y que se parezca a ti, y que herede tu negocio, y que la gente diga: «Otro Rubes. Ese apellido no se extinguirá jamás. La ciudad no se concibe sin un Rubes». Y tu hijo, cuando crezca, se casará y tendrá otro hijo y se llamará también Cecilio Rubes, y de esa manera tú, en cierto modo, seguirás aquí y no te irás del todo. No sé si entiendes lo que te quiero decir, cariño, pero no lo sé decir de otra manera.

Cecilio Rubes reflexionaba. Sí entendía lo que Paulina decía y casi se sentía capaz de sacar de su egoísmo un amor puro y desinteresado hacia ella. Lo hubiera hecho así seguramente, de no tener tan cerca sus formas excitantes. De repente a Cecilio le agradaba la idea de un hijo y hasta sentía impaciencia de él. Un hijo era, en la vida, una cosa necesaria. Dijo:

—Lina, eres una buena chica.

Ella se puso en pie, de nuevo. Gozaba truncando de súbito las expansiones de él. Entendía que en este juego estribaba el gran secreto de su poder. Actuando así, podría, de desearlo, poner a Rubes de rodillas y hasta hacerle llorar. Cecilio Rubes se volvía loco y la perseguía, ciego, entre los muebles.

Mas hoy, Cecilio no reaccionó como esperaba. Le sujetaba al asiento una idea fija que ella, bobamente, había exacerbado. Experimentó Paulina una pasajera desolación: «Ese mocoso no podrá nada contra mí» —se dijo. Se aproximó al gramófono y le dio cuerda. La música sonaba agria, con cierto engolamiento. Paulina colocó sus manos en la cintura y movió las caderas delante de él, a compás de la música. Cantaba suavemente, cálidamente Paulina:

—El cura de Alcañices
a la nariz llamaba las narices.
Y el cura de Alcañiz
llamaba a las narices la nariz.

Se aproximó a Cecilio:

—¿Quieres bailar, cariño? —preguntó.

Cecilio Rubes sudaba por las sienes. Vaciló. La rutilante figura de ella le atraía. Su figura y la conciencia de que bajo la bata azul ardiente no existía otro obstáculo que el liviano camisón.

—No es momento, pequeña. No me parece momento oportuno para bailar —resistió, débilmente, incorporándose.

Ella se lanzó en sus brazos.

Bailaban, ahora, los dos, y a Cecilio Rubes le agradaba sentir en la palma de la mano el quiebro rotundo de la cintura de ella. Se le hacía aquella oportunidad una dicha inmerecida. Debajo del ventanal corría el río, sucio, entre los chopos agarrotados. El altavoz chillaba descomedido. Cecilio dijo:

—Esa bocina está mal.

Ella alzó la cabeza y él la besó. La habitación le daba vueltas en la cabeza a Cecilio Rubes. Cuando el disco concluyó, dijo Cecilo:

—Bien. Es hora de marcharme.

—¿Tan pronto?

—Es hora, pequeña. No llegaré a misa.

Abrió la tapa de su enorme reloj de oro.

—Es hora. Es hora de marcharme —insistió tercamente. Él mismo se sorprendía de su dominio, de su inusitada fuerza de voluntad. Fingía prisas y hablaba alto para aturdirse:

—¿Y mi sombrero? ¿Dónde dejaste el gabán, Lina? El bastón no está aquí. ¿Dónde pusiste el bastón, pequeña? —La besó en la frente—. ¡Felices Pascuas, Paulina! ¡Adiós, adiós!

Descendía con precaución los escalones, pues el peso del abdomen le desnivelaba. «No hubiera estado bien. No hubiera estado bien» —se dijo. Y movió la cabeza con fuerza para desechar la imagen de Paulina.

Adela estimó que era ya hora de arreglarse, se desnudó y se metió en el baño. Sintió vergüenza de que Cecilio la contemplara así la noche antes. Tal vez si Cecilio hubiera tenido este capricho cinco años atrás no la importase tanto. Mas seis años de matrimonio en una mujer cambian muchas cosas.

Su pobre prima Enriqueta —e. p. d.— decía que a los treinta años las grasas son el supremo lastre en una mujer. A esa edad, según Enriqueta, no se concebía una mujer sin grasas. Cabía la suerte de que las grasas se repartieran equitativamente en cuyo caso el físico no se resiente de modo grave, pero lo normal era que las grasas se asentasen preferentemente en un lugar concreto: el pecho, las nalgas, el vientre o las caderas. Adela notaba que su cintura no era la misma de otros tiempos y presentía que su depósito de grasas iba elaborándose pacientemente ahí y sintió como un oscuro desencanto ante lo irreparable.

A Adela le daba pereza el arreglo de su persona. Tenía pereza de jabonarse y exponer su cuerpo húmedo a la tibieza del ambiente. Prefería, al baño activo, sumergirse hasta el cuello y dejar que el agua obrase lentamente sobre sus poros. De esa manera cabía meditar en el perfecto punto de equilibrio que da una temperatura graduada al gusto de una. Adela se estiró dentro de la bañera. Era alta, pero las dimensiones del baño eran como para albergar un gigante. Trató de alcanzar con las puntas de los pies el extremo posterior, pero resbaló, se la hundió la cabeza, tragó agua y desistió, disgustada.

Estaba contenta de que Cecilio lo supiera todo. El peor momento había sido vencido. Su marido imbuía en ella un inconcreto temor; comprendía que jamás se compenetraron del todo y aun lo problemático de que llegaran a compenetrarse algún día. No tenían nada en común, salvo la cama y las comidas. Eso era muy poco. Aunque Adela no era aguda, ni inteligente, columbraba que una mesa y una cama en común eran algo insuficiente para aglutinar un matrimonio. Mas tampoco se le escapaba a Adela que otros matrimonios tienen en común aún menos que una mesa y una cama y que, por lo tanto, su situación no era, en modo alguno, desesperada.

En realidad, Adela no estuvo nunca enamorada de Cecilio. Más bien se sintió deslumbrada por él. Estaba habituada a una vida mediocre y él la ofreció una maravillosa oportunidad. Pero Adela, aun antes de casarse, ya sabía, sobre poco más o menos, a qué destino estaba abocada.

Quizá si su madre no hubiera muerto al darle a luz, o su padre no agarrara el tifus todavía joven, o sus hermanos no se hubieran marchado a Cuba siendo ella todavía una chiquilla, Adela hubiese esperado la llegada del verdadero amor y hubiera rehusado la mano salvadora que Cecilio Rubes la tendía. Pero en sus condiciones, Adela comprendió que era tonto vacilar, y no vaciló. Admitió a Cecilio y se casó con él.

La adaptación no fue difícil, aunque su suegra decía de ella que era una mujer tosca. A Adela no le importaba demasiado las opiniones de su suegra, porque su suegra no la quería, ni ella quería a su suegra. Estaba, pues, en paz. A Adela se le hacía su suegra una mujer altiva y orgullosa, un poco chiflada, y además tenía la cabeza grande. A ella sólo le preocupaban su marido y la idea de tener un hijo. Ambas cuestiones se solucionaron favorablemente y con rapidez. Ponerse a nivel de su marido fue cosa de unas semanas y, para ello, apenas hubo de trocar Adela seis u ocho palabras de su habitual vocabulario: Cecilio decía «almuerzo» en vez de «comida» y «tapiz» en vez de «alfombra». Tan pronto asimiló estos latiguillos y se acostumbró a tomar el chocolate a la francesa y a sujetarse graciosamente el traje de noche para subir y bajar de la berlina, comprendió Adela que había logrado parear su educación a la de su marido.

En cuanto a lo de tener un hijo, Adela guardaba un terror instintivo. Tal vez fuese herencia. Su madre, según su padre, siempre lo temió. Era el suyo —el de Adela— un terror exclusivamente físico; un miedo al dolor y, también, a la muerte. A Adela le asustaba morirse; se le antojaba irrazonable que el mundo siguiera su marcha impasible cuando ella desapareciese. Era injusto y el único remedio posible para evitarlo era no morirse. Por eso Adela, cuyos sentimientos religiosos eran algo sin base e improvisado, ofreció a Dios una custodia de plata si no le daba descendencia. Pero Cecilio Rubes allanó aquel problema la misma noche de bodas y le ahorró a Adela la custodia. Fue ésta la primera vez que Adela vio en los ojos de Cecilio una extraña lucecita de crueldad. Dijo:

—No, querida, yo no soy de esos hombres que tienen hijos. Bien. No quiero hijos, entiéndelo. Tú y yo debemos bastarnos y si algún día cambio de opinión ya te avisaré.

Cecilio le dio instrucciones y Adela sintió su conciencia tranquila y se comió la vergüenza, achacando toda la responsabilidad a su marido. Era el jefe de la familia y él mandaba y a ella no le quedaba otra salida que obedecer.

Al establecerse en su nueva casa, Adela empezó a sentirse sola. Comenzó a darse cuenta de que el refinamiento y la abundancia no bastan para llenar una vida y que la felicidad, e incluso el bienestar, están por dentro de una y no por fuera, como ella neciamente había supuesto. Cecilio oscilaba entre el negocio y el club. Tan sólo de año en año la llevaba en la berlina al baile de la Prensa y, de vez en cuando, a la Ópera y a la Zarzuela. Fuera de esto, apenas la dedicaba unos minutos de sobremesa y la desagradable vehemencia de sus expansiones nocturnas.

En este punto, Adela no comprendía a los hombres. Cecilio en la intimidad se trastornaba; era algo enloquecido e incoherente. Adela, en cambio, cada vez, se sentía vejada. Cecilio no encontraba en ella más que una tiesa y fría correspondencia, y no por cálculo o por premeditada decisión sino porque la acción, en sí misma, le repugnaba. Adela no había nacido para eso.

La casa, enorme y silenciosa, hacía más sensible el aislamiento de Adela. Lograba sus únicos momentos dichosos a fuerza de imaginación, cuando evocaba sus años adolescentes junto a su padre, el funcionario Martínez, y él la llamaba «mi tierna florecilla» y la acompañaba, solícito, a ver las salidas de los toros, o los escaparates, o los fuegos artificiales, o, como mucho, a oir los conciertos gratuitos en el quiosco del parque las mañanas de los domingos. Entonces, Adela, sin percatarse de ello, era extraordinariamente feliz; se sentía segura dentro de su barata ropa nueva y hediendo el perfume de violetas que generosamente se derramaba por el escote y los lóbulos de las orejas antes de salir. Ahora pensaba que una huida a la calle remediaría su soledad; pero Cecilio no le permitía salir sola.

A Adela le sorprendieron los celos de su marido. Nunca creyó que los celos fuesen una cosa digna y estimaba a su marido al margen de la menor indignidad. Su primera explosión la dejó perpleja. El chico de la tienda vino a colgarle una lámpara cuando apenas llevaban unos meses de casados. A Adela aquel chico, con su bozo incipiente y su delantalón desproporcionado y su nariz granujienta, no le pareció avispado. Ella misma se subió a la mesa para indicarle la disposición de la lámpara. En ese momento entró Cecilio. De nuevo bailaba en sus ojillos una chispita de crueldad.

—¡Baja! —dijo. Se volvió al chico: —¿Qué miras tú, idiota, si puede saberse?

Adela dijo:

—Fui yo, Cecil. Quise darle una idea.

A Cecilio Rubes le temblaban levemente los labios. Al marchar el chico le dijo:

—¿No viste que ese tunante te miraba las piernas?

—¿Qué dices, Cecilio? Ese chico es un infeliz.

—¡Bien! —vociferó él—. Al levantar los brazos se recogen las faldas y enseñas las piernas. Y ese maldito dándose un atracón. ¿Es que no lo comprendes?

Al sentarse a comer, Cecilio estaba más aplacado. Le dijo, tomándole una mano:

—Escucha, querida. Cuando tú estés en alto asegúrate que no hay hombres debajo. En caso contrario, baja tú también. No es una tontería mía, créeme. Bien, quizá sea el más importante consejo que te he dado en la vida.

A Adela le turbaban las expresiones de su marido; le sorprendió su actitud violenta y le asustó, porque Adela temía especialmente la cólera de los hombres pacíficos. De esta manera fue estrechándose el círculo de sus posibilidades. Cecilio fruncía el ceño cada vez que ella le comunicaba que se había visto obligada a salir. No le agradaba que comprara sola, porque decía que los dependientes, de ordinario, son unos aprovechados. Tampoco le gustaba que callejease, porque en las calles acecha el peligro en cada esquina. Detestaba igualmente que Adela frecuentase las reuniones de sociedad, «porque hay maridos que están hartos de sus mujeres y, en cambio, les apetecen las del prójimo». Así el aislamiento de Adela se convirtió casi en una reclusión. A ella le mortificaba la desconfianza de Cecilio. Pese a la falta de identificación con él, en el cerebro de Adela no cabía la idea de una traición. Sabía que al casarse se daba del todo y con exclusividad: Ser fiel era para ella una cuestión de sentido común. Aparte de todo, Adela consideraba que la consumación del amor era repugnante en sí, con independencia de los protagonistas.

Salió del baño, se arrebujó en la toalla y, a continuación, comenzó a vestirse lentamente. No tenía prisa; jamás tenía prisas Adela. Los días eran largos, casi infinitos, y sabía que aún dedicando dos horas corridas a su arreglo personal le sobraría mucho tiempo. Con cuidado se palmeó las mejillas y se cepilló las cejas. Estaba un poco pálida. Se estremeció levemente al pensar que una vida se iniciaba en su vientre. Esta idea le daba grima. Le ponía nerviosa pensar que bajo su piel latiese algo vivo. En este sentido, tanto le daba un hijo, como una lombriz o una tenia. Se puso una media y reconoció que tenía los muslos bonitos. La pantorrilla quizá un poco demasiado fina. No quería pensar en que llevaba un hijo dentro. Le agradaba la idea de imaginarle ya con autonomía y vida propia, rebasado el temido momento del parto. Ahora, la esperanza de un hijo alimentaba su soledad. Había llegado a preferir el bárbaro desgarro del alumbramiento, con todas sus consecuencias, a la idea de encontrarse sola hasta el fin. Le asustaba, sin embargo, la edad. «Las mujeres —pensaba— deben tener sus hijos antes de los treinta años.»

Días atrás le asustaba, también, su secreto. Llegó a suponer que Cecilio la mataría cuando se enterase. Por eso le pareció todo como un milagro de la Nochebuena. Cecilio no sólo se avenía, sino que le rogaba que le diese un hijo. ¿No era aquello un hecho portentosamente casual? Gloria se alegraría al conocer la excelente disposición de Cecilio. En muchos puntos, Gloria no pensaba como ella y, no obstante, se entendieron admirablemente. Adela se pellizcó levemente los lóbulos de las orejas y sonrió al espejo. «Es simpática Gloria», se dijo. Adela se alegraba ahora de su costumbre de acechar las subidas y bajadas del ascensor. Extremando un poco las cosas, toda su vida de relación consistía en espiar por la mirilla de la puerta quien subía y quien bajaba las escaleras. Cuando la tarde anterior descubrió a Gloria esperando en el descansillo, le dijo a Cristina:

—Póngase derecha la cofia y diga a esa señora si quiere pasar.

A Adela le gustó Gloria; no era bonita, pero con sus ojos pequeños, levemente oblicuos, y su sonrisa, un poco dentona, resultaba muy atrayente. Y su fino talle, y su busto discreto, y su flexibilidad, y su trajecito marrón, con encajes ocre, muy bien cortado. A Adela le sedujo también la juventud de Gloria y su aire desgalichado de niña torpe y su perpleja timidez. Entró dando excusas y explicaciones sobre la sirvienta, y la llave, y su mala cabeza, y su marido... Al hablar de su marido, Gloria se ruborizaba. Adela la pasó a la salita. Resultaba más acogedora para una conversación entre mujeres. Una vez sentadas, Adela dijo que le gustaba el traje de Gloria, y su abrigo, y las perlas de sus orejas, y que su persona, sin mayor motivo, le había sido simpática. Gloria elogió el uniforme de la doncella y los muebles de la salita. Entre ambas discurría una rápida corriente de comprensión. El corazón, al saltar, casi hacía ruido en el pecho de Adela; le poseía una emoción inquieta, y entreveía que aquella muchacha podía dar a su vida una inesperada amplitud de horizontes. Charlaban vivamente, confidencialmente y al poco rato, aproximaron sus butacas y Adela descubrió, tímidamente, que iba a ser madre. Ello dio nuevo calor a la conversación. Dijo Gloria:

—Bueno... yo ¿sabe? ¡Yo también espero un bebé!

Se puso encarnada. Adela sonrió. Dijo:

—Mi pequeño nacerá en mayo. Es una buena época, me parece a mí.

—¡Ah, qué casualidad tan grande! —dijo Gloria y se la encendían dos llamitas en los ojos—. Mi niño nacerá en junio. Es mejor así. Septiembre es un mes malo para los dientes.

Se cogieron impulsivamente de las manos en un mutuo intento de ayuda y protección. Dijo Adela:

—Yo tengo un poco de susto, esa es la verdad. Me da miedo tener un hijo. Mi madre murió al nacer yo.

—¡Ah, no! Siempre no es así. Yo tendría mi hijo mañana mismo —dijo excitada Gloria.

—¿Y su marido?

—Mi marido no sabe aún nada y no le gustan los bebés.

A veces pienso que voy a ser desgraciada con mi hijo y siento ganas de llorar. Los hombres no entienden las cosas como nosotras. Hay cosas que los hombres no comprenden de ninguna manera.

Gloria le apretó las manos con un notorio deseo de apoyo eficaz.

—No sea tonta. Dígaselo —dijo—. Sí, es cierto que los hombres son diferentes y aún así hay hombres que nos comprenden mejor. Mi marido dice que quiere diez hijos y...

Al ruborizarse se le achicaban los ojos a Gloria. De improviso se le hizo impúdico descubrir los deseos de su marido. El deseo de diez hijos implicaba otro deseo y Gloria se quedó cortada. Se levantó:

—¡Por Dios! —dijo—. Llevo aquí más de media hora importunándola. Ha sido usted...

—¡Oh, no! No se vaya usted, se lo ruego. Yo estoy muy sola y su compañía es para mí muy... muy... extraordinariamente agradable. Por favor, quédese usted y merendaremos juntas...

Gloria se volvió a sentar.

—No, no debo tomar nada —dijo—. Muchas gracias. Me sienta mal.

—¡Oh! Un chocolatito a la francesa es cosa de nada: ¿no es cierto? —Pulsó el timbre y asomó Cristina. Dijo: —Pónganos unos chocolates, Cristina—. Añadió: —Yo, a veces, también me encuentro un poco alterada, de veras. Siento molestias aquí pero no gana de arrojar. Es como un hervor en el estómago. Mi cocinera dice... ¿Sabe usted que dice mi cocinera? Son cosas de esta gente. Mi cocinera dice que el pelo del niño produce estas molestias. ¿Qué le parece a usted? Yo no puede pensar en ello porque me altero toda. ¿No le da a usted grima tener una cosa viva dentro del cuerpo? A veces pienso que cuando el niño se mueva dentro de mí me moriré del susto.

Gloria sonreía y sus pequeños ojos centelleaban. Tenían una extraña luminosidad.

—¡Pobres criaturas! —dijo—. Si yo pienso que mi hijo está dentro de mí me enternezco toda y lloro. Luis me dice que soy una boba. Luis es mi marido ¿sabe? Yo creo que el estar así... en nuestra situación, nos vuelve sentimentales y un poco tontas. Yo tenía una amiga casada que siempre que se quedaba así... en nuestra situación... lloraba por cualquier nadería. Por ejemplo, un día lloró porque se le extravió un botón: Yo le decía: «¿No te da lo mismo un botón más o menos?» Pero ella lloraba más fuerte y decía: «Le tenía cariño a ese botón, mujer».

A Adela le arrastraba, como un torbellino, la conversación. Hacía muchos años que no sostenía una charla de esta naturaleza, libre y despreocupadamente, con una mujer. Su única amiga se casó y vivía lejos y la prima Enriqueta —e. p. d.— murió del pecho. Íntimamente reconocía que era este el momento más feliz vivido desde su matrimonio. Un fondo de cicatería la llevaba a lamentar el transcurso de cada minuto. Le agradaba Gloria y le agradaba conversar con ella. De no estimarlo impertinente la hubiera hecho firmar allí mismo que mantendrían su amistad a través de los años y a costa de lo que fuese. Necesitaba, de pronto, la garantía de una continuidad. Dijo:

—¿Cree usted en los antojos? Mi padre decía que eso es tan verdad como el sol. Mi padre era un gran hombre ¿sabe usted? Era de esos hombres comprensivos que se dan muy pocas veces. Aunque enviudó muy joven no se volvió a casar, ni le sorprendí jamás mirando de este u otro modo a las mujeres. Mi padre me contaba que una hermana suya tuvo un antojo de un reloj y el niño cuando empezó a andar ponía los piececitos a las once y diez, como si fueran las manillas de un reloj. «Mi hermana tuvo justamente el antojo a esa hora», decía mi padre. ¿Qué le parece?

—¡Es sorprendente! —dijo Gloria. Y, en verdad, sentía una sorpresa casi infantil—. Yo no creía en esas cosas. Me parecían supersticiones. Pero de todas maneras los hombres se vuelven más complacientes cuando nos ven así... en nuestra situación. Yo creo que les damos lástima. Luis me dice: «Nena, si necesitas algo pídemelo». Y así siempre que va a salir. Y yo le digo. «Lo haces para que nuestro pequeño no nazca con un antojo, ¿no es cierto». Y él se ríe y me dice que lo hace por mí, pero yo creo que lo hace para que el niño no salga con un antojo. ¿Usted qué cree?

A Adela le arrullaba el rumor de la conversación. Su lengua se movía con la misma impaciencia que el recluso en las primeras horas de libertad; quería decirlo todo. Era un fenómeno extraño que no experimentó en ninguna otra ocasión. También Gloria era locuaz y en su intercambio de ideas pueriles vibraba un regocijo recíproco e inefable. Se les echó encima la merienda, todo se le echó raudamente encima de Adela. Cuando quiso volver a reparar en su dicha, Gloria ya estaba de pie y consultaba su pequeño reloj y se llevaba las manos a la cabeza escandalizada:

—¡Por Dios! —dijo—. Son ya las ocho. El tiempo ha pasado sin sentirlo. Luis se preguntará: «¿Dónde se ha metido esta mujer?». He pasado un rato muy agradable, se lo aseguro. No conozco a nadie aquí, ¿comprende? Para mí este cambio de impresiones ha tenido mucha importancia. Deseo que su bebé venga sin novedad y... y... ¡Felices Pascuas!

Tendía su pequeña mano enguantada a Adela. A Adela le tiró dentro, muy fuerte, el dolor de la separación. Acababa de destapársele muy vívido el afán de compañía. Le pareció insuficiente estrechar aquella mano y obedeció su impulso sin reservas. Gloria se azaró un poco al sentir sobre la piel los dedos de Adela. Adela pensó: «Oh, tal vez haya estado demasiado efusiva». Dijo con la voz quebrada:

—He sido muy dichosa esta tarde. Créame.

Adela evocaba la visita de Gloria con toda clase de pormenores. Le constaba que era todo un poco ridículo pero en su vida no era aquello un nuevo incidente trivial. Deseaba mantener o toda costa la amistad de Gloria. «¡Ah, todo podrá cambiar!», pensó. Y un gozo pueril le alborotaba dentro del pecho mientras concluía de arreglarse. Se dijo: «Pasaré y le diré a Gloria que Cecilio ya lo sabe y que está conforme». Se dio un ligero toque con el peine y salió del cuarto de aseo.

Le temblaba levemente la mano al pulsar el timbre. «¡Vaya! —se dijo—. Un poquito de serenidad. Que Gloria no advierta que estoy sola hasta ese punto». Gloria misma le abrió. Se sorprendió al verla:

—¡Ah! ¿Es usted? —dijo.

Adela le sonrió. A Gloria le chispeaban los ojos. Estaba un poco sofocada. Tal vez no era de esas mujeres que dejan todo el peso de la casa en manos de las sirvientas.

—¿Sabe? —dijo Adela—. Mi marido ya está al corriente. Creí que iba a ser otra cosa. Se lo dije y dijo: «¿Qué estás diciendo?». Luego dijo: «Bueno, todas las mujeres tienen hijos, ¿no es eso?». Me he quitado un gran peso de encima. Sólo quería decirle eso y...

—¡Pase, pase! Por favor —dijo Gloria sonriendo.

III

Cecilio Rubes, empapado de una indefinida trascendencia, se daba cuenta de que existía ahora una razón que justificaba su presencia en el mundo. El hastío que de vez en cuando le asaltaba en los últimos tiempos, se desvanecía para dar paso a una inquietud nueva. Entendía que un mal paso, un estornudo, una trepidación, podía dar al traste con sus esperanzas y velaba porque ninguno de estos accidentes se produjeran sobre su esposa. Cuidaba a Adela como depósito de su hijo, independientemente de su hermosura y aun de su propia satisfacción.

Adela vivió una temporada en el mejor de los mundos. Por una vez en la vida se convertía en eje de atención y hasta hallaba un oculto placer en que Cecilio no le permitiese estornudar, ni tomar el tranvía, o la aconsejase flexionar un poquito las piernas, a manera de muelles, cuando el ascensor se detenía bruscamente. Era una dicha verse rodeada de precauciones y cuidados y llegó a pensar que la maternidad, con todas sus bárbaras manifestaciones, era el objetivo fundamental en una mujer.

Cecilio no la abandonaba ahora y hasta pasaba veladas enteras a su lado leyéndole un libro o tejiendo proyectos sobre el niño por nacer. Otras tardes Adela merendaba con Gloria y cambiaban impresiones. Frecuentemente se reunían ambos matrimonios y Gloria tocaba el piano o jugaban al tresillo o a la brisca. Era un profundo cambio el operado en la vida de Adela, tan profundo que ella misma procuraba no pensar en ello por temor de echarlo a perder. Como medio de consolidar su incipiente vida de relación, Adela deseaba que su marido se entendiese definitivamente con Luis Sendín. A Cecilio, de momento, no le llenaba Luis.

Se conocieron la tarde que Gloria y su marido pasaron a darles las gracias por su atención —la de Adela— y a ofrecerles su casa. Cecilio dijo cuando ellos marcharon:

—Él es un poco sosaina ¿no? ¿Recuerdas la cara que puso cuando le dije que la mujer es lo más importante en la vida y que nada hay como la mujer?

—Oh, Cecil, no seas injusto —dijo Adela—. Es un muchacho simpático y agradable.

—Te parece simpático y agradable, ¿eh?

—En el buen sentido, Cecilio.

—Bien. No sé en que otro sentido puede entenderse lo que dices. Yo de entrada tengo un poco de prevención hacia los individuos con gafas. Me parecen un poco así... ¿Cómo te diría? Un poco reservados, un poco fuera de la realidad ¡ea!

—Es un intelectual, Cecil. Eso es lo que pasa.

—Los intelectuales están fuera de la realidad, es lo que digo, nena.

—Has de darte cuenta que además es muy joven. Luis es casi un muchacho.

—¡Bien, ya se le nota! Reparaste: «Luis Sendín a su disposición.» «Estamos muy agradecidos a sus atenciones.» «Esta tierra no ha dejado de ser hospitalaria.» ¡Ah, caramba! Es un hombre un poco cargante, querida. Bien. Puede que sea simpático pero desde luego, lo es a su manera. Yo prefiero los hombres más espontáneos. ¿No podrá decir sencillamente: «Estoy a su disposición», «Han sido muy amables con mi mujer; muchas gracias»? Además la cara que puso cuando yo dije lo de las mujeres. Arrugó la nariz, ¿te fijaste?; como si las mujeres no fuesen con él, ¿eh? Pero bien va a tener un hijo el tunante. Esos mosquitas muertas son peligrosos, querida.

—Por amor de Dios, Cecil. Cualquiera que te oiga... Luis es un muchacho serio y reflexivo y nada más. Gloria es inteligente y está enamorada de él y algo tendrá dentro para que una mujer inteligente se enamore de él. ¿No es así?

—Bien. Puede ser, puede ser, querida. Hay hombres que se empeñan en disimular lo que son y lo consiguen admirablemente. Ella es muy inocente, además. Es una pavita atractiva, eso es todo. Y tiene una cintura bonita y gusto para vestirse. Bien. Es muy poca cosa ella; eso es lo que es.

—Cecilio, querido, es amiga mía.

—¿Y he de reservarme mi opinión por ello?

—Debes tener un poco de benevolencia. Gloria es una muchacha encantadora.

—Bueno. Puede ser. Pero no rezan conmigo esa clase de

mujeres encantadoras. Le falta... Bien. Le falta lo fundamental en una mujer.

Adela, finalmente, se echó a reir. Cecilio solía ser poco piadoso con sus nuevos conocimientos. Veía antes —excepto en él— la parte mala que la parte buena de las cosas. Adela sospechaba que poco a poco iría cambiando de opinión. Dos semanas después, el matrimonio Sendín invitó a tomar el té al matrimonio Rubes. Por primera vez, Gloria tocó el piano ante ellos. Interpretó «Moraima». Cecilio dijo al salir:

—¿Sabes que Gloria es una chica atractiva? Tiene... ¡Qué sé yo! Resulta muy «chic», vaya.

—Y tiene una figura distinguida.

—Sí, es posible. Muy poquita cosa, un poco frágil, pero...

—Muy femenina.

—Eso es, muy femenina. Él, en cambio, es demasiado serio, demasiado comedido; no me gusta ¡ea!

A los pocos días, el matrimonio Rubes invitó al matrimonio Sendín a tomar un chocolate a la francesa con picatostes. Cecilio Rubes dijo, por la noche, a su mujer:

—Es un hombre de apetito ese Sendín, ¿sabes? Hube de darme prisa para no quedarme sin picatostes. Bien. Será que trabaja poco y no come lo suficiente en casa ¿eh? ¿Qué te parece?

Adela se ofendió.

—No sé si trabaja o no como abogado pero su familia tiene dinero en la Rioja. Si él se ha instalado aquí es porque estudió aquí y le tomó cariño a esto. Esa es la razón. Por otra parte a mí me gusta ver con apetito a mis invitados.

—¡Caramba, eso es distinto! —aclaró Rubes—. Pero no aprobarás el que los invitados dejen sin comer a sus anfitriones. Bueno. Además, querida, no debes aprovecharte de tu estado para llevarme la contraria. Eso no es correcto, ni un caballero como yo puede consentirlo. Bien. Por otro lado, Sendín es un hombre agudo y no me importa lo que coma o lo que deje de comer. ¿Te fijaste cuando dijo: «Como no estamos en Rusia es el rey quien manda aquí»? Nos llevó la baza, ¿eh? Lo dijo con tanta seriedad que resultó gracioso, verdaderamente gracioso. La verdad es que los hombres con gafas te dan el pego. Se parapetan tras sus cristales y son poco menos que indescifrables. De repente se destapan y... bueno, se destapan y te sorprenden, eso es.

Cecilio cuidaba de Adela como de un recipiente frágil que contuviera un líquido precioso. Hasta veía menos a Paulina, ahora, y sus instintos, de ordinario exigentes y vivos, se manifestaban premiosos y como adormecidos. Era, todo él, una ansiosa y cómica expectativa. En ocasiones, experimentaba hacia su esposa unos insólitos movimientos de ternura. No era raro últimamente ver a Adela sentada en las piernas de su marido, jugueteando con la cadena del reloj, mientras la mano fofa de él le acariciaba distraídamente la cintura. Una tarde le dijo:

—Querida, esta cintura va perdiendo flexibilidad. Hay que luchar contra la grasa. Bueno. La grasa a cierta edad es el mayor enemigo de las mujeres.

Cecilio Rubes se olvidaba de su vientre. Al hablar de defectos e imperfecciones Cecilio Rubes se olvidaba de sí mismo. A Adela le mortificó oir en labios de su marido sus propios pensamientos.

—¡Ah, es el niño! —dijo.

—Querida, antes del niño ya lo había advertido. No es el niño. Bueno. Todo, no es el niño. Cuando el niño nazca harás gimnasia de cintura. Bien. Yo también la haré. Haremos los dos juntos gimnasia de cintura todas las mañanas, con la ventana abierta.

—¿Has pensado alguna vez que puede ser niña, Cecil?

Esta suposición ya ponía a Cecilio Rubes fuera de sí.

—¿Quién dice que puede ser niña?

—Hay las mismas probabilidades, querido. Mercedes dice que si en el matrimonio domina físicamente la mujer nacen varoncitos y niñas si domina físicamente el hombre. ¡Todo lo contrario de lo que debiera ser!

Cecilio Rubes se alteró todo:

—¿Es que quiere decir la idiota de Mercedes que si tienes un hijo varón soy... soy... soy yo un lila... un marica? —voceó.

Adela notó un furioso golpe de sangre en la cara:

—Por amor de Dios, Cecil, no digas esas horribles palabras.

En el fondo, estos desahogos de su marido no alarmaban a Adela. Mas ella creía que una mujer de buena cuna debía fingir cierto escándalo. Adela intuía que cuantos mayores desahogos verbales se permitiese Cecilio delante de ella menos necesitaría de sus vicios, de su Club y de sus amigos. Preveía que el día que el hombre se permitiese hablar ante su mujer con la misma libertad que ante sus amigos, los maridos habrían sido ganados definitivamente para el hogar. Cecilio dijo:

—Creo que esas cosas son más que nada cuestión de voluntad. Si tú quieres un hijo debes decirte a cada momento:

«Niño, niño, niño; yo quiero un niño». De ese modo, querida, no puede nacer más que un varón. Bien ¿Qué otra cosa si no puede determinar el sexo?

Adela pensaba: «Le diré a Gloria lo que Cecilio me ha dicho de la cintura. Ella dice que los hombres no reparan en ciertas cosas. Los hombres están en todo.» Cecilio Rubes pensaba: «Preguntaré a Tomás si hay algún fundamento en lo que la imbécil de Mercedes dice sobre los sexos.»

La ostensible aproximación de su marido, fomentaba en Adela el deseo de desvelar ciertos misterios. Ello y el convencimiento de que la libertad de expansión de los hombres redundaría en beneficio de las mujeres. Indagó tímidamente:

—¿Eso que dijiste antes, Cecil, pueden serlo sólo los hombres o también podemos serlo las mujeres?

—¿Qué? —dijo Rubes.

—Eso, Cecilio, la palabrota que dijiste antes cuando te dije lo de Mercedes...

—¡Ah! Los hombres, claro. ¿Estás tonta?

En los largos ratos que pasaba sola, Adela no acertaba a huir de la amarga realidad de su embarazo. En cierto modo sentía un tácito reconocimiento hacia su hijo; aún antes de nacer ya le debía muchas cosas. Pero la sola idea de que su hijo habitaba en su vientre, ya despertaba en ella un nervioso extravío. Cuando la criatura empezó a moverse, Adela sufría angustiosos ataques de histeria. Se desesperaba entonces de la lentitud del proceso y, al propio tiempo, le aterraba la proximidad del desenlace inevitable. Pensaba en su madre y llegó a considerar una cosa natural que una vida costase otra vida.

Una tarde, de regreso del Establecimiento, Cecilio la encontró llorando. Ella le abrazó convulsivamente. Se sentía más segura y a cubierto agarrada a algo.

—Oh, querido —dijo—. Tengo miedo. Un miedo espantoso. A veces, pienso que me voy a morir...

Cecilio Rubes achacaba al embarazo la extraña volubilidad de su esposa. Repentinamente Adela se calmó y le consideró con una morbosa curiosidad.

—U-na-co-sa, Ce-cil —añadió—. Si yo me muriese, ¿te volverías tú a casar?

—En modo alguno, nena.

—¿De veras?

—De veras.

Le abrazó de nuevo. Dijo:

—¡Ah, querido! Tú no sabes el consuelo que me das.

Cecilio Rubes se armaba de paciencia. Rodeó la cintura de Adela:

—¿Por qué piensas en morirte, dime?

Adela hizo un esfuerzo. Aunque Cecilio conocía su edad, siempre irritaba manifestarla en voz alta. Dijo:

—Mercedes dice que los hijos deben tenerse antes de los treinta años.

—¡Caramba con Mercedes! —dijo él, sofocado—. ¿Cuándo piensa Mercedes cerrar el pico y dedicarse a sus quehaceres sin más?

—Mercedes tuvo hijos, Cecil. Se casó dos veces y sabe lo que se dice. ¿No comprendes que si no me guío de Mercedes no me puedo guiar de nadie? Ella dice que antes de los treinta años el cuerpo es como de goma y todo va bien, pero pasados los treinta años el cuerpo se endurece y tener un hijo es peligroso.

—Bien —dijo él—. Mañana visitaremos al médico.

A Adela le saltaba el corazón ante aquella bata blanca, remotamente humana. Le habían hablado muy bien del doctor Rouge y, sin embargo, al verle ahora, con sus lentes de oro, y su rostro ahilado, y su parvedad, y su boca roja y húmeda, un poco viscosa, Adela experimentaba una instintiva desconfianza. Cecilio quiso llevarla a Tomás, que era su amigo, pero ella pensó que Tomás era demasiado simpático y campechano, y además español, para ser un médico solvente. Para Adela, el científico necesitaba una atmósfera adecuada, y la jovialidad no encajaba en ella. Tomás era excesivamente jovial. Era preferible el doctor Rouge, que era francés y estaba de moda y la gente decía de él que era capaz de sacar un niño vivo de una mujer muerta. Cecilio transigió. Adela notaba que Cecilio transigía siempre esta temporada y procuraba aprovechar sus oportunidades. Sin embargo, el doctor de moda no la complacía ahora; no la gustaban sus lentes de oro, ni los pliegues de su boca, ni su sequedad. Con recelo observaba la mesa patilarga e incómoda y el instrumental brillante, alineado en una vitrina.

—Échese — dijo el médico.

Nada de aquello era agradable, pero Adela comprendió que era necesario. Dijo al doctor:

—Esta señora está embarazada.

—Ah, sí... naturalmente —dijo Cecilio Rubes.

Adela se incorporó.

—¿Hubo más hijos? — preguntó el médico.

—No... No. Es el primero.

Se sentó ante una mesa y escribió algo.

—¿Edad? — dijo luego.

Adela se sentía humillada.

—Treinta y tres — dijo.

Se levantó el médico.

—La natugaleza aconseja que los hijos se tengan antes — dijo —. En fin, espeguemos que todo se guesuelva sin novedad.

Cecilio Rubes se sintió iracundo al salir. Dijo con displicencia:

—Bien. Lo has entendido ¿no? Si a ti te pasase algo, él ha cubierto su responsabilidad de antemano. Bueno. Si no te ocurre nada, él es un excelente doctor que saca los hijos de un vientre pasado como si nada. Está claro ¿no? De todos modos los honorarios serán cosa de verse. Bien. ¿Vas entendiendo cómo se elabora un prestigio profesional? Si yo vendo un inodoro y digo: «Usted tiene la mano dura, señor, pero el género es inmejorable», también me cubro, ¿no? Si la cadena se rompe, es la mano dura del cliente; si aguanta, es la calidad del género. Nada de esto es correcto, querida; créeme — hizo una pausa —: ¿Por qué no hemos de ver a Tomás? — añadió luego.

—Oh, Cecil, Tomás no me da confianza. Es demasiado simpático.

—Bien. Ello no quiere decir que prescindamos del otro. Son compatibles.

Adela accedió. En todas las cosas era partidaria de la multiplicidad de opinión. «Mejor verán cuatro ojos que dos», se dijo. El doctor Rouge, además, la había asustado. Tomás se echó a reir al escuchar sus temores. Dijo:

—Es la edad ideal para tener chicos, Adela. No tienes que preocuparte.

Cecilio intervino:

—Bien, Tomás. No creo que te moleste saber que antes hemos estado en Rouge. No voy a andar con tapujos contigo. Ya sabes lo que son las mujeres. Rouge complica las cosas sencillas que luego se resuelven bien y se lleva la fama y el dinero. Bueno. Eso no afecta a nuestra amistad, Tomás. Mi querido Tomás, yo quería pedirte... en fin... si no te es enojoso, desearía que asistieses al trance... ¡ejem!... Claro que para ti el que el otro... el otro... ¡ejem!

Tomás tenía la particularidad de reir siempre. Estudió el bachillerato con Cecilio Rubes y le conocía a fondo. Le divertía verle ahora debatiéndose contra la insuficiencia de expresión. Ello indicaba que Cecilio Rubes estaba confundido. Al reir, la cara cuadrada de Tomás se fruncía en cuatro hondos pliegues y su piel parecía cuero. Dijo:

—No te esfuerces, Cecilio; yo estaré allí.

—¡Ah, gracias! Mi querido Tomás, para mí es una gran tranquilidad saber que estarás allí, claro.

Le abrazó y le palmeó la espalda y pensó: «Es duro y fuerte este condenado Tomás. ¡Había que verle en el gimnasio del colegio!» De niños, la amistad de Tomás fue para Cecilio Rubes una sólida garantía; ahora, al cabo de los años, las cosas se enredaban de tal manera que la amistad de Tomás volvía a ser para él sólida garantía.

Para Adela estas visitas fueron un nuevo excitante. A veces, si se sentía deprimida, pensaba: «Rouge dijo «La Naturaleza aconseja que los hijos se tengan antes». Mas si su estado de ánimo era optimista se decía: «Tener los hijos antes de los treinta es una equivocación. Tomás lo dijo así. ¿Qué va a hacer Gloria con un hijo? ¡Dios mío, si ella misma es una chiquilla!»

Dos días después de visitar al médico, Cecilio regresó temprano de la oficina. Adela sabía lo que esto significaba y lo lamentó. No se entendía con su suegra; es más, le parecía que entenderse con su suegra no encajaba dentro de las posibilidades humanas. En el fondo, aborrecía aquella gran cabeza blanca, y sus rasgos duros, y sus ropas enlutadas, y el caserón sombrío, y aquel temperamento dominante y despiadado. Y aborrecía, sobre todo, la sumisión de Cecilio a ella, el hecho de que la considerase la única razón de su vida. Cecilio Rubes dijo:

—Hemos de ver a mamá, querida. Después de la confirmación de los médicos, mamá debe saber que va a ser abuela. Bien. Está muy sola mamá.

Cecilio Rubes no acertaba a deslindar sus sentimientos hacia su madre. Debajo de todo, y aunque él no la advirtiese, latía un fondo de temor. Su madre poseía una recia, enteriza personalidad; tal vez demasiado firme. De niño le fue imprescindible y ella le protegía contra el oscuro furor de las tormentas en verano. Desde pequeño, Cecilio Rubes acostumbraba a someter todos sus problemas a su madre. Era como si a él se le vedara, previamente, toda capacidad de decisión. Cecilio Rubes veía en su madre un asidero firme e insustituible.

La viuda de Rubes vivía en la parte vieja de la ciudad. A Adela la sobrecogía aquella casa donde jamás entraba el sol y en cada esquina tropezaba uno con viejas vitrinas cargadas de viejos objetos con polvo de siglos. Toda la casa tenía una rigidez apergaminada y lóbrega. La viuda de Rubes era una mujer despechada con la vida y con los hombres. La vida no le dio lo que creía merecer y le ofendía la sola idea de que alguien, con menos merecimientos, sacase de la vida más de lo que ella sacó. A fin de cuentas, un marido borracho y un hijo sin carácter no eran demasiado para ella que fue una mujer codiciada, de esas que los hombres acechan en cada movimiento para tratar de descubrirlas un tobillo. Y ella tuvo siempre los tobillos bonitos y no anduvo remisa en mostrarlos y los hombres se enardecían en su presencia. Total ¿para qué? Los Rubes eran notables en la ciudad y a ella, en principio, la halagó compartir la vida con un Rubes. Un Rubes que, a la larga, resultó más borracho que notable. Luego, la viudez, el reuma, la soledad y una nuera pobre y boba. ¿Era justo este destino para una mujer como ella?

Ante su suegra, Adela se vigilaba; estaba siempre en guardia y como al acecho. Había que estudiar las palabras, las miradas, los ademanes y guardar la debida compostura. Aquella mujer era fría, terriblemente fría, y distante. Generalmente, sus observaciones eran crueles, cargadas de despecho y resentimiento. Por contra, una intervención de los demás levantaba en su pecho mezquino una furiosa oleada de suspicacia. Adela la miró y se le antojó la idea de su enorme cabeza desproporcionada era postiza y quedaba unida al tronco por el gollipín. Dijo, para disimular sus pensamientos:

—Bueno, mamá, dentro de unos meses tendré un bebé.

—Lo sé —dijo ella secamente—. ¿No tuvisteis tiempo de decírmelo antes?

Cecilio Rubes rodeó sus hombros amorosamente con el brazo:

—¿Lo sabías? No me digas, mamá...

La mirada de su madre lo secó:

—Tomás me lo dijo. Es sensible que una se entere de estas cosas por labios extraños.

—¡Por Dios, mamá! El caso...

—Bien, si queréis que os diga la verdad, os diré que ninguno de los dos estáis ya en edad de tener hijos. Yo tuve mi primer hijo a los 23 años y se murió de sarampión. No le brotó: creo que yo no tuve la culpa de ello.

Cecilio Rubes se mostraba conciliador:

—Bien, mamá. Hasta hace dos días no tuvimos certeza de que fuese un bebé. Eso es todo. Rouge... Bien, Rouge la vio y dijo que era un bebé. Eso fue anteayer y... Bueno, ayer anduve ocupado...

—¿Rouge?

—Ya sé, mamá. También estará Tomás. Adela quiso ver a Rouge, porque Rouge...

—Rouge es un curandero francés; eso es, ¿qué falta ha de hacer él estando Tomás delante?

Tomás era una de las debilidades seniles de la viuda de Rubes. Lo fue desde chiquillo, por su fuerza, su simpatía, su arrolladora franqueza y la vibración vital que comunicaba a cada uno de sus movimientos. La viuda de Rubes amaba las cosas consistentes y vitales. La tibia y desmayada flaccidez de Adela la ponía fuera de sí.

—Bien —dijo Rubes—. No quiero que te enfades, mamá. Si Tomás estuvo aquí, nada tiene de particular que se nos haya anticipado en unas horas. La cuestión es que vamos a tener un bebé y que hemos de ponerle un nombre. Bien, para eso estamos aquí. Yo he pensado en Cecilio para que prosiga la dinastía de los Rubes, mamá. Cecilio, como su padre y como su abuelo. ¿Qué te parece?

—¿Qué ha de parecerme? —dijo la viuda de Rubes, dolida—. Tú sabes lo mismo que yo como murió mi padre y lo que él fue para mí en la vida.

Cecilio Rubes sabía que su abuelo materno tuvo el extraño capricho de arrojarse desde un cuarto piso por el hueco de la escalera. Eso fue muchos años atrás.

—¿Quieres decir el abuelo Alejandro? —inquirió.

—Fue un hombre como ya quedan pocos —dijo la viuda de Rubes—. Hoy ya no existen hombres tan enteros y cabales como él.

—Bien —dijo Cecilio—. Creo que Cecilio Alejandro es un nombre sonoro y adecuado para un nieto tuyo.

—¿Y si fuera niña?

Rubes sonrió generosamente:

—Si fuera niña se llamaría Ramona a secas como tú

— dijo. Y deliberadamente dejó las palabras en el aire, como una estela de humo.

La viuda de Rubes expreso de manera casi imperceptible su satisfacción. Adela, en cambio, se sintió postergada; experimentó un repentino sofoco. Su rama, su sangre, no importaba nada allí.

—Yo creo... — comenzó.

La viuda de Rubes la interrumpió. Entendía que su nuera debía cederle siempre el paso y la palabra. Dijo, dirigiéndose a Cecilio:

—¿Consideras tú posible que tu esposa alumbre un hijo varón?

—¡Mamá!

Adela dijo:

—Yo adoré a mi padre y mi padre se llamaba Eusebio.

Cecilio Rubes se encontró incómodo. Se le antojaba una tontería de su mujer esto de mezclar el nombre del modesto funcionario con los de sus ilustres antepasados.

—Está bien, querida — dijo.

La viuda de Rubes sonrió maliciosamente:

—Con todos los respetos que quieras, hija, no me negarás que Eusebio es un nombre de artesano. Eusebio es exactamente un nombre horrible.

—¡Oh! — dijo Adela.

—Todo lo más de labrador — añadió la viuda de Rubes —. Siempre he creído mezquino y egoísta colgar un nombre impropio sobre los hijos sólo por el mero hecho de que un querido antepasado nuestro tuviera esa desgracia sobre sí.

Adela se contrajo como si la golpeasen. La escocía la sonora voz de su suegra, y su presencia, y la penumbra de la sala, y los cuadros oscuros e indescifrables de las paredes. Estaba acobardada y tuvo que cerrar los ojos para decir:

—A mí me gusta el nombre de Eusebio. Me gusta más ese nombre que el de Alejandro. Un tío mío se llamaba Alejandro y era pastelero.

Aún con los ojos cerrados Adela experimentó constancia del impacto. Fue como el resuello y el aspaviento de un can fatigado lo que llegó hasta ella. Cecilio pensaba: «Idiota, idiota, idiota. Nunca agradecerá lo que se ha hecho por ella». La viuda de Rubes pensaba: «¡Por amor de Dios! ¿Qué se habrá creído esta monja boba?»

Dijo la viuda de Rubes:

–Mi padre solía decirme: «Hija, has de tomar las palabras como de quien vienen. Ten en cuenta que no todo el que quiere puede ofenderte».

En la euforia de su golpe de audacia, a Adela le resultó confusa la reacción de su suegra. No lo comprendió bien. Verdaderamente las alusiones indirectas se le hacían casi siempre inextricables. Cecilio Rubes pensaba: «Idiota, idiota, idiota. ¿Cómo es posible que le diga esas cosas a mamá?»

Dijo:

—¿Y Nicolás? ¿Qué os parece Nicolás?

Este nombre no surgió espontáneamente en los labios de Cecilio Rubes. Hacía semanas que pensaba obsesivamente en el zar y le parecía que con sólo pronunciar su nombre ya fijaba una bandera de oposición frente a la progresiva revolución laboral. Su inclinación compasiva hacia el zar no la movía un impulso de admiración o de afecto, sino la intuición de que los que le hacían la guerra al zar no eran partidarios de los negocios de bañeras.

—Nicolás. ¡Bonito nombre! —dijo la viuda de Rubes, y añadió mirando fijamente a su nuera: —Nicolás se llama el zar de Rusia. ¡Ahí tienes un nombre importante!

—¿El zar? —dijo Adela y pensó: «¿Qué negocios se trae de un tiempo a esta parte Cecilio con el zar?» Cecilio pensaba: «Mamá es muy aguda; me ha descubierto. ¿Qué pensará Valentín de la revolución de los soviets?»

Dijo:

—Bien. Será un Cecilio Alejandro Nicolás Rubes, ¿no es así?

Intervino Adela.

—¿A qué esa retahíla tonta de nombres? Después se llamará Lilín o algo por el estilo, sin tanta pretensión.

—Querida, ¿por qué no disimulas un poco tus gustos? —dijo la viuda de Rubes.

A Cecilio Rubes le desagradaba esta pugna de reticencias. Agregó:

—¿Imagino que no querrás que nuestro hijo se llame José a secas, como un ganapán cualquiera?

—¿Por qué no? —dijo Adela.

Le temblaban levemente las manos y, de improviso se levantó chillando. Fue todo muy repentino.

—¡Oh! ¿Por qué no me dejáis en paz? ¿Por qué hacéis un frente los dos para acorralarme y quitarme la voluntad como si yo fuese una loca o algo parecido?

Salió dando un portazo. La viuda de Rubes sonreía beatíficamente.

Cecilio dijo:

—Perdona, mamá.

Se levantó y salió tras Adela. Dijo la viuda de Rubes:

—Tu mujer es una tonta o una calamidad. Y hasta puede que las dos cosas. ¡Vaya por Dios! Ya me duele la pierna otra vez.

Nunca pensó Cecilio Rubes, a pesar de no tenerlas todas consigo, que estas cosas fuesen tan arduas y complicadas y que la aparición de una vida humana sobre la costra de la tierra supusiera tantos sudores, tanto revuelo, tanta excitación y tantas lágrimas. En aquel trance, Cecilio Rubes se confesó que había sido un lamentable error tener un hijo. Estas cosas, a su entender, deberían estar reservadas para los pobres. En su casa y en su vida —plácida y fácil— no había lugar para acontecimientos de esta naturaleza. «Los hijos, para los pobres —pensaba—. Ellos están habituados a sufrir.»

El dolor tornaba caprichosa a Adela y sus exigencias le atormentaban, a él que, de siempre, había detestado la violencia. «No; no entraré —se repitió—. Odio esta clase de situaciones.» Bebió otra copa. Tenía el balcón abierto y hasta él llegaba el tibio aliento de la noche de primavera. Estaba cansado y le dolía la espalda. Todo era enconado y terrible esta noche. Primero su mujer, tan desesperada y chillona; después, Rouge, quien al divisar a Tomás, que le había precedido, no pudo evitar una mueca de desagrado. (Cecilio Rubes se precipitó a él: «Bien, no piense usted mal. Él está aquí como amigo y no como médico. Entiéndalo».) También Cristina era como un fantasma esta noche y vagaba de un lado a otro sin finalidad aparente y con una torpeza inconcebible. Y Gloria y Luis, pasaban y repasaban, y decían: «Pedimos por ella», y Rubes tenía que hacer un esfuerzo para dejar la copa y decir: «Gracias». Y pensaba: «Vienen a ver qué es esto, para aprender. Bien. No saben lo que les espera». Y experimentaba como un torpe regodeo al pensar que Gloria aún no había empezado. Bebió otra copa.

Todas las luces de la casa estaban encendidas y vibraba en ella un revuelo como de fiesta. Era mayo pero hacía calor. Cecilio Rubes se levantó y se acercó a la ventana. Oyó la voz alterada de Adela: «¡Doctor, usted lo sabe tan bien como yo. Mi marido no viene porque es un gallina! ¡Oh! Esto es horrible... Díselo así de mi parte, Tomás, ¡por favoor; díselo así! Dilee... dilee que yo... yooo, me estoy rompiendo aquí en pedazos mientras él se está fumando... ¡oh!... fumando tranquilamente cigarrillos en el salón. ¡Oooh!» A Rubes le flojeaban las piernas. «Bien —pensó—. Un gallina. Es posible que sea un gallina. ¿Qué hay de malo en ello?» La impotencia y la forzada pasividad le ponían nervioso. Habitualmente fumaba poco, pero esta noche empalmaba cada cigarrillo con la colilla del anterior. Necesita ocuparse en algo y por eso fumaba. Por centésima vez le agarró la terrible idea esta noche: «Un camello por el ojo de una aguja. Eso es». Movió bruscamente la cabeza y para distraerse trató de imaginarse a Paulina en deshabillé. De siempre le atrajo esta imagen, pero esta noche no le tentaba. Volvió a pensar: «Un camello por el ojo de una aguja». Oyó la voz de Adela, irritada: «¡Cállese, por favor...! ¡Ah, no sabe lo que es esto...!»

Cecilio Rubes se acercó al velador y fue a servirse otra copa. La botella se había acabado. Soltó una palabrota y se dirigió al mueble-bar. La musiquilla le puso furioso y golpeó airado la cubierta. Experimentó un extraño alivio al cerrarlo, como si le sacasen algo pesado y punzante de la cabeza. De nuevo oyó el quejido desgarrado de Adela en la habitación inmediata. Pensó: «Bien, no estaría bien visto que yo me marchase de casa ahora». Tornó a sentarse, pero el sillón le daba calor y a los cinco minutos se levantó de nuevo. «Esto no es normal. Llevamos así seis horas. Habrá que intervenir», se dijo. Escuchó a Adela llamándole a voces y, como cada vez que le llamaba, le poseyó, como una fuerza, un frenético deseo de golpearla. Entendía que era ponerle en evidencia. Entró Cristina y dijo: «Señor, la señora le llama». «Ah, bien», contestó. «No tengo más remedio», se dijo. Cristina no tenía cofia esta noche, pero Cecilio Rubes no se dio cuenta.

Ahora estaban ante él, Gloria y Luis; le incomodó la mirada interrogativa y patética de él, tras los cristales. Y su boca redonda, pequeña y expectante. «Bueno —dijo—, no estamos mejor que hace dos horas.» Gloria puso una mano ligera y confortadora en su antebrazo: «Es horrible —dijo—. Pedimos por ella». De nuevo se encontraba solo y se le doblaban las piernas de debilidad. Adela le llamó otra vez a gritos y entre sollozos. Pero aún pasó media hora antes de que Cecilio Rubes se decidiese a entrar en la habitación.

Lamentó haberlo hecho. Adela, en el lecho revuelto, jadeaba. No experimentaba ahora el menor deseo de un hijo y la poseía una inquina creciente hacia aquel estorbo que le hinchaba el vientre y hacia la solícita mujer rubia que la atendía. Su rostro estaba desencajado y el cuerpo cubierto de sudor. A intervalos le parecía que alguien se entretuviera dándole hachazos en los riñones. En esos momentos deseaba la presencia de Cecilio, no porque ello la consolase, sino para que él sufriese también. El que Cecilio se estuviese tranquilamente fumando cigarrillos en la sala mientras ella se partía materialmente en pedazos, se le hacía injusto y egoísta. Advertía que le había insultado repetidamente. También insultó de pasada al doctor Rouge y a Tomás, pero no sentía el menor remordimiento por ello. Se consideraba con derecho a todo esta noche y mentalmente hacía responsables a todos los hombres del mundo de su tortura. Odiaba a los hombres sin excepción. Odiaba especialmente a Cecilio, porque todo esto pudo ocurrir cinco años antes, cuando ella era aun elástica y flexible, y él, caprichosamente, no lo quiso entonces. El dolor la impedía llorar. Se quejó vagamente y apretó los ojos contra la almohada. Al abrirlos, vio a Cecilio a su lado.

—¡Oh! —dijo—. ¡Ya lo sabes!, ¿no? Voy a morirme. No tardaré ni dos horas en morirme. Y tú te volverás a casar. ¡Ya te conozco a ti! No podrías pasarte sin una mujer... aunque los demás nos partamos y... y...

El rostro de Adela iba reflejando por instantes la intensidad creciente del dolor. Cecilio Rubes encontraba extraña y como lejana y vacía la mirada de su mujer. Pensó: «¿Será verdad que va a morirse?» Sintió que perdía el dominio de sus nervios, se levantó y dijo:

—¡Bien! Habrá que intervenir, ¿no es eso? No podemos ver como ella se muere con los brazos cruzados.

Rouge no le contestó; se limitó a fruncir su húmedo hociquito. La sonrisa de Tomás le apaciguó. «Será que tiene que ser así», se dijo.

Adela se atravesó en la cama. La mujer rubia forcejeó con ella un momento para colocarla bien. Tomás dijo:

—Déjela.

Dijo Rouge:

—No es ésa una postura académica, colega.

—Es igual.

Rouge sonrió displicente, sacó del bolsillo un papel de

fumar y lo pasó meticulosamente por los cristales de sus lentes de oro.

—¡Vaya! —dijo después—. ¿También es usted de los que no creen en la eficacia de la postuga inglesa?

—En absoluto —dijo Tomás.

Adela chilló:

—¡Bien, ya sé lo que pasa! Soy vieja y no sale. ¡Eso es lo que me pasa a mí!

Tuvo un violento ataque de histerismo. La mujerona rubia trató de calmarla. Cecilio pensó: «Bueno. Sólo me falta que estos dos se pongan de punta».

Dijo Rouge:

—Está prácticamente comprobado.

Tomás tenía las manos en los bolsillos y dijo:

—El feto se desprende cuando está maduro, aunque las ponga usted cabeza abajo.

Hubo un silencio que duró mucho rato. Tan sólo se oían los quejidos de Adela y sus desgarradas exclamaciones. El nerviosismo de Cecilio Rubes acrecía al constatar la inutilidad del paso del tiempo. Pensó: «Un camello por el ojo de...; eso es». La noche le pesaba en la cabeza, en las piernas, en los hombros, en todo su ser. De vez en cuando, contemplaba a su mujer con una especie de fría fatiga en los ojos.

A las cuatro menos cuarto de la madrugada, Adela gritó:

—¡No me volverás a engañar, Cecilio!

No había la menor chispa de razón en los ojos de Adela; era, la suya, una mirada enloquecida. Cecilio Rubes se volvió a Tomás en busca de apoyo. Adela mordía ahora las sábanas con desesperación. Dijo Tomás:

—Ya falta menos.

Dijo Rouge:

—Las toallas.

La mujer rubia dispuso unas toallas en la cabecera del lecho.

—Vaya —dijo Rouge, mientras se colocaba unos guantes de goma—. Agáguese ahí y haga fuegza.

—¡No quiero! —gritó Adela—. ¡No me agarro ahí por que no quiero!

Se cogió del cuello de Cecilio y Cecilio sintió en la piel toda la impaciencia y el dolor de su mujer. Aguantó. «Tal vez sea el fin» —, se dijo. Dijo Rouge:

—Agáguese de las toallas.

—¡Oh!, ¡no quiero! —sollozó Adela—. ¿Es que no me oye? ¡No quiero!

—Es igual —dijo Tomás.

—Bueno —prosiguió Rouge, reprimiendo su enojo—. ¿Quiegue usted decigme lo que he de haceg ahoga?

—Darse prisa. Esto ya está —dijo Tomás.

La cara de Adela se deformaba. Chilló:

—¡Júrame que no volveremos a tener más hijos, Cecilio! ¡Júramelo!

—Te lo prometo, querida —dijo Rubes sombríamente.

—¡No quiero más hijos! ¿Me entiendes? ¡De ningún modo quiero más hijos!

Sentía un volumen inusitado entre las piernas, un algo monstruoso que la dividía y que pese a su tamaño avanzaba y se escurría sin cesar. Olía mal el aliento de Adela. Dio un grito. ¡Oh, Dios mío, Dios mío!, se dijo Cecilio. Era la primera vez que se acordaba de Dios desde la muerte de su padre. Entendía, cuando pensaba en ello, que sería egoísta por su parte molestar a Dios con peticiones cuando él tenía de todo y había muchos que no tenían nada. Era mejor así, ya que Dios debía de estar a diario muy atareado. Pensó otra vez: «El camello por el ojo de una aguja», y se estremeció. Las manos de Adela le despellejaban el cuello en un esfuerzo ímprobo, definitivo. Como entre sueños oyó la voz velada de la mujer rubia:

—¡Un niño! ¡Qué hermoso es!

Luego oyó berrear algo que parecía un gato en celo. Adela se reía como una loca. De repente se había quedado pálida y fría, pero experimentaba sobre sus miembros un inmenso relajamiento. «Ya está, ya está. Ya pasó todo y no me he muerto», pensó, y este pensamiento la hacía reír a carcajadas. Aun hurgaban en ella, pero ya no le importaba.

Dijo:

—¿Cómo es el niño?

—Es rubio y con los ojos azules —dijo la mujer grande.

Sintió que Cecilio la besaba en la frente y cerró los ojos inundada de una dicha próxima y caliente. Después la taparon con muchas mantas, pero ella notaba su peso y no su calor. Tiritaba. Más tarde fue ascendiéndole hasta los ojos una invencible somnolencia. La ganaban unas ansias infinitas de dormir. Oyó la voz de Cecilio un poco empañada por la emoción: «¿No es cierto que es un chiquitín muy bonito éste? Bien.

Aquí les presento a Cecilio Alejandro Nicolás Rubes». Adela pensaba: «Cecilio, por su padre; Alejandro, por su bisabuelo, Nicolás por el zar»... Era como si contase hasta ciento; un algo pausado y rítmico que le nublaba la razón y la adormecía. No la importaba ahora que su hijo se llamase Alejandro. Oyó las voces de Mercedes y Cristina. Sonrió y abrió los ojos cuando se le acercaron. «Vaya, ya no estoy sola —pensó—. Tengo un hijito precioso.»

IV

El periódico de 9 de mayo de 1918 decía: «*La Guerra Europea:* Gran actividad de fuego en el arroyo Luce y en la orilla occidental del Havre. En el campo de batalla de Flandes y en las orillas del Lys aumentó la actividad de la artillería.» También decía el periódico del 9 de mayo de 1918: «*Londres.*— Un telegrama del Gobierno ruso anuncia que el sábado se ha firmado entre Rusia, Ukrania y Alemania un armisticio en el frente de Kurak. Firma el telegrama, Lenine.» En segunda página decía el periódico del 9 de mayo de 1918: «Teatro Bretón, a las cuatro, «El asombro de Damasco»; a las siete y media, «La viuda alegre. — Cinema Montoya: a las cuatro y a las siete, «Ana Karenine». — Cinema Olaso: secciones de cinematógrafo». En la última página, en segunda columna, el periódico decía: «*Madrid.* — A las siete y media de la tarde de ayer ha ido a Palacio la Mesa del Congreso a someter a la sanción del rey la ley de amnistía. Asistió también el conde de Romanones». En la página anterior, decía el periódico del 9 de mayo de 1918: «El estreñimiento es la causa de graves dolencias. Combatid el estreñimiento habitual con el uso de Coprobalina. No es un purgante. No es un laxante. No irrita. No origina molestias. (Tolerada por niños y ancianos.)».

El anunciante de la Coprobalina hubiera desistido probablemente de insertar su reclamo en tal día como el 9 de mayo de 1918, si le hubieran advertido la publicación del anuncio de las píldoras De Witt, en la misma página y en la misma fecha. El anuncio de las píldoras De Witt eclipsaba, por su tamaño y sus caracteres de impresión, el resto de la información publicitaria que el periódico facilitaba el 9 de mayo de 1918. Decía el anuncio de las píldoras De Witt, a tres columnas y con relevantes titulares:

«TRIUNFO SENSACIONAL DE DE WITT
HOMBRE DE 76 AÑOS CURADO
DE MAL DE PIEDRA EN
LA VEJIGA

»Esto no es exageración, sino la justa y verdadera declaración de un anciano de 76 años, que fue curado de piedras en la vejiga sin operación, cuando casi se había perdido toda esperanza. Unos seis años atrás este anciano caballero inglés —su nombre es J. C. Watts— cayó enfermo, sufriendo de unos dolores muy agudos en los riñones y de un dolor ardiente interior. Sufría mucho de flaqueza urinaria. Se puso tan enfermo y el dolor se hacía tan agudo que no podía doblegarse ni tan sólo moverse de la cama. Por meses y meses fue probando toda clase de lo que llaman remedios, incluso «Mezclas para los riñones» y «Píldoras para el dolor de riñones», pero no encontraba alivio alguno. Se hallaba invariablemente peor...

»*Hasta que un día* le informaron de las curas maravillosas hechas por las píldoras De Witt para los riñones y la vejiga y fue a la tienda de los señores Boots, en Caledonian Road, Londres (los más importantes droguistas del mundo) y compró una caja de las pequeñas. Antes de que concluyera la segunda caja, expulsó de la vejiga dos piedras bastante gruesas, de un aspecto tremendo, así como también algunas pequeñas, todas cubiertas de cristales con esquinas toscas. Esto sucedió el día 30 de noviembre de 1913, a las seis de la mañana. Hoy, en mayo de 1918, Mr. J. C. Watts sigue en buen estado de salud. No lo dudéis:

»¡PÍLDORAS DE DE WITT PARA LOS
RIÑONES Y LA VEJIGA!»

El llamamiento venía ilustrado con un retrato del plácido rostro de Mr. J. C. Watts, enmarcado por unas frondosas patillas a las que las píldoras parecían también haber vigorizado.

Cecilio Rubes se impacientó. De nuevo examinó el periódico de arriba abajo. «Bien, ¿es posible?», se preguntaba a sí mismo. Su ceño estaba fruncido y odiaba cordialmente al doctor De Witt. También sentía una injustificada inquina contra J. C. Watts, contra su plácido rostro y sus frondosas patillas y hasta lamentaba que hubiera sanado de su mal de piedra en la vejiga. El mundo se renovaba, era precisa la renovación del mundo y, sin embargo, el saludable vejete J. C. Watts, con sus setenta y seis años a cuestas, venía a robar un espacio que una criatura recién nacida precisaba. La cara de Cecilio Rubes semejaba la de un niño en los preludios de una rabieta. Se sentía decepcionado y humillado. Plegó el periódico de nuevo y entonces, casualmente, lo vio. Su pigre rostro se iluminó, se abrió, se distendió y mostró los blancos dientes en una conmovida sonrisa. En estos momentos felices, Cecilio Rubes era todo bondad y perdonaba de corazón al Dr. de Witt y al honorable caballero Mr. J. C. Watts y aun se regocijaba de que este último hubiera sanado, al fin, de la vejiga. Sonreía dulcemente mientras sus ojos recorrían la noticia. La noticia decía:

«Natalicio: Felizmente ha dado a luz un precioso y robusto niño la esposa del conocido hombre de empresa y estimado amigo nuestro don Cecilio Rubes, nacida Adela Martínez. Tanto la madre como el neófito —a quien se impondrán en el Sacramento del Bautismo los nombres de Cecilio Alejandro Nicolás— se encuentran en perfecto estado. Nuestra enhorabuena».

A Cecilio Rubes le agradaba ver su nombre en letras de molde. Este simple hecho le producía en el estómago un alegre cosquilleo; más que cosquilleo era un vivificante calorcito que le iba ascendiendo de la pelvis al pecho y a la garganta, para sofocarle luego. Leyó cinco veces la nota antes de incorporarse. Al cabo, dijo:

—Adela... Bien... ¡Adela!

Avanzaba por el pasillo blandiendo el diario como una bandera y en esta actitud penetró en la habitación de su mujer. No dejaba la sonrisa de los labios y su rostro, en este crítico instante, exhibía un tan plácido equilibrio como el que caracterizaba a J. C. Watts en su fotografía. Adela entornó los ojos. Se encontraba débil.

—Bien, querida —dijo Rubes—. Tú, tu hijito y yo venimos en el periódico como la gente importante, ¿qué te parece?

La modestia del modesto funcionario asomó en el rostro confundido de Adela. Pensó en su padre, en lo que su padre —fiel coleccionador y clasificador de natalicios, bodas, esquelas y otros recortes familiares— celebraría este momento. También pensó en sus hermanos y experimentó un loco burbujeo en la cabeza al decidir mentalmente enviarles el recorte a La Habana.

—¿Es cierto, Cecil? A ver... enséñame.

Leyendo la nota acrecía el enervamiento de Adela. Cecilio Rubes, en tanto, miró al pequeño Rubes en el moisés próximo. Dijo:

—Verdaderamente es precioso nuestro hijito, Adela. Bueno, no creo que haya nacido un chiquillo tan hermoso en la ciudad desde hace muchos años.

Dijo Adela:

—¿Mandaste tú poner esta nota?

—Bien. Coloca la manita junto a la boca como su padre y frunce la boquita como tú. ¿Qué cosa será ésta, querida, que desde que nacen ya llevan el sello de uno?

Dijo Adela:

—Es muy cariñosa la nota. Dime, Cecil, ¿la mandaste poner tú?

—¡Ah, va a llorar, Adela! ¡El chiquitín va a llorar! Por amor de Dios, hazle una fiesta y no dejes llorar a esta criatura. ¿Sabes que parece imposible que esta cosita pueda ser un día algo como tú y como yo, una persona importante?

Cecilio Rubes mecía acompasadamente la vaporosa cunita de encajes y muselinas. Adela releyó: «Nacida, Adela Martínez». Pensó: «Aun queda algo de papá». Sus ojos estaban clavados en una palabra: «Martínez». «Bien —se dijo—. Si él lo leyera se sentiría orgulloso.» Notó que le picaba la garganta. Se dijo: «Soy tonta. ¿Pues no iba a llorar?» Luego pensó: «He de enterarme de cuando sale el primer barco para La Habana». Dijo:

—¿Quién puso la nota, Cecilio?

Cecilio volvió los ojos a ella. Estaba bonita Adela un poco empalidecida. Rubes se dijo que le sentaba bien este color y reconoció que últimamente le preocupaba la restallante vitalidad de Adela, la posibilidad de que Adela llegara a adquirir los tonos bastos y saludables de las mujeres del campo. Su origen humilde podía asomarle en cualquier momento a la cara y ello sería el fin de su prestigio y su honorabilidad. Dijo:

—¿Estás bien, querida? ¡Ah!, la nota. Bien, ya sabes que tu marido tiene amigos en todas partes. Hay que reconocer que uno no es un cualquiera en la ciudad y... Bueno. ¿Te sientes bien, querida?

—¡Ah, estoy muy bien, Cecil...! Ya no me acuerdo de nada —dijo ella.

Cecilio Rubes carraspeó. Le crecía en el pecho un orondo y grato sentimiento de responsabilidad. Carraspeó otra vez.

—Bien —dijo, al fin—. Creo que las cosas han cambiado un poco desde ayer, querida. Bueno... En fin, hoy hay en casa alguien que no estaba hace dos días y que, de repente, está aquí en medio de nosotros y...

—¿Te refieres al niño, Cecil?

Rubes frunció el ceño al decir:

—Bueno, sí. Me refiero a Cecilio Alejandro Nicolás, eso es, querida. Él, ahora... Bueno, Cecilio Alejandro es ahora aquí lo más importante. Bien; eso es... Lo más importante. Creo que con ello está dicho todo. Bueno... Naturalmente harás saber a Mercedes y Cristina que en esta casa es ahora el cuidado de Cecilio Alejandro Nicolás...

Adela arrugó la cara:

—¡Por Dios bendito, Cecil, no llames de ese modo tan engolado a la criatura! ¡Cualquiera diría que nuestro hijo es ya un bigotudo corredor de comercio!

Cecilio Rubes acarició la pálida mano de su mujer. Era la mano de Adela un miembro bien formado y pulcro, pero cruelmente desmayado e inexpresivo. Dijo Rubes:

—Bien, queridita, eso ahora es lo de menos. No tiene importancia si ha de ser Cecilín o Cecilio Alejandro Nicolás. Eso tendrá importancia para algún padre fatuo, pero no para mí. Bueno. Lo que yo digo es que el servicio debe estar enterado de que el niño es en esta casa ahora lo primero. Bien. También he pensado... En fin... he pensado en la necesidad de tomar un ama para que mi hijo esté siempre debidamente atendido...

El run-run de la cunita mellaba los nervios de Adela. Aunque ella aseguraba no acordarse de nada, sus nervios estaban despellejados y al aire desde el acontecimiento. La irritaba la manera personal de enfocar los asuntos que tenía su marido. De recién casados, Cecilio Rubes hablaba ya de «mi casa» y «mi situación». Adela creyó siempre que casarse era «compartir» y la autonomía que derivaba de las manifestaciones de su cónyuge la exasperaban. Con el tiempo se habituó a ello y apenas daba importancia a que Cecilio dijera: «Voy a vender este tapiz y sustituirlo...». O bien: «No me gusta mi comedor; estos muebles son grandes y presuntuosos.» El acontecimiento había agudizado su sensibilidad. El acontecimiento y el hecho de que su padre —el funcionario Martínez— no pudiese leer aquella halagadora notita de los «Ecos de sociedad». Hizo un puchero Adela. Dijo Adela:

—Tu hijo, tu hijo. ¿Has pensado, Cecilio, en lo difícil que te hubiese sido tener «tu hijo» sin mi ayuda?

Cecilio Rubes dejó de mecer la cuna. Dijo:

—Bien, nena. ¿Eres tonta? Comprenderás. Bueno... Confieso que tengo una manera de expresarme un poco vaga. Eso es todo. Bien... «Nuestro hijo» debe tener un aña que se ocupe de su cuidado, eso es lo que quiero decir...

De repente, se despertó en Adela una fiebre vehemente de un aña. Su imaginación recorría desbocada todas las posibilidades de indumentaria: un flamante cuello almidonado, una cofia de encajes y un enorme, fantástico lazo atrás. El aña del niño de los Rubes sería la admiración de la ciudad.

Cecilio Rubes se incorporó, se estiró la chaqueta y dijo:

—Querida, me marcho; se me hace tarde.

La dio una palmadita cariñosa. Adela dijo:

—No te olvides del aña, Cecil. Es cierto que nuestro hijo necesita un aña.

Cecilio Rubes no había salido a la calle desde el nacimiento de su hijo. El hecho parecía haber transformado la estructura de la ciudad y hasta la primavera parecía ahora, más cálida y luminosa. Se le hacía que todo el mundo le miraba al cruzarse con él y se daba codazos y comentaba la trascendencia que la aparición de un nuevo Rubes aportaba sobre la ciudad. Cecilio Rubes avanzaba poseído de sí mismo, golpeando la calzada, cada dos pasos, rítmicamente, con la contera del bastón. «Bien —pensó—. No quiero imaginar lo que será mi entrada en el Establecimiento». Sonreía vagamente. Se cruzó con el ultramarinero de la esquina:

—Enhorabuena, señor Rubes.

Cecilio Rubes se tocó con presuntuosa ceremonia el ala de su sombrero e inclinó levemente la cabeza. Bien. La ciudad estaba conmovida. Sin duda, la ciudad había creído que él no era de esos individuos aptos para tener hijos. «Quizá —pensó, arrugando la frente— imaginaban todos ellos que yo era un... un... Bueno. Ahí tienen la respuesta.» Dobló la última manzana e infló el pecho al descubrir sobre las tres alargadas vitrinas, los enormes titulares del rótulo: «Cecilio Rubes. Materiales higiénicos.»

A Valentín lo encontró nervioso. Lo notó desde lejos, sin necesidad de llegarse al despacho Rubes sonrió mentalmente. «Se diría que él no tuvo nunca hijos —pensó—. Es un pobre hombre.» Valentín se aproximó a él con grandes movimientos de brazos. Dijo:

—Estuvo aquí el capataz de las obras de la Plaza, señor Rubes. No hace aun diez minutos que marchó.

Rubes se irguió:

—¿Bien? —dijo, veladamente decepcionado.

—¿Bien? ¡Al fin instalarán las bañeras, señor Rubes! Ayer me permití hacer una gestión personal y éste es el resultado.

—¿Las bañeras?

—Las bañeras, señor Rubes. Esto puede ser el principio. Los propietarios empiezan a darse cuenta de que el bañarse es una cosa tan necesaria como el comer. Tal vez no esté lejano el día que las casas se ponga un cuarto de aseo lo mismo que hoy se pone un comedor. ¡Ah!, y enhorabuena, señor Rubes, ya leí el periódico. Son seis pisos, señor Rubes, y cuatro interiores. Estos, de momento, no llevarán cuarto de baño. Piden el presupuesto de seis bañeras, seis lavabos, seis bidés y diez inodoros.

Rubes se despojó del abrigo. Le parecía que algo imprimía al mundo una marcha antinatural y sin sentido. Era incorrecto, a su entender, que seis bañeras tuvieran, hoy por hoy, más importancia que el nacimiento de Cecilio Alejandro Nicolás Rubes. Algo andaba desquiciado en la marcha de las cosas. Se sentó a la mesa malhumorado. Méndez, el auxiliar de contabilidad, un muchacho despierto pero terriblemente tímido, masculló la enhorabuena sin mirarle y se puso colorado. «¡Vaya, estos niños bobos que se ruborizan porque los bebés no vienen de París!» —pensó Rubes. Dijo: «Gracias». Méndez se parapetó tras el libro borrador fingiéndose abstraído. Pensaba: «¡Diantre, con este tímido temperamento mío nunca podré decirle a Lola lo que siento!». Tenía las manos arrugadas en las articulaciones porque padecía de frieras y a la llegada de la primavera las manos perdían su turgencia y la piel le quedaba grande. Cecilio Rubes pensaba: «Para estas gentes un hijo es un acontecimiento de cada día. En el Club, esta tarde, será otra cosa».

Rubes se preciaba de su Club. Entendía que a las personas acababa de matizarlas el Club a que pertenecen. No le gustaban los asiduos al Centro Mercantil. Por su profesión pagaba la cuota pero era un socio puramente nominal. La mayoría eran artesanos, especuladores y horteras. Tampoco el Círculo le apetecía, por su excesiva popularidad; era un centro de funcionarios modestos. En la ciudad era el Real Club la entidad social de más tono y sus asociados, en su mayor parte, eran gentes de posición, aficionados a la buena mesa, a las mujeres y al juego. Cecilio Rubes no concebía un hombre de mundo a quien no le agradase rodear la cintura de una mujer que no fuese la suya o arriesgar quinientas pesetas a una carta o a un número. Si además bebía en forma, y fumaba gruesos habanos, el tipo de hombre de mundo quedaba perfecto a los ojos de Cecilio Rubes.

Para él, el Club era su segundo hogar. Antes del nacimiento de Cecilio Alejandro Nicolás, tal vez fuese el primero. Y Cecilio Rubes se afanaba en exhibirse en él como el prototipo de hombre de mundo que en su imaginación creaba y admiraba. Con todo, no llegó nunca a acostumbrarse a fumar gruesos habanos porque a la segunda chupada le asaltaban unos irreprimibles deseos de devolver y un hombre movido de bascas no podía ser en modo alguno un perfecto hombre de mundo.

El número de socios del Real Club era más bien reducido, por el excesivo coste de la cuota de entrada. La última Junta, presidida por Cecilio Rubes, acordó elevar la prima de ingreso a quinientas pesetas para limitar el derecho de admisión. De esta forma, «se protegía la pureza del núcleo fundador y bueno... no se prostituía la tradicional acrisolada dignidad del grupo», como el propio Cecilio Rubes dijo en el breve preámbulo que precedió a la votación.

El Club contaba con tres amplias dependencias: salón, sala de juego y comedor. Cecilio Rubes procuraba frecuentar las tres a partes iguales y, para ello, no había de esforzarse, puesto que le gustaba charlar casi tanto como comer o arriesgar su dinero. Allí, resguardado de la plebeyez que envolvía a la ciudad como una pesada túnica, se sentía más amigo de sus amigos, más joven, más importante, más hambriento, más sediento, más jugador, que en ninguna otra circunstancia de su vida. Por todo esto le gustaba el Real Club.

Cuando entró en él aquella tarde, Cecilio Rubes esperaba

un recibimiento apoteósico. Cecilio Rubes se lo había confesado secretamente mientras comía y no pudo disimular una sonrisa de complacencia. No en vano era el Presidente y tenía simpatías allí. Quizá le hubieran preparado alguna bromita inofensiva. Conocía de sobra al cojo León Valdés como para esperar cualquier cosa. León Valdés era un rico propietario con cara de pájaro que escupía levemente al hablar. Y León decía a gritos, cuando Cecilio llegó: «Y yo digo: ¡Si hay tasa no se sembrará trigo!» Rubes se puso en guardia y saludó. Dijo Ramón Prado, temblándole las aletillas de su enorme nariz: «Pero, amigo mío, ahora te permiten elevar la tasa cuatro pesetas ¿no es eso?» León Valdés volvió levemente la cabeza: «Hola, Cecilio» —dijo y añadió vociferando: «¡Te repito a ti y a todos que lo peor de la tasa no es ser baja; lo peor de la tasa es la tasa misma!» Cecilio pensó: «¿Dónde van a parar?» Su bien alimentada esperanza se deshizo, cuando la descuidada cabeza de Fidel Amo, el boticario, se inclinó levemente hacia él y dijo a media voz, como con cierto temor: «Enhorabuena, Cecilito». Luego agregó: «Lo que León dice lo sabe Ventosa y lo sabe Maura, lo que pasa es que en este país nadie se atreve a manifestar lo que piensa». Chilló Valdés, abriendo mucho el pico: «Ventosa dice: La tasa es injusta e ineficaz. Bien. Pero luego, ¿qué hace Ventosa?» Dijo Fidel Amo: «Lo que han hecho los demás». La nariz de Ramón Prado se levantó amenazadora: «La realidad es ésta —dijo— o un problema de carestía o un problema de escasez».

Algo se derrumbaba para Cecilio Rubes. Pasó alguien a su lado y le dio un golpecito en la espalda: «Enhorabuena, chico» —dijo—. En el rincón había otra tertulia y Cecilio Rubes se dirigió hacia ella. A sus propios ojos, su personalidad iba quedando ridículamente pequeña. Se desplomó en un sillón y el teniente coronel López dijo: «¿Qué hay, Rubes?», pero sin el menor deseo de saber lo que había; apenas le miró. Dijo Lozano, el magistrado: «Las cosas ahora habrán de sujetarse a una revisión». Dijo el teniente coronel López: «¿Ha quebrantado Rusia su tratado de alianza con la Entente? Esa es la cuestión». «No estoy de acuerdo —dijo el magistrado—. La cuestión debe plantearse así—: ¿Debe un Gobierno quedar atado de pies y manos por compromisos de gobiernos anteriores?» Rubes pidió una copa y luego otra. Creyó que le entonarían pero no fue así. Le molestaban, hoy, las lucubraciones políticas de sus amigos; las encontraba grandilocuentes y vacuas. Le dolía la indiferencia de su grupo, el hecho de que su problema familiar quedara tan oscuramente relegado. Oyó la voz agria de Valdés, violando el espacio de la tertulia del teniente coronel López: «La tasa es un gran pecado». Oyó la voz del teniente coronel López, violando el espacio de la tertulia de León Valdés: «¡La revolución no precisa de razones!» Se hizo un silencio. Rubes pensó: «Me ha llegado el turno». Y sintió como el inicio de un azoramiento. Cogió la copa para disimular, vio encenderse los ojos del magistrado y se dijo: «Preparado, Rubes». El magistrado dijo: «¡Diablo, diablo! Miren qué criatura!» Frente al ventanal cruzaba una muchacha bien curvada en compañía de una mujer vieja. Dijo Valdés, desde el otro grupo, levantando su rostro de pájaro: «La conozco». El teniente coronel López dijo: «¿A fondo?» Todos se echaron a reír. Dijo León: «Conozco a la de allá. Entendámonos». A Cecilio Rubes no le hizo gracia; le estorbaban esta tarde los pies. Los notaba demasiado calientes y no hallaba postura para ellos. Se levantó y salió sin volver la cabeza. Pensó: «Mañana presentaré la dimisión. No debo presidir un grupo donde no se me estima.» Sabía que al día siguiente no presentaría la dimisión pero se llenaba preparando, al menor motivo, un gesto teatral de dignidad ofendido que nunca llegaba a adoptar. Estimaba demasiado la presidencia del Real Club; este honor, en la ciudad, constituía un sobresaliente timbre de distinción.

Recorrió la calle contemplando los escaparates. Penetró en una tienda de música y salió muy complacido con un disco de gramófono debajo del brazo. Más allá, Cecilio Rubes entró en una bisutería y, al pagar, en la Caja, sonreía cordialmente. Advertía que mediante estos escarceos iba cambiándole el humor. Al llegar al pisito de Paulina no era ya un hombre deprimido. Pulsó el timbre tres veces y abrazó a la muchacha en el pasillo, casi sin darla tiempo a respirar. Le agradaba refrotar su mejilla contra el cabello rojo y alborotado de Paulina.

—Bien, pequeña. Mira lo que te traigo.

La muchacha desenvolvió el disco. Lanzaba sofocadas exclamaciones de alegría. Dijo:

—«Con una falda de percal planchá». ¡Oh, amor mío! ¿Por qué sabes tú que es ésta mi música preferida?

Se lanzó a su cuello, le besó y luego le dio dos tironcitos amistosos de las guías de los bigotes.

—Aun hay más — dijo Rubes.

Ella le registró minuciosamente. Encontró un pequeño envoltorio y lo descubrió.

—Bien, unas perlas para las orejas —dijo Cecilio.

—¡Ah!

La muchacha palmoteaba y le besaba con intermitencias. Pensaba Cecilio: «Esta chiquilla y mi hijo son la única verdad de mi vida. Mañana presentaré la dimisión». Sobre el sofá había un espejo y Paulina superpuso una perla al lobulillo de su oreja estudiando el efecto. Se volvió a él y se le colgó del cuello:

—¡Ah, cariño, qué feliz me haces!

Rubes la besó en la mejilla. Le gustaba el ceñido trajecito de punto que llevaba Paulina ajustándole la forma del cuerpo. Puso una mano en su cintura y se turbó. Pensó: «Hacía mucho tiempo, mucho tiempo...» Ella dijo:

—¿Cómo se te ocurrió?

—Una vecinita las usa y da un efecto bonito a las orejas. Intentó rodearle la cintura, pero ella esquivó el abrazo, dio cuerda al gramófono y colocó en el platillo el disco nuevo.

—Vamos a bailar, cariño.

Notó Cecilio que no hallaba en su pareja el ritmo adecuado. El cuerpo de Cecilio Rubes tenía unos desplazamientos pesados y torpes, en contraste con la ligereza de ella. «He de hacer gimnasia» —pensó. Tarareó Paulina mirándole a los ojos y echando la cabeza hacia atrás:

—Con-u-na-fal-da-de-per-cal-plan-chá...

Él dijo:

—¿No leíste el periódico, Lina?

Denegó la muchacha con la cabeza. Paulina aprovechaba cualquier coyuntura favorable para imprimir a sus cabellos una expresión vivaz. Sabía que esto a Cecilio le trastornaba. Bailaban junto al ventanal y al fondo se descubría el cauce frondoso del río y unos tesos distantes y grises. Añadió Cecilio:

—Ayer, por la mañana, nació mi hijo.

Ella recostó la cabeza en su pecho:

—¿Es niño? —preguntó con un leve temblor.

—Bien. Un Cecilio Alejandro Nicolás. Eso es —dijo él eufórico. Paulina se encogía sobre sí misma. Se preguntó Cecilio: «¿Está llorando?» Dijo:

—¿Tienes miedo?

Ella asintió:

—Lo tengo y no sé de qué.

La estrechó él y perdieron el ritmo. Los ojos de Paulina estaban ligeramente empañados. Sin volverse, detuvo el gramófono.

—¡Vaya! —dijo, de pronto—. Estoy pensando, cariño, que sin periódico en casa mal me puedo enterar de las cosas.

Cecilio la tomó de los hombros. En esos momentos Cecilio Rubes daba la impresión de un padre serio e indulgente disculpando las diabluras de su hija. Animaba el rostro y la figura de Paulina un espontáneo matiz de picardía que la prestaba un aire exageradamente juvenil. Se sentaron uno junto al otro en el sofá.

—Bueno —dijo Rubes—. Una cosa. Bien.. No es fácil empezar, pero quiero advertirte una cosa, Lina. Bien... El hecho de que tenga un hijo... Bueno, desde ayer tengo un hijo y mi hijo es mi hijo y tú eres tú... Es decir...

Paulina le observaba expectante y su mirada le cohibía. Era ostensible que Paulina esperaba de él una manifestación terminante. Añadió penosamente Cecilio Rubes:

—Es decir... Bien. Quiero decir que mi hijo no ha de ser una sombra para ti, ni... en fin, ni tú debes ser una sombra para mi hijo. Bueno. Cada uno tenéis un sitio... un sitio... aquí, en mi corazón. El hecho de tener un hijo no impide que yo te quiera y te visite y... Bien, quiero decir que mi hijo es mi hijo y tú eres tú...

Cecilio Rubes sudaba. No era partidario de sentimentalismos con Paulina. Cecilio Rubes sospechaba que Paulina sin el trajecito ajustado y sin las tentadoras porporciones que ocultaba debajo no tendría un sitio en su corazón. Paulina para él era una distracción. Si le hacían gracia sus cosas y su manera de ser era por el trajecito de punto y las proporciones que había debajo. Una Paulina vieja o gorda no le interesaría, por mucho ingenio que derrochase. Por eso sudaba y le costaba envolver la prosaica realidad en un tenue y almibarado halo poético. Dijo Paulina:

—¿Cómo es tu hijo, Cecilio? ¡Yo quiero conocer a tu hijo! —Paulina adoptaba posturas indolentes, ingenuamente provocativas. Se tumbó en el diván y recostó la roja cabeza en las piernas de Cecilio Rubes.

—Mi hijo... mi hijo.

La tierna imagen de Cecilio Alejandro Nicolás se evaporaba de la cabeza de Rubes. No veía más allá de Paulina, de su trajecito ceñido y de las presuntas formas maravillosas que ocultaba.

—Bien —dijo, tomándola bajo los brazos y levantando su rostro hacia él—. Eso ahora no importa, Lina. Ahora sólo importas tú... Dime, dime, pequeña, ¿cuánto me quieres? ¿Es cierto que me quieres tú a mí mucho, pequeña?

A Cecilio Rubes no le divertía el cinematógrafo. Tampoco a su mujer le divertía el cinematógrafo. De todos modos, en la ciudad, los cinematógrafos en 1918 eran dos y las películas combinaban la fotografía y los carteles de forma convencional. Cecilio Rubes prefería que todo se lo dieran hecho. Para leer prefería su casa y su sillón favorito. Las butacas de los cines eran incómodas y le parecían sucias. La ópera le cansaba, pero asistía a ella, en traje de etiqueta, y hasta encontraba un placer en descender de la berlina bien charolada y ayudar a hacerlo a su mujer, pomposamente envuelta en su salida de noche, y, luego, volver a tomar la berlina cuando el espectáculo concluía. Lo que mediaba entre la llegada y la salida se le hacía a Cecilio Rubes tonto, denso y fatigoso, aunque a sus treinta y siete años aún no se lo hubiese confesado a nadie.

Por todo esto prefería la luz y la sencillez y el color de las zarzuelas. No tenía mal oído y aprovechaba cualquier oportunidad para renovar su repertorio, ineludible mientras se afeitaba o al salir del baño. Le gustaba también ver la garganta y los tobillos de las tiples y echar una ojeada a la cintura de las señoritas de los coros. Una mujer bonita y con bonita voz suponía para Cecilio Rubes el compendio de todas las virtudes.

A veces, Cecilio Rubes hacía alguna escapadita a Madrid. Adela desconocía las necesidades del negocio y no se extrañaba de estos viajes. Cecilio Rubes, en Madrid, se desenvolvía como el pez en el agua. Allí las zarzuelas le gustaban menos y prefería entretener sus ocios con alguna revistita picante. Y como el hábito de casado se había ahincado en él de manera definitiva, y la habitación del hotel se le hacía fría e inhóspita, no era raro ver a Cecilio Rubes a la puerta reservada de los teatros, esperando la salida bulliciosa de las chicas del conjunto. A menudo, Adela le pedía que la llevase a Madrid con él, pero Cecilio Rubes se evadía. Sobre este punto había asimilado la teoría de su amigo de Club Fidel Amo, el boticario. Decía Amo: «Ir a Madrid con la mujer es como ir a «La Bombilla» y llevar la merienda.»

Con todo, y artísticamente hablando, ningún espectáculo reunía para Cecilio Rubes tanto atractivo como la Chelito buscándose la pulga. Aquel número ejercía sobre él tal poder de sugestión que Cecilio Rubes desistía de contemplarlo si no podía ser en una localidad de primera fila. Cecilio Rubes entendía que el arte era insinuación y la Chelito era artista porque se insinuaba. El argumento no admitía vuelta de hoja.

El 30 de mayo de 1918, Cecilio Rubes contemplaba a Cecilín Rubes instalado en su confortable cunita. Aquella figurita rechoncha y sonrosada ejercía una atracción sobre él superior a la de la Chelito. Y de otra índole además, aunque él, exactamente, no acertara a definirla. Cecilio Rubes, en presencia de su hijo, se enternecía y se sentía inclinado a un cambio de conducta. Pensó: «Bien. Todo eso se terminó. Nada de viajes a Madrid, ni de Chelitos, ni de vicetiples. Bueno, no es que eso tenga nada de particular, pero todo eso se terminó. Uno tiene una responsabilidad sobre sí y un hijo que atender y todo aquello pasó. Uno ya tiene edad de sentar la cabeza.»

Notó sobre su hombro la leve presión de la mano de su mujer y se sobrecogió como si acabara de sorprenderlo en un mal paso. Dijo Adela:

—¿Qué es lo que piensas, querido?

—Bien —dijo él—. Pensaba que a este niño le toca ya. En realidad, pasan cinco minutos de su hora.

—¡Oh! Tienes razón, querido.

Cecilio Rubes anduvo indeciso respecto a la crianza de su hijo. Le constaba que era impropio de una mujer de posición dar el pecho a su propio hijo. Le constaba a Cecilio Rubes que el pecho de su mujer no precisaba de mayor desarrollo. Le constaba, no menos, que los pechos femeninos perdían de utilidad para el marido justamente lo que ganaban de utilidad para el hijo. (Había en todo esto una relación inversamente proporcional.) Por eso consultó a Valentín, el contable:

—Señor Rubes, usted sabe como yo que amamantar a los hijos está bien visto en ciertas esferas sociales. Eso no es nuevo ni para usted ni para mí. Pero si me permite que le dé un consejo le diré que para un niño no hay leche como la de la madre y que al lado de un hijo todas las demás cosas son secundarias. Mi mujer ha criado a todos sus hijos y yo me aguanté por ellos. No estaría bien, ni es cristiano, que ellos se fueran a aguantar por mí.

Cecilio Rubes pensó: «Bien. Aun me queda Paulina.» Pero

Adela puso el grito en el cielo al enterarse de la decisión de Cecilio; se deformaría, y él huiría de ella, y buscaría otras mujeres. Además, la producía escalofríos la idea de que un ser vivo se agarrara de ella y subsistiera a su costa, como un parásito. Mas, cuando vio al pequeño Cecilio relajarse de satisfacción y encontrar en su pecho el equilibrio vital, experimentó un loco deseo de llorar y de estrujarle.

A Cecilio Rubes le agradaba constatar el noble deseo de vivir en la boquita sonrosada de su hijito. En la ávida e implacable succión ya se hubiera conocido que era un Rubes. Se mostraba glotón, exigente y sensual. A su madre, la viuda de Rubes, no la asistía ninguna razón cuando decía que Adela no tenía todo el alimento que la criatura precisaba. Al concluir sus comidas, Cecilín se quedaba tranquilo y congestionado y le impacientaba que su madre le pusiera una mano sobre el estómago y otra sobre la espalda en espera de los tres eructos. Era la condición previa para descabezar una siestecita. Y Cecilín Rubes berreaba porque le vencían unos imperiosos deseos de dormir. A veces, el tercer eructo del niño se demoraba y la casa entera entraba en conmoción con el llanto del pequeño. Mas los tres eructos eran algo sagrado y parecía posible que de la inobservancia o de la observancia incompleta de esta condición derivasen los más graves daños para todos. Sí, Cecilín mamaba lo suficiente aunque su madre dijera otra cosa. La viuda de Rubes, como casi todas las mujeres, propendía a considerar que ella, en su momento oportuno, cumplió su misión de madre y de mujer más concienzudamente que ninguna. A las ocho de la noche bañaban a Cecilín. Cecilio Rubes volvía ahora a casa directamente sin pasar por el Club. No existía para él distracción comparable a la de ver al pequeño Rubes chapuzando en el agua. Un Rubes en una bañera —aún diminuta —encerraba para Cecilio un inefable sabor simbólico. Constituían —niño y bañera— una entidad indivisible, la suprema razón de su vida: su origen y su consecuencia.

En ocasiones, la viuda de Rubes se esperaba para verle bañar. Decía:

—Insisto en que esta criatura no está suficientemente alimentada. Mira qué plieguecitos le hace la piel bajo los brazos.

Rubes decía:

—¡Oh, mamá!

Adela se inclinaba sobre el pequeño para ocultar su irritación.

Decía la viuda de Rubes:

—Tú fuiste más hermoso, Cecilio. Mi hermano decía: «Este es un niño de exposición.» Tenías unos bucles dorados que te chorreaban sobre los hombros. La piel muy tersa y blanca. Tu padre decía: «Ramona, no me gusta que besuqueen al niño en la calle» y te pusimos un letrerito que decía: «No me beséis». ¡Eras una criatura encantadora, Cecilio! Este niño no sale a ti. Tiene la piel oscura como un mestizo y... no come lo suficiente.

Adela le decía a su marido, cuando se encontraban a solas:

—Oh, Cecilio, tu madre quiere decir que yo he echado a perder a tu hijo. Tu madre quiere humillarme y no sabe cómo. ¿Sabes que empiezo a aborrecer a tu madre?

Adela lloraba y Cecilio se esforzaba en consolarla. Cecilio Rubes temblaba, ahora, cada vez que veía disgustada a Adela. Valentín le decía que una mujer criando debía ser objeto de los mayores cuidados. Mas Cecilio no tenía voluntad para oponerse a su madre. Ante ella se sentía sujeto a una inexorable dependencia.

Gloria, en cambio, decía también de Cecilín Rubes que era un niño de exposición. Una tarde, en el colmo del entusiasmo, Gloria dijo que la gustaba el chiquitín más que el del anuncio de «Laxen Busto».

Adela reía gozosa al transmitírselo a Cecilio. Cecilio encontraba un encanto insospechado en estas confidencias vespertinas, cuando volvía fatigado del Establecimiento. Ellas le daban fe del progreso de su hijo. Veía menos a Paulina ahora y ella se lo reprochaba. Él no acertaba a explicarse esta influencia de un hijo en el instinto sexual.

Antes de que Cecilín Rubes cumpliera el mes, Gloria dio a luz un niño. Fue un parto laborioso el suyo, pues el doctor Rouge ya había advertido que la muchacha era estrecha de pelvis. Gloria estuvo de parto treinta y seis horas. Adela, a su lado, la veía fruncir el ceño y morderse los labios. No emitió un quejido, sin embargo. «Es muy valiente o no le duele como a mí. ¡Oh, es imposible que le duela como a mí!» —pensaba Adela. Nada más nacer la criatura, Adela abrazó a Gloria y dijo:

—¡Ah, querida! Me alegro de que todo haya sido fácil! ¡Tú no sabes lo que es sufrir!

Cecilio pasó a dar la enhorabuena a su vecino. Luis estaba sereno y le ofreció una copa de jerez.

—Bien —dijo Cecilio—. Ya estamos iguales. —Le dio

una palmadita entusiasta en el muslo. Luis tenía un gesto de extremada gravedad en el rostro. Cecilio dijo:

—Un hijo es lo más importante del mundo. Cierto que trae consigo graves responsabilidades, pero tiene otras muchas compensaciones. Bueno. Cecilín ya agarra, ¿sabe usted?

—¿Agarra ya su chico?

Cecilio Rubes sonrió inefablemente:

—Agarra como un condenado. Le pone usted dos dedos entre las manitas y él se levanta de la cuna como si nada ¡Es un chiquillo muy espabilado, es cierto! Ahora, una cosa le aconsejo aunque su mujer no opine así... si el peqeuño llora por la noche muévale usted. Bueno. Un movimiento ligero, un pequeño vaivén. Gloria le dirá que le maleduca usted. Bien. Yo digo lo contrario: Lo importante es que los chiquillos no aprendan a llorar. Si los chiquillos cogen gusto al llanto, se ha perdido usted. Total, eso no cuesta nada y el pequeño lo agradece.

—¿Otra copa?

—Ah, bien. Así. ¡No me la llene! No me conviene esto, ¿sabe? Me pega al hígado.

Cecilio Rubes se hallaba a gusto esta tarde. Encontraba un maravilloso placer en dar consejos paternales. Se juzgaba a sí mismo un padre modelo, ducho y experimentado. Ciertamente, el nacimiento de Cecilio Alejandro ocasionó en él una apreciable metamorfosis. Su hijo le brindaba la posibilidad de estirar su egoísmo, de prolongarlo a una nueva generación. De rechazo, sus relaciones maritales tomaron otro cariz; no se reducían ahora a la desordenada satisfacción de su instinto sexual, sino que Adela cobraba a sus ojos una más excelsa dignidad como obligado sustento de su hijo y como copartícipe en su propiedad. Entre su mujer y él brotaba, de una manera espontánea, un motivo atrayente de conversación, un raro punto de entendimiento y afinidad. Veía con gusto la inquietud que movía a Adela hacia su hijito, su tierno afán por remediar sus pequeños sinsabores. Un día le dijo su mujer:

—Querido, he encontrado un libro maravilloso. Es del doctor Hoffman. Alemán, ¿sabes? ¡Ah, qué contenta estoy, Cecil! Tú ves... Trae todo lo que pueda interesarnos. ¡Oh, querido, querido!... Mira: «Comodidad del vestido.» «Posición que debe adoptarse cuando el niño ha de mamar fuera de la cama». «Modo de dar un pecho o ambos pechos». «Signos de que un niño recibe suficiente, poca o demasiada leche». Bien. Lo he comprobado,

Cecilio, ¿sabes? Tu madre no tiene razón. Cecilín mama demasiado. ¿Tú ves? ¡Hay más! Aquí está todo lo que puede importarnos. Dice, mira, por ejemplo: «Los niños pueden llorar por el deseo de estar con su madre, porque tengan hambre o estén sobrealimentados, porque permanezcan en la humedad demasiado tiempo, porque tienen frío, porque tienen calor, porque sus vestiditos estén prietos, porque les molestan los insectos, porque están estreñidos, porque tienen dolores, porque tienen ventosidades o porque están enfermos». ¿Has oído, Cecil?

—Bien —dijo Cecilio Rubes—. Verdaderamente el doctor Hoffman no ha descubierto el Mediterráneo. No creo que haya otro motivo de queja ni para un adulto, siquiera.

Mas a Cecilio Rubes, en el fondo, le agradaba este interés y este desproporcionado entusiasmo de su mujer. Le agradaba también, en este nueva fase de su vida, asistir con Adela a misa de una los domingos y pasar después por el parque, a recoger al ama y a Cecilín junto al quiosco, donde la banda del Regimiento de Caballería interpretaba su gratuito concierto matinal. Y le agradaba ver de lejos al ama de su hijo —arrastrando un coche de altas ruedas, de níqueles brillantes— con su vestido a cuadros, su cofia almidonada y su gaseoso y gigantesco lazo atrás. Y le agradaba, no menos, cuando Luisito y Cecilín fueron creciendo, oír los sabrosos comentarios de su mujer, los días que ella y Gloria visitaban juntas al médico, para constatar el desarrollo de sus hijos.

Adela decía:

—Y entonces Fraile dijo, y se refería a Cecilín: «Este chico va muy bien. Está espléndido». Y, luego, dijo: «El pequeño Sendín tendrá que apretar si no quiere que Rubes le deje en la cuneta». Oye, Cecil, y Gloria me dijo al salir: «Mujer, ¿qué haces para que tu chico engorde así? Estoy digustada». Figúrate, Cecilín le lleva más de un kilo.

Cecilio Rubes se esponjaba como un pavo real. Exultaba. A Adela, estos triunfos de su pequeño la estimulaban a pensar en su padre y en La Habana. Después de cuatro años, reanudó la correspondencia con sus hermanos, no por atracción afectiva, sino por la necesidad de dar salida a sus nuevas y asfixiantes emociones. Su vida encontraba un sentido y experimentaba un profundo deleite acomodando su ritmo a sus exigencias. Veía, también, a Cecilio más próximo, más hecho a su hogar, más compenetrado. No resistía la impaciencia, cuando Cecilio se retrasaba y ella le esperaba con una noticia importante. Le veía sujeto a sus labios, pendiente, ávido, y ello la complacía. Un día, iniciado ya el otoño, Adela le dijo:

—Cecilín llora desde hace días después de mamar, Cecil...

Se le formaba una bola dolorosa en la garganta que casi le impedía hablar. Cuando se arrancó a llorar, las palabras surgían de su boca como lanzadas por una explosión, como si hubieran estado comprimidas demasiado tiempo.

Cecilio Rubes sintió temblar el mundo en torno, y sintió temblar sus manos, también, dentro de los holgados y blanquísimos puños de la camisa.

—Sí, Cecil... He hecho la prueba del doctor Hoffman; he hecho todas las pruebas. No tengo leche, ¿sabes? ¿Comprendes lo que eso significa? Cecilín apenas tiene medio añito y su madre se ha quedado sin leche... ¿Puedes imaginar, querido, una calamidad semejante?

Cecilio Rubes se esforzó en consolarla. Columbraba las enormes dimensiones de la desgracia, pero esperaba, no sabía a ciencia cierta de dónde, un oportuno remedio. Le prestó a Adela su pañuelo inmaculado para que se sonase. Ello revelaba en Cecilio Rubes una magnífica y entrañable disposición de ánimo. Dijo, luego:

—Vaya, no extrememos las cosas, querida. Hay remedios para eso. Bueno. Todo en la vida tiene remedio. ¿Has probado las Pilules Orientales? Bien, no es que yo tenga una fe ciega en esas cosas, pero hay píldoras muy renombradas y que, por lo visto, hacen efecto. Además, has de reposar y comer bien y fortalecerte y... Bien. No creo que esté aún todo perdido.

Durante tres semanas, Adela ingirió toda clase de píldoras, reposó las comidas, durmió doce horas, no se agitó, no sudó, bebió cerveza, procuró no afligirse, engordó, pero el pequeño Cecilio Alejandro Nicolás seguía insatisfecho. Fué entonces, cuando Cecilio Rubes se decidió a consultar a su madre.

Dijo la viuda de Rubes:

—No me dirás tú que esto es una sorpresa, Cecilio. Siempre te lo advertí. No es fuerte Adela. Es una de esas mujeres que todo lo echan en fachada; es una pobre monja boba tu mujer.

Cecilio replicaba débilmente, dócilmente. Añadió su madre:

—¿Habéis probado las Pilules Orientales?

Rubes estaba decepcionado:

—Bien —dijo—. No queda un solo remedio en las boticas que no hayamos probado.

Su madre se excitó toda. A la viuda de Rubes la lastimaba que su nietecito se resintiera por la incapacidad de una mujer en la que nunca creyó, ni como esposa ni como madre.

—¿Podríamos esperar otra cosa de ella? Dime, Cecilio —dijo—. ¿Por qué te empeñaste en hacer tu esposa a una mujer que no es de tu casta? ¡Dios me libre de ser orgullosa! Bien me sé que yo no tengo títulos, ni pergaminos, ni cosa alguna de que jactarme, pero tú sabes, Cecilio, que un antepasado tuyo peleó en las Navas de Tolosa y ganó una distinción real; y la bisabuela de mi abuelo paterno fue camarera mayor de la reina Isabel; y mi propio bisabuelo fue condecorado por Carlos III cuando el motín de Esquilache. Bueno, todo eso pesa en la sangre, hijo, y...

La impaciencia le subía a la cabeza a Cecilio Rubes, le enturbiaba la razón:

—Bueno —dijo—. Nada de todo eso da leche, que yo sepa, mamá. Ni mis antepasados ilustres, con todos sus merecimientos, han podido evitar que su descendiente Cecilio Rubes venda retretes.

—¡Cecilio!

—¡Mamá!

—Hijo, el pasado es el pasado y no tenemos derecho a hacer tabla rasa de él.

Por primera vez, Cecilio Rubes echaba los pies por alto ante su madre. Hubo entre ellos un oscuro y prolongado tiroteo de reticencias. Al fin, la viuda de Rubes puntualizó e hizo ver la conveniencia de tomar una nodriza.

Fraile, el médico puericultor, dijo: «Una nodriza. La lactancia artificial es peligrosa en la dentición.»

Adela leyó, al día siguiente, con voz temblorosa, la lista de ofrecimientos que publicaba el periódico. (Era horrible, para ella, entregar a su hijito así, de repente, a unos pechos mercenarios.)

—Soltera de veinte años, leche de quince días, desea para casa de los padres, dentro o fuera de la capital. Casada, de veintiséis años, leche de un mes, desea para su casa. Soltera, de veinticuatro años, leche de ocho días, desea para casa de los padres...

Dijo Rubes:

—¡Bien, bien! ¿Por qué todas han de tener la leche atrasada, querida? ¿No podremos encontrar una que marche al día?

La vitalidad de Adela se hallaba como velada, un tanto

oscurecida y marchita. Su voz tenía unos trémolos opacos de autodominio y resignación. Dijo:

—Mercedes dice, querido, que aquí no hay buenas nodrizas. Las buenas nodrizas son de Galicia. Ella conoce una agencia que facilita nodrizas con todas las garantías.

Por la tarde fueron juntos a la Agencia. La Agencia estaba instalada en un edificio destartalado, con las paredes húmedas y un enorme y sombrío patio interior. En él, paseaban las muchachas, tristes y deprimidas, o armaban tertulias en los rincones. «Bien —pensó Rubes—. Estas mujeres no tienen fuerza ni para sostenerse solas.» El hombrecillo nervioso y vehemente que les atendía, dijo: «Esto es lo que queda. No es mucho, es cierto. Yo les recomiendo que aguarden a mañana. Espero un nuevo envío del Norte.»

Al día siguiente, con el nuevo envío, llegó Jacoba. Era una mujer opulenta y maciza, de bondadosa sonrisa y pocas palabras. Hizo una breve demostración en el patio, apuntando a la cara de una de sus compañeras y dibujando en el suelo, con el chorrito de leche, unos jeroglíficos indescifrables. Ella dijo: «Dice: ¡Viva Santiago Apóstol!» El hombrecillo nervioso, dijo: «¿Qué les parece?» Añadió Adela: «¿La hacen treinta duros y mantenida?» Jacoba se levantó y se puso a su lado sonriente, sin decir palabra.

Cecilín agradeció la abundancia de la nueva fuente. Ante aquel pecho inmenso, inagotable, se quedaba dormido, ahíto, sin fuerzas siquiera para eructar.

El día 3 de noviembre de 1918, la balanza pesabebés acusó el refuerzo a que Cecilín Rubes venía siendo sometido. El día 4, Cecilio Alejandro echó su primer diente y el día 6, mordió, por primera vez, el pezón derecho del ama Jacoba. Cecilio Rubes consideró que los acontecimientos eran bastantes y lo suficientemente abultados como para justificar una visita a su madre. Las proezas de Cecilio Alejandro Nicolás ya se conocían en el Establecimiento «Cecilio Rubes. Materiales higiénicos», en el Real Club y en todas las reuniones de cierta monta de la ciudad. Cecilio Rubes chorreaba satisfacción:

—Bien —dijo a su madre—, sabrás que el pequeño Cecilio ha engordado otro kilo, tiene un diente y, cuando se enfada, muerde el pecho de su nodriza hasta hacerle chillar. Bueno. El nuevo Rubes viene pegando. Eso es todo.

Dijo la viuda de Rubes:

—¿No dice aún «papá»?

—No; aún no dice «papá», mamá.

—Tú, a los seis meses, decías «papá», Cecilio. ¿No crees que ese niño anda un poco atrasado?

Advertía Cecilio Rubes en su madre una habilidad extraordinaria para recortarle las alas. De repente, se quedó como sin voz. Los pinitos de Cecilín Alejandro Nicolás, que de ordinario asombraban a su auditorio, producían en su madre una reacción opuesta. ¿Atrasado Cecilio Alejandro? A Cecilio Rubes le asaltaban deseos de reír. «Bien —pensó—. Aun no ha participado en la batalla de las Navas de Tolosa, ni ha sido condecorado por Carlos III, si es eso lo que mi madre quiere decir.» Dijo:

—¡Por Dios, mamá! Si es el niño más avispado que he conocido...

Súbitamente Cecilio Rubes intuyó que detrás de Cecilín y de las palabras de su madre se escondía algo esta tarde; algo que en cierto modo, era fundamental o atentaba contra los soportes que él, en la vida, estimaba fundamentales. Dijo la viuda de Rubes:

—A propósito de tu hijo, Cecilio. Digo yo si por su buen nombre y por el bien parecer, estarás dispuesto a algo que, a fin de cuentas, también a ti ha de favorecerte, aunque de momento, te suponga un sacrificio.

Advirtió Cecilio Rubes una especie de desfondamiento:

—¿A qué te refieres, mamá? —dijo como con la boca llena.

—Creo que va siendo hora, hijo, de que dejes a esa pelandusca y aclares un poco tu situación.

Le subió, como una racha de fuego, la sangre a las orejas.

—¿Sabes tú...? —dijo.

—¿Quién lo ignora en la ciudad? Fuera de la monja boba de tu mujer, ¿hay alguien que desconozca que Cecilio Rubes tiene un capricho... pelirrojo y le ha puesto un piso en la calle Nueva, junto al río?

—¡Ah, mamá!

—Vaya, no te alborotes. Lo supe desde el primer día y entonces no te dije nada porque sé lo que sois los hombres e imagino lo que, en ciertos momentos, dará de sí la simple de tu mujer. Pero ahora, con un hijo, todo es distinto y si quieres que ese hijo tuyo pueda llevar tu nombre con la cabeza bien alta, debes renunciar a ciertas cosas, Cecilio. Debes elegir entre tu hijo y esa pelandusca.

Cecilio inclinó la cabeza. Se sentía cogido, como cuando niño era sorprendido en alguna trastada prohibida. Le zumbaba la sangre en las sienes y le impedía reflexionar.

—Bien, mamá —dijo, al fin—. ¿Crees tú que es necesario plantear el problema en unos términos tan concluyentes?

La viuda de Rubes ladeó su enorme cabeza blanca. (Hacía el efecto de que el gollipín resultaba insuficiente para sostener su peso):

—Ella o tu hijo — insistió.

Cecilio Rubes vacilaba:

—Paulina, además, no es eso que tú dices, mamá; Paulina es una buena chica.

—Todas ésas lo parecen; lo admito. Pero, ¿sabes tú si no te la está pegando con el primer sinvergüenza que se la arrima?

—¡Mamá!

—Siempre fuiste un niño, Cecilio. ¿Has pensado alguna vez si esa muchacha te hubiera complacido de ser tú un pobre diablo con dos cuartos en el bolsillo?

—¡Quién lo duda! — voceó Rubes, herido.

Su madre sonreía piadosamente:

—No has cambiado, Cecilio. Creo que pecaste siempre de un exceso de confianza en ti mismo...

—Bien... Bueno... Creo que las mujeres no penetráis en ciertas cosas. Dejarlo... «Dejar a esa pelandusca»... Bien, mamá. Eso no es tan sencillo. No es de ninguna manera sencillo. Bueno. A una mujer la quitas... Bien. Convives cuatro años con ella y luego le dices: «Desde mañana no te necesito. Puedes ir desalojando la habitación.» Bueno; primero, esto no me parece correcto; segundo, ¿quién te garantiza que esa mujer, despechada, no te organiza un escándalo? Esa es la cuestión...

La viuda de Rubes le atajaba, conocía demasiado sus puntos vulnerables. Dijo:

—¡Caramba, Cecilio! Nunca pensé que esa muchacha fuese para ti algo más que un capricho pasajero. Un escándalo, un escándalo... ¿Hasta ahí llega tu falta de ascendiente sobre ella?

Cecilio Rubes se levantó. Apenas recordaba ahora que su visita estaba relacionada con el primer diente de su hijo y el primer mordisco al ama Jacoba. Los hechos tomaban con frecuencia curso distinto del previsto. La vida era así un perpetuo despropósito. Evocó a Paulina con el ceñido traje de punto, recostando la roja cabecita sobre sus piernas. La evocación resultaba mórbida y excitante. Luego le asaltó la imagen de la muchacha en deshabillé contoneándose, canturreando: Con-u-na-fal-da-de-per-cal-plan-chá. Suspiró. Volvió a suspirar.

—Mamá —dijo—, se me hace tarde. —La besó—. Te prometo... Bien, te aseguro que reflexionaré sobre ello. Estas cosas no se pueden digerir así, de un golpe. Reflexionaré sobre ello. Te lo prometo, mamá.

Cuando salió a la calle, Cecilio Rubes casi corría; sentía la rara y difusa sensación de que alguien, no sabía quién ni por qué, le acechaba desde los ojos oscuros y profundos de los portales, y él, precavidamente, avanzaba con el bastón levantado por encima de la cabeza, en disposición de golpear.

V

Unas cosas llevaban a otras a Adela. La verdad es que nunca se sintió en la vida tan sólidamente instalada como ahora sobre las rodillas de su marido.

—Dime, Cecil — dijo —. Y esas mujeres que tanto dan que hablar..., esas mujeres de vida alegre, ¿se pintan los ojos?

—No es obligación, querida.

—Pero ¿se los pintan?

—Algunas.

—¿Visten de colorines, Cecilio?

Cecilio la miró a los ojos:

—Dime, Adela, ¿qué mosca te ha picado? ¿Por qué te interesas hoy por todas estas cosas?

Adela se ruborizó. Comprendía que pisaba un terreno impropio para una mujer recatada, pero su curiosidad la vencía:

—Creo — dijo — que ahora que tengo un hijo debo saberlo todo. Para educar a un hijo hay que conocer todas esas cosas. Contesta, querido: ¿visten de colorines esas mujeres?

—¡Por Dios, qué preguntas! ¡Qué preguntas tienes, cariño! ¡Habrá de todo! Conocí yo a una de... Bueno. Una vez me dijo un amigo que conocía a una de esas mujeres que vestía siempre de negro y se ponía gasa por la cara como una viuda. ¿Qué te parece?

—¿Y salen de noche... solas?

—¡Ah, sí, claro! Esas mujeres no tienen prejuicios de ninguna clase.

—¿Es verdad, Cecilio, que viven en cuevas como los mendigos?

—Viven en casas, naturalmente — saltó Rubes.

—¿En los barrios bajos?

—En todos los barrios.

—Cecilio, por favor, no te enfades con esto que voy a decirte. ¿Te importaría... te importaría llevarme un día a un barrio de esos... y...?

—¿Has perdido la cabeza? ¿Y tu reputación?

—Una mujer puede ir con su marido donde le plazca. Podríamos ir en la berlina, para que nadie se enterara. ¿Oyes?

—Está bien —dijo Cecilio Rubes—. Ahí no hemos de ir. No te molestes.

Cecilio Rubes empujó suavemente a su mujer y se incorporó. Le sacaba de quicio esta conversación. Pese a su cambio de carácter reconocía que las posibilidades de conversación con una mujer como la suya eran muy limitadas. Encogió los hombros con enojo.

—Se ha terminado —dijo—. No tenemos más que hablar sobre el asunto. ¡Ah! Además, hay otra cosa. Bien. A lo de los Sendín me refiero. No vayas a pensar que un hombre tan ocupado como yo... Bueno. En una palabra me molesta atar mi vida a la de nadie. Entiéndelo. Bien está reunirse cada mes o cada dos meses... de vez en cuando. Pero me irrita eso... Bien. No estoy dispuesto a todo eso de las reuniones semanales a tomar el té y a tocar el piano. Eso está bien para cuatro viejas cursis y aburridas y... y... Bueno. ¡No estoy dispuesto! Tú sabes como yo que en el Club no mirarían bien mi intimidad con un hombre como Luis Sendín que ha desertado de nuestro grupo haciéndose del Círculo.

Adela no dijo nada. Durante seis años Adela aprendió mucho sobre los hombres. Sabía distribuir sus pausas y sus silencios y sabía igualmente cuando convenía levantar la voz. De momento se daba cuenta de que una intervención suya sería torpe e ineficaz, más bien contraproducente.

Mas a Adela le constaba que la tarde anterior, Cecilio no se había aburrido. Y era esto lo que a él le atormentaba: no haberse aburrido. Cecilio iba encontrando en la vida del hogar, en su mujer, en su hijo, en las blancas reuniones con sus vecinos, un atractivo jamás soñado y se enfurecía contra sí mismo por lo que estimaba una flaqueza y casi, casi, una deserción. Un hombre de su categoría social era inconcebible pegado a las faldas de su mujer, hogareño, autocontrolado, ridículamente austero y paternal. Pero Adela lo vio sonreír plácidamente cuando Gloria interpretaba al piano el «Nocturno», de Chopin, y, después, al concluir «La canción del olvido», iniciar un aplauso entusiasmado que bruscamente interrumpió para volver a parapetarse tras su habitual máscara de mesura y dignidad.

Bien. Cecilio Rubes no quería reconocer estas cosas. La

vida de un hombre de posición estaba en el Club, en los amigos, en las copas, en las cartas y en las amiguitas rubias y ocasionales. El teniente coronel López, León Valdés, Fidel Amo, el boticario, se reirían de él si pudiesen verle haciendo fiestas a Cecilín o conversar amigablemente con Luis Sendín, mientras sus respectivas esposas, en un aparte, hablaban de bebés, de muebles o de labores. Con todo, Cecilio Rubes se encontraba a gusto conversando con Luis Sendín y hasta se le antojaba que prestaba más atención a sus observaciones que los superficiales amigos del Real Club.

Luis Sendín le decía la tarde anterior: «Es usted injusto. La ciudad progresa.» Él dijo: «¿Progresa? Bien. ¿No cree usted que nuestra ciudad progresa un poco a la manera de los cangrejos?» Luis Sendín tomaba muy en serio cada una de sus manifestaciones. Dijo: «¿Lo piensa así o sólo lo dice porque la ciudad no marcha todo lo de prisa que usted quisiera?» «Ah, no, no —dijo Cecilio Rubes—; lo creo así. Hay para ello una razón fundamental: Nuestros alcaldes no buscan el progreso de la ciudad sino el medro propio. Y yo digo: El alcalde debe ser para la ciudad, no la ciudad para el alcalde.» Dijo Sendín: «Eso está bien. En ese punto estamos de acuerdo.» Añadió Cecilio: «Bien. ¿Qué puede esperarse de un hombre que quiere ensanchar la ciudad del otro lado del río cuando ni la densidad de población ni el núcleo de viviendas lo justifica, ni lo aconseja, siquiera?» Rubes pensó: «Vaya, ha salido redondo.»

Después, Gloria se sentó al piano y tocó «Nocturno», de Chopin, y a Cecilio Rubes le empujaba la necesidad de pensar en Cecilio Alejandro y se sentía herido como por una especie de blanda ternura lacrimosa. Tocó, luego, Gloria «La viuda alegre», «El conde de Luxemburgo», «Los cadetes de la reina» y una selección de «La canción del olvido». Gloria, al tocar, movía bien los dedos y la cintura. Cecilio Rubes pensó que si él fuera su marido le gustaría besar la punta de sus dedos cada noche; unos dedos poseídos de una comunicativa vivacidad.

Al concluir, tomaron el té y Luis Sendín le preguntó por los negocios. Cecilio Rubes dijo: «La época es mala. La paz nos ha dejado peor que estábamos.» Le gustaba a Rubes que Gloria y Adela fueran testigos de su elocuencia. Las damas solían dar una exagerada importancia a las palabras de los hombres. Las vio pendientes de sus labios y deseó estremecerlas. Añadió: «Bien, la guerra no ha solucionado nada. Esta guerra traerá otra guerra mayor y así hasta el fin de los tiempos.» Intervino Gloria: «¡Por Dios, no nos anuncie usted más calamidades, Rubes!» Se le iluminaban expresivamente sus pequeños ojos.

En ese momento apareció Luisito en brazos de su ama. «Bien —dijo Rubes—. El chiquillo está muy espabilado.» Pensó: «Tiene los ojos demasiado pequeños y demasiado juntos.» Dijo Gloria: «Di papá, mi niño, a ver: Pa-pá.» El niño la miró un poco asombrado. Dijo, al fin: «Pa-pá». Hubo un coro entusiasta de aprobación. Cecilio se sentía mortificado. «Bueno —dijo—. Cecilín tiene ya un diente y muerde a su nodriza. ¿Qué dicen a esto?» Gloria dijo al pequeño: «A ver, chiquitín, di ahora mamá; a ver: ma-má.» Dijo Luisito: «Mamá». La incomodidad le subía hasta el pescuezo a Cecilio Rubes; le apretaba la camisa. Pensó: «Este chiquillo es feo y tiene el pelo como la estopa.» Cuando el crío salió, dijo Luis: «Antes de que éste cumpla trece meses llegará un hermanito.» Gloria se puso encarnada. «¿Es posible? —dijo Rubes. Añadió Sendín: «Le prevengo que a mí los chiquillos no me estorban para nada.»

Todo esto ocurrió la tarde anterior. Ahora Cecilio Rubes movía la cabeza con impaciencia. Estimaba que dar lugar a estas evocaciones era un síntoma peligroso de «reblandecimiento». «Bien —pensó—. Lo de ayer fue una reunión blanca, insípida y tonta.» Se levantó para ir al Establecimiento. Tampoco hoy tenía tiempo de pasarse por el Club. Bien pensado, ahora no tenía nunca tiempo para nada. Oyó a Adela entendérselas con el pequeño Cecilio y entró en el dormitorio. Le gustaba ver a su hijito recién despierto de la siesta. Le pellizcó levemente el terso moflete:

—Bien, pedazo de atún —dijo—. ¿Cuándo aprenderás a hablar como tu amigo?

Cecilín sonreía y pateaba al aire. Dijo Adela:

—Lo que más sentiría es tener un niño prodigio, Cecilio.

—Bien —dijo Cecilio—, verdaderamente hablar a los siete meses es un caso desagradable de precocidad. Luego... Bien, que los chicos sean luego inteligentes y creadores es una satisfacción para los padres. Pero a su tiempo. Yo celebraría que el día de mañana Cecilio Alejandro fuese un gran arquitecto o un gran ingeniero. ¿Qué dices a eso? No me gustaría que arruinase su iniciativa y su talento creador en un negocio rutinario y encauzado en un determinado sentido.

Cecilio Rubes contemplaba a su hijo con una ternura indolente. El pequeño Cecilín removía en él una serie de cosas fundamentales: removía su orgullo, imprimiéndole nuevos derroteros; removía su conciencia, llamándole a un arrepentimiento superficial; removía su adormecida iniciativa mercantil, agudizándola (el pequeño Rubes fue fotografiado en su pequeña bañera y la fotografía difundida en periódicos, cinematógrafos y octavillas, con la siguiente leyenda: «Cecilio Rubes no admite rival en enseres y materiales higiénicos»); removía, también, el sentido de emulación en Cecilio Rubes, hasta este momento rabiosamente personal e intransferible; removía, en fin, sus malos humores y su notable capacidad de resentimiento contra aquellos que no hacían en presencia del pequeñuelo una demostración entusiasta de lo mucho que les impresionaba su precoz sabiduría y sus genialidades y sus múltiples y evidentes atractivos físicos. Cecilio Rubes se consideraba padre de la criatura más perfecta y armoniosa asomada al mundo desde el principio de la vida y el tiempo.

Últimamente Cecilín removía en él un oscuro y no bien delimitado sentimiento de superación que él, neciamente, identificaba con Paulina. Esto fue así, desde la conversación sostenida un mes antes con su madre. Frente a su hijo Cecilio Rubes se sentía decidido y con agallas suficientes para imprimir otro rumbo a su vida. Luego, ante Paulina, esos arranques se enervaban, perdía la confianza en sí mismo, su decisión se enfriaba y le gustaba abandonarse a un entrañable sentimiento de molicie y laxitud.

Cecilio Rubes era inconstante y espiritualmente fofo y débil. A raíz de la conversación con su madre, Cecilio experimentaba un morboso placer fomentándose su dolor y su desasosiego. Era agradable pensar que estaba triste y deprimido en medio de su felicidad. El hecho de no tener motivos notorios de descontento desarrollaba en Cecilio Rubes el afán de inventarlos. Últimamente, cada noche, antes de dormirse, pasaba cinco minutos fomentándose su desazón. Quería estar triste; deseaba sentirse atribulado y solo en medio de una humanidad enloquecida por sus apetitos y su egoísmo. En esos momentos de recogimiento, Cecilio Rubes se esforzaba en arrancar de sus ojos una lágrima para poderse decir a sí mismo: «Mira, Cecilio, estás llorando. Eres el hombre más desgraciado de la Tierra.»

Una noche tomó la decisión de terminar con Paulina. Su

pusilanimidad le vetaba enfrentarse con su madre mientras este asunto no hubiese sido despachado. Los ojos azules de Cecilio Alejandro eran, por otro lado, una nueva llamada apremiante. Era necesario acabar. Cecilio, contra la almohada, pensó: «Iré y le diré: Paulina, mi deber de padre me impide prolongar ni un día más nuestras relaciones». Se revolvió en el lecho y se retorció las guías de los bigotes. Estaba desazonado. Dijo Adela: «Cecilio, ¿no puedes estarte quieto? No me dejas dormir.» Cecilio Rubes se irritó un poco: «Bien —dijo—. ¿Cuándo vas a decidirte a poner dos camas aquí?» Dio otra vuelta y pensó: «Paulina llorará y yo le diré: «Pequeña, no hay más remedio. Es un ser inocente el que nos lo exige.» Las tinieblas y el blanco cobijo del lecho inspiraban a Cecilio Rubes una sentimental inclinación al melodrama. De nuevo quería llorar, aparentar ante sí mismo un doloroso desánimo que se hallaba muy lejos de sentir.

A la tarde siguiente visitó a Paulina. La muchacha estaba encantadora. Le besó tres veces antes de dejarle sentar. Cecilio Rubes resollaba. La impaciencia no le permitió hacer los habituales altos en la escalera.

—Pequeña —dijo—. Bien pequeña... —acariciaba los rojos cabellos de Paulina.

—Hace mucho tiempo que no venías, amor —le reprochó ella.

Cecilio se desabrochó la americana. Le hacía la impresión de que no le dejaba respirar. Infló el pecho.

—Mi querida Lina —dijo, tomándole una mano—. Bien. No pude venir antes. El chico...

Ella se incorporó y le sirvió una copa de vino. Se quejó Cecilio Rubes:

—Pequeña, pequeña, no debes hacer eso. El hígado, ¿comprendes?

Paulina se recostó en él. Estaba zalamera y cruelmente mimosa esta tarde. Dijo:

—Amor mío, siempre me estás hablando de tu hijito y aún no lo conozco. ¡Vaya! A veces pienso, a veces pienso que yo merecía ser la madre de tu hijo mejor que tu mujer... Tú... ¡vaya! Al nacer tu hijo... Antes de nacer tu hijo...

Dijo Cecilio Rubes:

—¿Quieres decir que en ese momento yo pensaba en ti y pensaba que... bien, que eras tú la que tenía entre mis brazos?

Paulina sonrió:

—Eso quería decir —dijo—. Tu hijo es también un poco hijo mío, ¿no es así? Y, sin embargo, aún no lo conozco. ¿Te das cuenta, Cecilio, de lo injusto que eres conmigo? Yo quiero conocer a tu bebé, ¿sabes? Me gustaría conocerle y decirle: «Tu papá y yo somos dos buenos amigos.» Nada más que eso. ¡Ah, Cecilio! Te prometo que nada más que eso. ¿Por qué no has de complacerme?

—Bien —añadió—. A propósito, hay momentos en la vida que uno, bien...

Notaba la calidez del cuerpo de Paulina en el costado; su calidez y una mórbida dulzura incitante. Ella le escuchaba abstraída y sus ojos sorprendidos tenían algo de la estupefacción del escolar que recibe las primeras lecciones.

—Sigue —dijo—. Sigue.

A Rubes se le empañaba la voz. No le frenaba la lástima, ni la dignidad, ni el oprobio, ni el amor, sino una medrosa sensación de perder aquellos encantos para siempre.

—Hay momentos en la vida —agregó— en que uno...

Observaba a la muchacha con el rabillo del ojo, rebuscando entre los resquicios de su ropa. De pronto, decidió aplazar la ruptura. Dijo tan oscuramente que apenas se percibió su voz:

—En que uno pierde los estribos, y la medida, y hasta el honor por una mujer...

Paulina se incorporó indolentemente. Conocía los preliminares y su poder estaba en exacerbar los deseos del hombre.

—¡Vaya, tonto, ese no es tu caso! —dijo.

Cecilio se volvió torpemente e intentó abrazarla. Tropezó aparatosamente con una silla. Ella se parapetó tras el sofá.

—Hoy pondré yo las condiciones —dijo Paulina.

La voz de Rubes era ronca y torpe:

—Habla —dijo.

—Bien... bien. No tramarás alguna diablura, ¿verdad, pequeña?

Paulina dijo:

—Sólo quiero conocerle. Tengo derecho, ¿no?

—Bien —dijo Rubes. Reflexionó un instante—: ¿Podrás estar el domingo a la una y media junto al quiosco de la música?

Le nublaba la razón la abierta sonrisa de la muchacha. La hubiese llevado a su casa de habérselo exigido. Se hubiera arrojado a sus pies.

Dijo Paulina:

—El domingo, junto al quiosco de la música. No lo olvides.

Cecilio temblaba al acercarse a ella. Paulina le dio dos tironcitos amistosos de las guías de los bigotes antes de dejarse besar.

Desde lejos divisó Cecilio Rubes el traje a cuadros del aña y los brillantes níqueles del coche. Experimentó una excitación que le bajaba hasta la punta de los pies. No tenía costumbre de encontrar a Paulina por la calle y la blanda presión de la mano de Adela sobre su brazo casi le producía náuseas. Adela había dicho al salir de misa: «¿No crees que hace un poco de fresco para el pequeño?» Él no la oyó. Adela volvió a decir: «¿No crees que hace un poco de fresco, Cecil?» Dijo él: «Bien. Puede ser.» En la misa de una se encontraban ordinariamente todos los asiduos del Real Club. En realidad, a los asiduos del Real Club les agrupaba una extraña comunidad de vicios y costumbres. Adela dijo: «Cecil, los Valdés, ¿cómo no los has saludado?»

La gente joven paseaba por el andén central del parque y los papás y las mamás observaban desde las dos filas de sillas situadas a ambos lados de la carrera, los primeros pasos amorosos de sus retoños. Cobraba la ciudad a aquella hora un tinte conmovedor, una suerte de candorosa espontaneidad que hacía de ella un todo cerrado, aglutinado e indestructible. La banda de Caballería, desde el quiosco situado en el lateral derecho del andén, interpretaba en ese momento una selección de «El Conde de Luxemburgo».

Cecilio Rubes pensó: «¿No tramará Lina alguna diablura?» Veía ya, a lo lejos, los dorados mofletes de Cecilín e, inclinada sobre ellos, la cabeza roja y vital de Paulina. Sintió una extraña vaciedad de estómago y la sensación de que el corazón le coceaba el pecho como si tuviera herraduras. Casi le hacía daño. La mano de Adela sobre su brazo pesaba como de plomo. «¡Dios! —pensó—. Espero que la pequeña no me haga una escena.» Dijo Adela: «Allí veo a Cecilín. También hoy parece que ha hecho una de sus conquistas.»

Paulina hacía fiestas al pequeño Rubes. Pasó un cadete y le dijo algo aproximando la boca a su oído. El juego anatómico de Cecilio Rubes se tensó como un cable. «¡Mamarracho!» —pensó. Paulina volvió la cabeza sonriente hacia ellos. Llevaba un detonante abrigo de entretiempo y el rostro levemente maquillado. No obstante, su presencia allí, entre la música y la rígida austeridad ciudadana, era algo atrevido y deslumbrante. Cecilio Rubes vio a un hombre calvo sentado en una silla junto al quiosco devorándola con los ojos. «¡Cochino viejo verde!» —se dijo. De pronto, se sentía enfurecido contra todo y contra todos. ¿A qué este tonto capricho de Paulina de exhibirse un día de fiesta en un lugar tan concurrido? «Los Gómez Bravo, Cecil, ¿qué te ocurre hoy que no ves a nadie?», dijo Adela. «Déjame», dijo. Paulina se separó unos pasos y Cecilio trató de hacerla una seña para que se alejase, pero no se atrevió. A la muchacha parecía divertirla su violencia. Vio Cecilio que Adela contemplaba a Paulina de reojo y trató en vano de concentrarse en su hijo.

Adela daba instrucciones al aña y Cecilio aprovechó para hacer a Paulina una leve indicación con la mano escondida tras de la espalda. Advirtió que el hombre calvo le había visto y entonces fingió que se rascaba insistentemente. «Mamarracho —pensó—. Ya te ajustaré yo las cuentas.» Volvía el cadete empeñado en dar conversación a Paulina. La banda del Regimiento de Caballería interpretaba ahora una selección de «Agua, azucarillos y aguardiente». La música inyectaba en las venas de Cecilio Rubes algo como el comienzo de una loca vehemencia pasional. «Si no nos vamos ahora mismo reventaré y haré reventar a alguien» —pensó. Entonces vio a Paulina a su lado y se asió torpemente al manillar del cochecito:

—¡Vaya! —dijo la muchacha—. ¿Son ustedes los padres de este niño? Les felicito; es una preciosidad.

Adela le apretaba el brazo con sus dedos desmayados, de ordinario blandos y dóciles. «¿Qué querrá decirme con esta seña?», pensó Cecilio. «Gracias», dijo Adela un poco secamente. Pensó Rubes: «¿Qué ocurre aquí?» La música se le hacía una locura desatada, sin ritmo ni compás; un ruido desacorde e hiriente. Y la gente y el bullicio, una multitud desordenada y hostil. Temblaba. Vio al hombre calvo pasarse la punta de la lengua por los labios; miraba los tobillos de Paulina. De nuevo Adela le oprimió el brazo. «Cuando quieras, Cecil» —dijo y añadió al aña—: «No tarde.» Paulina repitió: «Les felicito.» Dijo Adela: «Buenos días.» Cecilio Rubes se tocó ceremoniosamente el ala del sombrero. Cuando se alejaba pensó: «Bien, Lina no se da cuenta de lo que hace; es una chiquilla irresponsable.» Volvió levemente la cabeza para observar al cadete. Dijo Adela, entonces, oprimiéndole el brazo de nuevo:

—Por amor de Dios, Cecil. Esto sí que ha sido casualidad —volvía reservadamente los ojos hacia Paulina—: ¿No será esa una de esas mujeres de que hablábamos el otro día? ¿Te fijaste qué pelo, qué aires, qué manera tan provocativa de vestir?

—¡Ah, la gripe! —dijo Cecilio Rubes—. ¿Desde cuándo la gripe es una enfermedad importante?

Pensaba en Cecilio Alejandro y creía que con sus gritos restaba gravedad a la situación; quizás, hasta podría ahuyentar a la gripe; todo dependía del vigor y la convicción que imprimiera a sus palabras.

Dijo Valentín:

—Esta de ahora no es cosa de broma, señor Rubes. Es una gripe que no se pasa con dos días de cama y un sello de aspirina.

Méndez levantó su rostro granujiento. Siempre se ruborizaba para hablar; con un rubor que lo incendiaba todo; la frente, las orejas y los párpados:

—Ayer murieron dos mujeres en mi barrio —dijo.

—...Mi barrio —dijo Valentín—. ¿No me ha dicho a mí el párroco que no dan abasto los curas para administrar la Extremaunción?

La ciudad entera se sentía atenazada por el invisible fantasma de la gripe. Se dictaron una serie de medidas preventivas: se cerraron las escuelas y los teatros; se suprimieron los paseos dominicales; las empresas funerarias montaron un servicio nocturno permanente para atender el exceso de enterramientos; a los niños nuevos se les imponía el nombre de Roque» para preservarles de la peste; las fondas y hospedajes cerraban por falta de clientela; los alumnos de la Facultad de Medicina recibieron una autorización especial para tratar casos de urgencia; los médicos no descansaban ni de día ni de noche... y Cecilio Rubes decía: «¡Ah, la gripe! ¿Desde cuándo la gripe es una enfermedad importante?»

Dijo Méndez, el auxiliar de contabilidad:

—Me han dicho que hay varios casos de enfermos enterrados vivos.

—...Enterrados vivos —dijo Valentín—. ¡No digas tonterías!

Dijo Cecilio Rubes:

—La peste siempre viene tras de la guerra. Bien. ¿Hubiese llegado la peste si este pueblo de cafres acostumbrara a bañarse con un poco más de asiduidad?

De repente, Cecilio Rubes se sintió en trance. Al día siguiente, el periódico local publicaba la fotografía de Cecilio Alejandro Nicolás en el baño y, en un ángulo, un dragón agonizante, con la siguiente inscripción: «La higiene es el mayor enemigo de la peste. Cecilio Rubes; Materiales Higiénicos».

Ramón Prado le dijo en el Club, alzando fatuamente su enorme nariz, en un grotesco ademán admonitorio:

—Tu reclamo no me gusta, Cecilio; lo siento. Entiendo que no es lícito ni moral aprovecharse de una calamidad social para hacer prosperar nuestro negocio.

Ramón Prado era un puritano; Ramón Prado era uno de esos hombres que se pasan la vida censurando a los demás. Dijo Cecilio Rubes, airado:

—¿Quién te pide tu opinión? Bien... Bien. ¿Crees tú honradamente que tendríamos la peste si hubiese un poquito más de higiene en la ciudad? Bien... ¿Qué dices entonces de ese otro anuncio de Gregorio Lemos: «Pompas Fúnebres, servicios esmerados, rápidos y económicos»?

Cecilio Rubes sudaba. Cecilio Rubes no admitía la censura de nadie y menos de un ser tan pintoresco y vacuo como Ramón Prado. Dijo Ramón Prado:

—Me parece tentar a Dios que utilices la salud de tu hijo para una finalidad tan siniestra e inhumana. Ya sabes que yo acostumbro a decir siempre lo que pienso.

Cecilio Rubes se incorporó de un salto. La mención de su hijo y la inconcreta amenaza que envolvían las palabras de Ramón Prado le pusieron fuera de sí. La sangre le golpeaba vivamente en las sienes. Adoptó una actitud relativamente ofensiva, casi ridícula:

—¡Sujetadme! —chilló—. ¡Me está provocando y lo voy a...!

Ramón Prado no se inmutó. Amo, el boticario y el teniente coronel López trataron de apaciguar a Cecilio Rubes. Dijo Ramón Prado sordamente:

—Siento que te lo hayas tomado así.

Paulatinamente las palabras de Ramón Prado iban limando la serenidad de Cecilio Rubes. Siguió publicando el anuncio porque otra cosa hubiese equivalido a darle la razón, pero ahora sentía una creciente angustia por la salud de Cecilio Alejandro Nicolás. A cada momento temía que el dragón de su dramático reclamo se revolviera en su agonía y despachase a su hijo de un zarpazo fatal. Por las noches soñaba que Cecilín se moría y que era enterrado en la bañera blanca del anuncio. Se despertaba cubierto de frío y sudor, y abrazaba a su hijito. Adela decía: «¿Qué te sucede, Cecilio?» Decía él: «Ah, no es nada; no te preocupes», e intentaba, en vano, reanudar el sueño.

Con todo, Cecilio Rubes rodeó a Cecilín de un inusitado sistema de precauciones. Cecilín no salía jamás de la habitación, ni el ama Jacoba de casa. Había que impedir el contagio a costa de lo que fuese. Nadie podía ver ahora al pequeño sin colocarse previamente sobre la boca y nariz una blanca careta protectora. Ningún juguete nuevo debería entrar en la casa. Las sabanitas y las ropitas del pequeño Rubes, eran hervidas concienzudamente antes de ser empleadas. Cecilio y Adela, al regresar de la calle, se mudaban de ropas y de calzado. El ama Jacoba, aun a regañadientes, tuvo que aceptar el baño cotidiano; amenazó con marcharse y Cecilio le imploró que se quedase. El ama Jacoba aceptó a condición de una nueva subida de sueldo.

En la ciudad, el panorama era cada día más sombrío y tétrico. A toda hora se sentía el martilleo cansino de los caballos arrastrando por las calles las carrozas fúnebres. Era como una oleada de muerte, como un lúgubre viento arrasando las calles y plazas de la ciudad.

Gloria enfermó en aquellos días y abortó de su segundo hijo. El feto fue bautizado con el nombre de Roque. Cecilio Rubes se sobresaltó: «Tenemos la gripe aquí mismo, dentro de casa», pensaba y esta idea llegó a obsesionarle. Hizo aun más estrechas las medidas precautorias en torno al pequeño Cecilio. No sentía apetito. Suprimió el anuncio. Por las noches tenía un sueño agitado, lleno de sobresaltos y pesadillas. Adela decía: «¿Qué te ocurre, Cecil? Llevas unos días que no me dejas dormir.» Una noche le dijo: «Cecil, anoche olvidé decirte que mañana vendrán a instalar el teléfono.» «¿El teléfono? —dijo él—. ¿Se puede saber qué me importa a mí el teléfono?» Había suspirado por el teléfono porque a Cecilio Rubes le agradaba marchar acorde con el progreso, pero ahora no le importaba el teléfono. Dijo Adela: «Gloria saldrá de ésta, ¿sabes?» Cecilio saltó en la cama y dio la luz. Estaba pálido como un muerto: «No habrás pasado a ver a Gloria, ¿verdad?» «Oh, no, no te excites, Cecilio. Mercedes pasó.» «Bien. Me alegra que esté mejor», dijo. Apagó la luz: «¡Dios! —pensó—. Hace un año hubiera dado mi fortuna por no tener un hijo; hoy la daría por conservarlo. ¿Qué clase de hombre idiota soy yo?»

A veces, se sorprendía pensando qué cosas anteponía a la salud de Cecilio Alejandro y llegaba a la conclusión que prefería la muerte conjunta de Paulina y Adela a la de su hijo. Lo pensaba fríamente, como si en cualquier momento pudieran ofrecerle tal opción. «Toda la ciudad antes que mi hijo. Todo el mundo antes que mi hijo», se decía. Y pensaba en sus bracitos rollizos indefensos y en su mirada intensa, redonda, casi patética, y en su expresión dócil, ingenua, sobrecogedoramente elemental.

En ocasiones, Cecilio Rubes se decía que él también podría morirse y, en esos casos, imaginaba a Adela con su hijito en brazos mendigando por las calles de la ciudad. «Bien, no será para tanto —se decía—. Estoy pasando una crisis nerviosa; eso es todo.» Pero no encontraba fácil consuelo. Una noche, mientras Adela se acostaba, escribió una larga carta con instrucciones sobre lo que su mujer habría de hacer para el caso de que él muriera inesperadamente. La carta encerraba párrafos de indescriptible patetismo y decía, por ejemplo: «Piensa siempre que nuestro hijito es lo primero y no te cases mientras no sepas que tu futuro esposo le quiere a él tanto como a ti.» Puso en el sobre: «Abrir en caso de mi muerte». Y a la mañana siguiente se la entregó al contable. Dijo Valentín:

—Señor Rubes, ¿es que se encuentra usted mal?

Cecilio Rubes quiso reír, pero su risa salió de la garganta un poco gangosa y enmohecida. No se encontraba mal, pero el ser padre obligaba a ciertas previsiones. Cuando dos meses más tarde, Valentín le entregó la carta sin abrir, experimentó un desvanecido sentimiento de vergüenza al recordar sus horas de debilidad.

La gripe alcanzó su cenit en la ciudad y lentamente empezó a decrecer. Los datos de las autoridades sanitarias invitaban al optimismo. Gloria se levantaba ya y los aurigas de las carrozas fúnebres disfrutaban de ciertos momentos de reposo. La tensión de Cecilio Rubes comenzó a decrecer también. Seguía el luto ahincado en la ciudad, pero era un luto más sosegado y pacífico. Poco a poco la gente iba asomando a la calle; iniciaba tímidamente los paseos dominicales, un teatro abría sus puertas, otro anunciaba la próxima apertura con la reaparición de una compañía de cómicos muy renombrados, y, de este modo, la ciudad iba retornando a su antiguo ritmo, encontrándose a sí misma, olvidándose del paso funesto de la peste como de un mal sueño.

Fue en este declive de la epidemia, al comenzar a recobrar la ciudad su antigua fe y confianza en la vida, cuando Cecilio Rubes recibió la alarmante conferencia telefónica de Adela:

—Dime — dijo.

La voz de Adela llegaba un poco desfibrada e impersonal a través del hilo:

—El niño, Cecil... No quiere mamar y tiene mucha calentura. Ven corriendo.

—¡Oye, Adela...! — chilló.

No le hacían caso. Gritó enloquecido por el micrófono:

—¡Óyeme, Adela! ¡¡Escúchame!!

Colgó el auricular y dio vueltas a la manilla enfurecido. ¡Cuánto tardaban! La voz de la señorita de la central le exasperó, por su calma pastosa:

—El 0019, por favor — dijo él.

Oyó llamar. A Cecilio Rubes le comía la impaciencia. Valentín dijo:

—¿Pasa algo, señor Rubes?

—No contestan — dijo, la voz, al fin.

Cecilio Rubes cogió el gabán, el sombrero y el bastón y salió desolado. Le parecía que nada de esto era una novedad, que era todo simplemente la realización de un sueño profético que durante muchas noches le había sobrecogido. Buscó con los ojos un coche de alquiler. No se veía ninguno. «Bueno — se dijo —. El niño estaba bien esta mañana. ¿Qué puede haber sucedido?» Renegó del ambiente de confianza y seguridad que últimamente se adueñó de su casa, del estúpido proceder de Cristina y de su propia madre penetrando en el recinto del niño sin cubrirse con la careta protectora. «Bien — se dijo —. Piensan que todo ha pasado y no se dan cuenta que lo peor de todo son los últimos coletazos.» En la esquina de la Avenida detuvo un coche.

—De prisa — dijo —. A casa del doctor Fraile.

El caballo tenía un trotecillo cansino, como si también él estuviera derrengado de trasladar muertos al camposanto. Rubes se inclinó hacia el pescante:

—¡Atícele! — dijo —. Es muy urgente.

El auriga le miró con socarrona curiosidad y no hizo mención de estimular al caballo. El doctor no estaba en casa. Cecilio Rubes tomó nota de sus visitas.

—A prisa, a prisa —volvió a decir al cochero.

Encontró al médico en el portal de la tercera casa.

—Doctor... —dijo—. Bien, doctor, el pequeño no quiere mamar y tiene mucha calentura.

El doctor Fraile tomaba las cosas con una calma filosófica. Su rostro era casi imberbe, más bien lleno, absolutamente impenetrable:

—¿Cuándo ha empezado? —dijo.

—Mi mujer me avisó hace cosa de una hora.

El coche brincaba sobre el pavimento y los dos hombres marchaban en silencio, uno junto al otro. Cecilio Rubes agarraba el bastón con una fiereza singular y los nudillos se le ponían extrañamente blancos.

Siempre pensó que su ciudad era pequeña y ahora se le hacía que las calles casi desiertas no tenían fin. No esperó la ayuda del portero y él mismo tiró de la cuerda del ascensor de agua para darle impulso.

Aspiraba a que, con su llegada, Cecilín se sintiese más protegido; él no toleraría que la muerte se saliese con la suya sin luchar tenazmente, apurando todos los recursos. Adela lloraba junto a la cunita del niño. También lloraban Mercedes y Cristina. Sólo el ama Jacoba aparecía tan terne, como si nada de todo aquel aparato rezase con ella. Al fin y al cabo, también el ama Jacoba perdió a su hijito unos meses atrás sin que el mundo se conmoviese, ni nadie se tomase tanta molestia.

A Cecilio Rubes se le heló el corazón al comprobar que el pequeño no respondía a sus caricias, sumergido en una especie de delirante sopor. Su cuerpecito ardía. Era un cuadro sobrecogedoramente patético contemplar a aquel niño tan indiferente y entregado. El doctor le auscultó detenidamente.

—No veo nada —dijo, al fin—. Dieta absoluta y cuidar de que no se enfríe. Mañana volveré.

Cecilio Rubes se retorcía las manos en la densa espera que siguió. Con la llegada de la noche le asaltó el recuerdo de Ramón Prado y el recuerdo de sus palabras: «Ese narizotas impertinente», dijo. Adela se volvió a él:

—¿Decías algo, querido?

Cecilio Rubes le contó a Adela la escena del Club. Se

sintió liberado de un peso cruel. Adela trató de tranquilizarle. «Bien —pensó Cecilio—. Ella es más fuerte que yo. Siempre pensé que Adela era una criatura blanda y resulta que es más fuerte que yo.»

Cecilín se rebullía inquieto y, de vez en cuando, se quejaba. Sus quejidos le llegaban muy dentro a Cecilio Rubes. Dos veces se levantó a enjugarse a hurtadillas una lágrima en el cuarto de baño. «Si el niño se me fuera, yo no querría vivir», se dijo.

Sentado en su sillón favorito, Cecilio Rubes se enfangaba en las más lúgubres lucubraciones. Pensó en Paulina y se preguntó si Paulina se alegraría de que el niño desapareciese. «¡Ah —se dijo—. Ella tiene celos de mi hijo, no lo puede negar.» Se le despertó un odio absurdo contra Paulina. «Bien —pensó—. Si el chico sale de ésta la dejaré. Lo prometo.» Pensaba que no le costaría demasiado dejar a Paulina teniendo a Cecilín sano y salvo a su lado. «La dejaré; lo prometo», se repitió para sí.

De madrugada, la calentura remitió. Cecilio Rubes parecía borracho en su euforia desordenada. «El niño está mejor, Adela; bien, está mucho mejor. ¿Es que no lo ves? Tiene un sueño tranquilo. Observa.» Para demostrar que su decisión era tan firme, como minutos antes, en la fase más aguda de la fiebre, se repitió: «La dejaré. Lo prometo.» Y miró a lo alto, al techo, no sabía bien a qué.

Fraile llegó a las nueve de la mañana y Cecilín seguía durmiendo beatíficamente, con los puñitos pegados a los mofletes y una respiración acompasada y regular. Cuando el médico lo despertó, el niño sonrió a su padre, mostrándole su dientecito incipiente. Cecilio Rubes sintió como una oleada de cálida ternura derramándosele dentro del cuerpo.

—Vaya —dijo Fraile, sin abandonar su expresión imperturbable—. El pequeño Rubes está del otro lado.

Cecilio Rubes se precipitó:

—Doctor... —dijo—. ¿Quiere decir que está completamente bien?

Dijo Fraile:

—Estos causones son frecuentes en los niños. Una irrigación, un poco de dieta y hasta otra. ¡Buenos días!

Fue como la llegada de una tibia primavera después de un invierno excesivamente riguroso. En la ciudad se advertía, por todas partes, como un renacimiento, un anhelo apresurado de vivir, de gozar, de estirarse voluptuosamente al sol y olvidar la tétrica pesadilla que quedaba a las espaldas. Era un deseo perfectamente legítimo, aunque desordenado, de constatar que, contra todas las adversidades y asechanzas, aún se seguía firme y vivo sobre la costra de la Tierra.

Cecilio Rubes participaba de esta especie de cálida resurrección. Encontraba un raro deleite en su hogar, en su trabajo y en sus diversiones. Le parecía que su negocio era nuevo, nuevas las tertulias y las partidas en el Real Club y nuevas las posibilidades de distracción que su hijo le brindaba. La peste y el miedo, al pasar sobre él, le dejaron tan virgen y sensible a los placeres de la vida, como una playa al retirarse la marea.

Regresaba todas las tardes directamente a casa y se entretenía con su hijo. Cada día le escogía un juguete en el bazar de la esquina. Adela se lo reprochaba. Adela entendía que el poseer mucho podía hacer tan desgraciado a un ser como el no poseer nada. Adela sustentaba unas extrañas teorías y además gozaba llevándole la contraria. No le agradaba que por las noches meciera la cunita del niño si el niño lloraba; no le gustaba que le comprase juguetes para que el pequeño los destrozase; le reprendía por acostumbrar al niño a estar siempre entre las personas mayores. Adela le decía:

—¿Crees tú, Cecil, que esto es educación?

Cecilio se enojaba:

—¿Qué entiendes tú por educación? Bien. ¿Para qué necesita mi hijo que lo metan en cintura? Él puede tener de todo, ¿comprendes? La educación se queda para los pobres, Adela. La educación debe ser más estrecha y severa cuanto más pobre se sea. Bueno, supongo que me comprendes, ¿no? Bien. Si uno tiene diez y otro cinco, el de diez debe ser educado para diez y el de cinco para cinco. Mi hijo podrá tener siempre lo que desee y no hay por qué privarle de ninguna satisfacción. Bien, si educarle es reventarle y mortificarle, no voy a educar a mi hijo, eso es lo que quiero decir.

Adela sonreía:

—Tienes unos puntos de vista muy originales, Cecilio.

Rubes prefería, por eso, encontrarse con Cecilio Alejandro a solas cuando regresaba de su trabajo. Cecilio, en esos casos, demoraba, adrede, su paso a casa de los Sendín a recoger a su esposa. Anteponía a cualquier otra satisfacción, la de hallarse con su hijo mano a mano sin la coacción que la presencia de Adela comportaba. En esos casos, Cecilio Rubes, mirándose en su hijo, sostenía monólogos interminables.

A Cecilio le gustaba sorprender a su mujer con los progresos del pequeño. De aquí que el ejercitarle en los más diversos sentidos constituyera su principal distracción. Un día le dijo:

—Pequeño, tú te llamas Cecilín. A ver: Ce-ci-lín.

El niño le miraba con un redondo asombro dentro de los ojos. Mas Cecilio Rubes insistía pacientemente. Cecilio Rubes, con su hijo, daba muestras de una tesonera y loable perseverancia:

—Cecilín, a ver, Ce- ci- lín...

Le hacía gracia la obtusa expresión del pequeñuelo:

—Ce-ci-lín — insistió.

De pronto, el niño, dijo con acentuada torpeza:

—¡Si-sí!

—¡Bien! — exclamó Rubes, entusiasmado —. ¡Sisí! ¡Sisí Rubes! ¡Ese eres tú!

Otro día, con ayuda de su padre, Sisí Rubes se arrancó a andar. Sus vacilantes piernecitas se movían con más seguridad y presteza cuando eran los brazos de su padre quienes le aguardaban al final de su carrera. Ello le llevó a Cecilio Rubes a pensar que entre su ama, su madre y su padre, era él el preferido de su hijo.

Algunos días, Cecilín y su madre pasaban la tarde con Gloria y Luisito. Cecilio Rubes gozaba, a la noche, con el relato de su mujer. Adela decía:

—Y entonces Sisí agarró a Luisito por la manguita y lo derribó. Luisito se echó a llorar. Gloria decía: «Andad, daos un besito; debéis ser dos buenos amigos».

En los días primeros de cada mes, Gloria y Adela acudían con los niños a casa de Fraile. El primero de febrero de 1919, Gloria le dijo a Adela en el camino que esperaba un bebé. Cecilio se enfadó al saberlo: «¡Otro bebé! — dijo —. ¡Esa mujer es una máquina!»

El primero de marzo de 1920, ocurrió en casa de Fraile un hecho decepcionante: Luisito Sendín dio en la balanza pesabebés 12 kilos, 300 gramos de peso; Sisí Rubes únicamente 12 kilos 250 gramos. Esto no fue lo peor sino que Luisito Sendín, como percatado de su naciente supremacía, agarró del kiki a Sisí Rubes, lo zarandeó, lo derribó y lo hizo sangrar por las narices antes de que su madre pudiera impedirlo. Adela adoptó una improcedente actitud defensiva. «Dios mío, el niño no quiso hacerlo, Adela, perdónale» —dijo Gloria. Por la noche, el abogado Luis Sendín pasó a dar explicaciones al hombre de empresa, Cecilio Rubes. Cecilio Rubes guardaba las distancias, rebozaba su cólera en un almibarado juego diplomático.

—Bien —dijo—; es cuestión de principios. Los Rubes no fuimos nunca gruesos ni agresivos. Yo he sido la excepción.

Luis Sendín apenas podía esconder tras de las gafas su oronda satisfacción de padre:

—Rubes, ¡por Dios!, usted no es agresivo.

—Soy grueso —dijo Rubes desmayadamente.

A la hora de cenar, Cecilio soltó su irritación:

—¡Qué tiene que venir este besugo a darme explicaciones a mí! Bien. Lo he dicho cien veces, me estomagan su comedimiento y su corrección. ¿Le he dado yo explicaciones a él las veces que Sisí ha sacudido el polvo al tonto de su hijo y le ha metido en un bolsillo? No ¿verdad? Bien, pues en adelante se puede guardar sus explicaciones en... en... bien, en donde le quepan.

El primer domingo de abril de 1920, Cecilio Rubes llevó por primera vez a misa a Sisí Rubes. Le apetecía oir los comentarios que provocaba a su paso y captar, por vez primera, la reacción del niño ante un cura y un altar. Antes del Evangelio, Sisí le pidió pis y Cecilio Rubes abandonó el templo rebosante pidiendo disculpas y haciendo ver en sus ojos el problema que le creaba la inoportunidad del chiquillo. En el momento de la elevación, cuando la unción y el fervor de los fieles de misa de una se manifestaba en un expectante silencio, Sisí gritó con todos sus fuerzas: «¡Papá!». Se originó un pequeño revuelo. Margarita Sánchez, que no tenía hijos, dio a su marido —un probo corredor de Comercio— un ligero codazo en el costado, como queriendo decir: «¿Ves lo que traen los niños?» Dos viejecitas que había detrás sonrieron comprensivas. A la izquierda, dijo León Valdés a su esposa: «Es el pequeño Rubes.» Y el gran Rubes, Cecilio, se esponjaba hasta casi saltar los botones del chaleco.

El día 25 de abril de 1920, a primera hora de la tarde, Cecilio Rubes perdió la elección del Real Club y el narizotas Ramón Prado subió a la Presidencia. Cecilio Rubes dijo a Adela por la noche: «Me daré de baja. Mi resolución es irrevocable.» Minutos después, Cecilio Rubes para dar en la nariz a sus compañeros del Real Club, decidió vender la berlina y comprar un landó, con tronco nuevo.

El día 27 de abril de 1920, Cecilio Rubes lo pensó mejor y no se dio de baja en el Real Club.

El día 30 de abril de 1920, Cecilio Rubes se encontró gordo y pesado y constató que la cintura de su mujer continuaba rodeada de un embarazoso neumático de grasa, pese a que Sisí cumpliría dos añitos al mes siguiente. Cecilio Rubes dijo a su esposa, mientras abría el mueble bar y sonaba lejana la melancólica musiquita: «Querida, has de hacer gimnasia todas las mañanas. Bien, ya sé que a mí también me conviene. Recuérdamelo. Quiero que hagamos gimnasia los dos juntos todas las mañanas con la ventana abierta.»

El día 2 de mayo de 1920, Cecilio Rubes recordó, al fin, cuando se acostaba, que había prometido dejar a Paulina.

El día 3 de mayo, mientras abrazaba a Paulina y ronroneaba frotando su mejilla contra el frondoso cabello rojo de la muchacha, pensó que no había señalado fecha determinada para romper con Paulina y decidió aplazar la ruptura.

El día 7 de mayo de 1920, víspera del cumpleaños de Sisí, Cecilio Rubes dijo a su esposa, mientras tomaban café: «Mañana sin falta, empezaremos con la gimnasia.» Al día siguiente Sisí cogió una indigestión; le invadió una alta calentura. Cecilio Rubes pensó que la gripe no estaba tan lejos como imaginara y se fue a casa de Paulina.

—Pequeña —dijo, dijo sin detenerse a pensarlo—. Lo nuestro debe terminar cuanto antes. Bien. He reflexionado sobre ello y... Bueno, naturalmente, no es que yo no te quiera, sino que mi hijo va creciendo y....

Paulina, recostada junto a la ventana, contemplaba con cierta impaciencia los esfuerzos de Cecilio Rubes. Desde que el niño nació, Paulina tuvo el presentimiento de que aquello terminaría fatalmente así. Bullía en ella una difusa noción sobre las incompatibilidades.

—Vaya —dijo—. No te esfuerces más, Cecilio. Nadie tiene derecho a ser feliz una vida entera.

Los ojos de Paulina estaban empañados y Cecilio Rubes sintió un repentino y brusco enternecimiento. Se levantó e intentó rodearla paternalmente los hombros con el brazo. Sus palabras eran ahora implorantes y lloronas:

—No, Lina, perdóname —dijo—. Bien. La verdad es que lo he prometido cuando el pequeño estuvo malito y bueno...

cada vez que el niño está indispuesto pienso, bien... pienso que se me va a morir por no cumplir mi promesa y que Dios me puede castigar.

—Dios, Dios —dijo Paulina—. ¿Piensas ahora en Dios muy a menudo, Cecilio?

Paulina emanaba una glacial indiferencia esta mañana. De no ser por la turbiedad de sus ojos, Cecilio Rubes se diría que nada de todo esto iba con ella. Dijo Paulina:

—¿Has pensado en el caluroso recibimiento que me dispensará el burro de mi hermano después de tantos años?

A Cecilio se le enredaban las palabras en la lengua. Quería decir simultáneamente todo lo que pensaba:

—Bien. Tú no vas a casa de tu hermano, Lina... Tú... tú vas a Madrid. Al teatro... ¿Entiendes? Bueno... Llevas estas dos cartas de presentación y esto... —le tendió un cheque—. Con esto te defenderás un tiempo y... bien, después serás una buena actriz. Pequeña... Lina, tú tienes talento y personalidad. Tu cabecita tiene seso y un precioso pelo rojo. Bien. En Madrid no piden más que eso y...., y, en fin, todo eso otro que a ti te sobra. Bueno, Lina, debes perdonarme ¿sabes? Yo pensé... bien, yo pensé mal de ti y me dije: «¿No me armará la peque un alboroto?» Bueno, yo comprendo que no está bien pero lo he prometido y...

Paulina le miraba como midiéndole, como buscando una favorable perspectiva.

—¡Vaya! —dijo la muchacha—. Supongo que todo esto habrá que liquidarlo, ¿no?

Acariciaba la bocina del gramófono como si arrancase un cierto placer de ello. La muchacha se erguía en un frío y orgulloso estatismo. Cecilio pensó que el recurso del teatro le había fallado. Se dijo vanidosamente: «Estoy destrozando el corazón de esta mujer.» Pero le hallaba embalado. No tenía que esforzarse ya para hallar soluciones. Lo difícil hubiese sido detenerse. Dijo:

—Bien, eso no es problema, pequeña. Harás almoneda de ello. Te ayudarás con esto también, ¿comprendes? De ninguna manera quiero perjudicarte...

Paulina daba cuerda al gramófono lentamente. Cambió la aguja. Dijo:

—Quiero que nos despidamos bailando, Cecilio, si no te importa.

La muchacha no veía, de momento, más que un enorme vacío en torno. Pensó: «¿Qué me esperará, allí, en Madrid?» Dijo el gramófono: «Con una falda de percal planchá...»

Cecilio tomó a la muchacha por la cintura. Quiso atraerla hacia sí pero notó en ella una actitud de reserva y se ruborizó de su audacia. La música le ablandaba y, por un momento, creyó sentir debajo de la piel del pecho una pena, como un hueco. Pensó: «Bien, ¿qué haré yo este verano cuando Adela se vaya?» Advirtió en la reticencia física de ella que todo había concluido, que Paulina era ya, para él, una extraña. Dijo:

—Iré a despedirte a la estación, pequeña.

Volvían a brillarle los ojos a Paulina. Dijo:

—¡Qué amabilidad tan grande la tuya, Cecilio! Siempre pensé de ti que eras un caballero ¿sabes? Ahora cuando te marches recogerás ese paquetito que hay encima de la mesa. Es para tu hijo de mi parte. Fue su santo ayer ¿no es cierto?

Cuando concluyeron de bailar, Cecilio permaneció quieto, aplanado por una sensación como si todo él sobrase.

—Cecilio —dijo ella, tendiéndole la mano—. Durante seis años he sido muy feliz. Es bastante, vaya. Te estoy agradecida.

Él estrechó unos dedos fríos e impersonales.

—Mañana te enviaré el billete —dijo.

—¿Es que quieres asegurarte? —dijo ella.

Cecilio intentó protestar. Añadió Paulina:

—¡Ah, no olvides el regalo del pequeño! Adiós.

—Adiós.

Al descender, con infinitas precauciones, la escalera Cecilio Rubes se detuvo un momento y se registró, pensativo, los bolsillos. Le invadía la insistente sensación de que había dejado algo olvidado allá arriba.

LIBRO SEGUNDO
(1925-1929)

I

El periódico del día 21 de abril de 1925 decía: «Francia realiza esfuerzos para salvarse. A la crisis económica se une ahora la crisis política.» «Movimiento revolucionario en Lisboa. Filomeno Cámara, jefe del movimiento subversivo, envía un ultimátum al Gobierno. Tiroteos en la Rotonda. Severísimas medidas de precaución en Oporto.» Decía igualmente el periódico del 21 de abril de 1925: «La tormenta de ayer en nuestra ciudad. Numerosas calles inundadas. Una anciana fue sepultada al derrumbarse una pared.» «La guerra de Marruecos. Parte oficial de ayer: Establecida emboscada noche última por la harca del Fondak, sorprendió convoy enemigo en las proximidades de Dar-Sedla, dejando en nuestro poder dos muertos con armamento y apoderándose del contenido del convoy y cabezas de ganado. Resto del territorio, sin novedad.»

En segunda página decía el periódico del 21 de abril de 1925: «Emplastos de fieltro rojo del Dr. Winter. No hay mejor abrigo que éste. Un emplasto del Dr. Winter aplicado oportunamente, hallándose en estado catarroso, permite salir a la calle indemne a los efectos del frío. Los emplastos del Dr. Winter curan catarro, bronquitis, reuma, neuralgia, dolor de riñones, lumbago, ciática, dolores peculiares de las señoras, etc., etc. ¡Jamás dejan de aliviar! Elegid un verdadero emplasto de fieltro rojo del Dr. Winter. Éste es el único medicinal.»

A mano derecha de la misma plana, venía el dibujo de un elemental automóvil de cinco plazas, descubierto, con cinco turistas a bordo, rebasando a un rebaño de ovejas, y el pastor, un zagalejo de doce años, les decía adiós. Debajo del dibujo se leía: «Ford. Observe usted que la mayoría de los automóviles que circulan por las carreteras, calles y paseos de las grandes ciudades y pequeñas poblaciones son Ford. Los coches Ford son los que proporcionan mayor placer a miles de personas, prestan mayores servicios a comerciantes, profesionales y hombres de negocios, a más bajo costo que cualquier otra marca de automóviles. Adquiera usted un Ford y recibirá íntegro el valor de su dinero. Pesetas 4.500. F. A. B. Barcelona.» Más abajo, en la misma plana, decía el periódico del 21 de abril de 1925: «Automóviles Citroën. Vencedor de todos los concursos de consumo. El más económico del mundo. Torpedo, dos plazas, 5.100 pesetas. Coupé, 4 plazas, 10.475 pesetas.»

Decía el periódico en tercera plana: «Suministramos instalaciones completas y máquinas sueltas con arreglo a lo más modernos progresos de la fabricación en Semiseco. Tejerías mecánicas Buhler.» Y, luego, más abajo: «Teatro Bretón: Debut de la Compañía de zarzuela y opereta Haro-Ballester. A las seis y cuarto: «El Duquesito o la Corte de Versalles»; a las 10: «Don Quintín el amargao o el que siembra vientos...» Cinema Montoya: «Hoy se estrenarán en este favorecido Coliseum, la bonita película titulada «El muchacho de París» y «Pamplinas», muy cómica.» Cinema Olaso: «Hoy estreno de la emocionante película americana en cinco partes «Cabalgando desenfrenadamente», por el simpático actor Hoot Gibson y la chistosísima cinta cómica en dos partes «Quédate agarrado». Ideal Cinema: Hoy, en popular y vermut, «La hija indómita», emocionante relato, versión cinematográfica de la famosa novela de Jules Mary «La fille sauvage». El interés de «La hija indómita» aumenta considerablemente en los episodios que hoy se proyectan. En estos episodios —«El ángel del hogar», «Un grito en las tinieblas» y «En el engranaje»— se suceden las escenas trágicas que se desarrollan en un ambiente de lujo y elegancia y sobre maravillosos fondos.»

Todo esto decía el periódico del día 21 de abril de 1925.

Y era verdad que la ciudad contaba con un cinematógrafo nuevo desde 1923 y era un hermoso local modernizado, sin palcos, galería, ni paraíso, alto de techo, con una luminosidad anaranjada que procedía de unas bombillas anaranjadas que, a su vez constituían el núcleo de unas flores en relieve anaranjadas también, distribuidas profusamente por los muros y techos del amplio recinto. No importaba que el temporal de la tarde anterior, por su intensidad y duración, abriese varias vías de agua en la estructura del edificio y que los relieves de flores, escurriesen dibujando, sobre las agrisadas paredes, unos caprichosos churretes color naranja. Eso no importaba para que el Ideal Cinema abriese sus taquillas el 21 de abril de 1925, y anunciase los tres nuevos episodios de «La hija indómita».

También «Cecilio Rubes, Materiales higiénicos» sufrió las desagradables consecuencias de la inundación, y no por ello cerró sus puertas a una posible clientela. En realidad, fuera de los sótanos, el Establecimiento no padeció demasiado, aunque sí lo suficiente para que Cecilio Rubes tuviera el humor agriado aquella mañana. Méndez, el auxiliar de contabilidad, no estuvo discreto cuando dijo «que también las bañeras debían bañarse de vez en cuando». Se lo dijo a Valentín confidencialmente, como una graciosa ocurrencia, pero Cecilio Rubes lo oyó y se creyó en el deber de darle cuatro voces. Aquel muchacho de los granos era un insolente. Méndez se ruborizó, pero menos de lo que se hubiera ruborizado el año dieciocho. Según Cecilio Rubes, el triunfo definitivo de la revolución rusa había revolucionado igualmente otras muchas cosas en su ciudad y en su establecimiento. Desde hacía tiempo venía advirtiendo en los de abajo algo como un malestar; un efervescente afán por dar la vuelta a las cosas. Cecilio Rubes iba en sus suposiciones demasiado lejos. En realidad, era el matrimonio —que le tocaba algo más cerca que la revolución rusa— lo que transformó un tanto el temperamento de Méndez, el auxiliar contable. Méndez ya lo advirtió a poco de casarse con Lola. Le preguntó a Valentín: «¿No cree usted que el matrimonio ayuda a quitarle a uno la vergüenza?» Valentín frunció el ceño, pensó: «Idiota», y dijo: «Depende». Añadió Méndez: «Yo opino que uno que se atreve a querer a una mujer se atreve a todo lo demás.»

Los bomberos estuvieron achicando el agua de los sótanos y revolviendo gran parte de la mañana. Cecilio Rubes seguía sus evoluciones con marcado interés. En cierto modo, lo que le interesaba a Cecilio Rubes era evitar la posible sustracción de toalleros, repisas y portaesponjas. Cecilio Rubes era en 1925 un poquitín más desconfiado que en 1917. Más tarde, cuando los bomberos se marcharon, Rubes se encontró con la desagradable sorpresa de que uno de los retretes de la exposición había sido utilizado. Ello acreció su mal humor y su irritación y acusó a Méndez del desaguisado. Méndez dijo: «Señor Rubes, uno no ha perdido la vergüenza hasta ese punto.»

Camino de casa, con su abrigo de entretiempo, su sombrero de fieltro y su bastón, Cecilio Rubes aparentaba una más severa dignidad que seis años antes. Se le notaba el paso del tiempo en los andares menos briosos, en la curva del vientre, más floja y fláccida, y en los bigotes más recortados. Sin embargo, Cecilio Rubes, sobre poco más o menos, continuaba siendo el mismo Cecilio Rubes de seis años atrás. Quiso pensar en Sisí para descargarse de su mal humor y pensó en Adela. «Es idiota lo que hace —se dijo—. ¿Por qué no la gimnasia en vez de quedarse sin comer?» Entendía que el adelgazamiento era muy distinto de conseguirlo en una u otra forma. Para la galería, quizá sirviese un adelgazamiento que no era otra cosa que desnutrición, pero para el marido era preferible el adelgazamiento logrado a base de un ejercicio muscular concienzudo y cotidiano. «¿Qué pretenderá?», se preguntó.

Precisamente, aquella mañana había decidido Adela romper con los viejos moldes. Con los años, se había convencido de que la señora de Rubes venía obligada a ser la primera en abordar las nuevas corrientes en la ciudad. Los últimos figurines de París y los modelos de primavera de Pedro Rodríguez se hacían lenguas sobre la nueva moda femenina, rabiosamente revolucionaria. La mujer, venían a decir, debe convertirse en una pura y estilizada línea recta. Era sugestiva la innovación y Adela se propuso sorprender a su marido. A Cecilio le halagaba ver a su mujer a la vanguardia de la moda, le halagaba que fuese Adela — y no Gloria— quien fijara la pauta. Mas Cecilio Rubes desconocía en absoluto las nuevas tendencias. Adela, en cambio, llevaba semanas rumiándolas. Suprimir su moño, guillotinarle sin más, se le hacía un poco cuesta arriba. Anhelaba en cambio, verse embutida en uno de aquellos informes vestidos «palo de rosa» y poder olvidarse de sus senos y sus caderas superabundantes. Mas una cosa implicaba la otra y hasta esta mañana no se decidió del todo.

Llevaba un mes sometiéndose a un régimen de comidas que a Cecilio exasperaba. En realidad, Adela reconocía que con tanta privación no consiguió otra cosa que dos profundas ojeras y un desmadejamiento general que no la permitía estar de pie más de un cuarto de hora seguido.

Se miró al espejo del tocador con una intención analítica, como si se viese por primera vez, y se encontró extraña, un poco más llena de cara y un poco más dura, y con un cierto y remoto parecido con Sisí. «Lo del pelo podría ser una equivocación», se dijo. Oyó llamar a Cecilio y se apresuró. Se coloreó levemente las mejillas y se cepilló las cejas. Su cerebro estaba un poco obnubilado.

Notó que le saltaba el corazón al abrir la puerta. Notó también el gesto de estupor de Cecilio Rubes, su vano intento por pronunciar una palabra que se le enredaba enojosamente en la lengua. Cecilio la miró de arriba abajo. Estaba a punto de desmayarse. Vio la extraña cabeza de Adela, peinada como un muchacho, las presuntuosas medias ondas de las patillas, aquella especie de saco informe, color de rosa, eclipsando deliberadamente todas sus redondeces, y con un cinturón, sin ceñir, colocado una cuarta más abajo de las caderas. Constató Cecilio, tras la primera impresión, que le volvía el uso de la palabra.

—Bien —dijo—. ¿Qué especie de barbaridad es ésta?

Adela prendía azorada el inmenso collar de gruesas bolas que le caía hasta más abajo del pecho; se encontraba vendida, a la intemperie, casi tanto como la primera vez que Cecilio, su marido, apartó el biombo de un manotazo cuando ella se desnudaba.

—¡Oh! —dijo Adela, chillando—; ¡siempre te ha gustado, Cecil, verme seguir el ritmo de la moda!

—¡La moda! ¿Puede saberse qué broma de moda es ésta?

Ella se aproximó a él. La impulsaba un obscuro afán, casi una necesidad, de esconderse. Ni los años, ni su hijo, lograron establecer entre ellos un puente de confianza.

Añadió Adela:

—La línea recta y el pelo a lo «garçon», ¿es que no te gusta, Cecil? En París y Madrid, las damas no visten ya de otra manera.

—¿Es posible? Bien. ¡No me gusta! —gritó Cecilio, a quien la mención de París y Madrid enervó momentáneamente.

—Es cuestión de acostumbrarse —añadió Adela con una puntita de voz.

—¿Qué es lo que se trata de ocultar aquí? ¿Es que es una monja quien ha dictado esta moda? —dijo Cecilio.

—¿Ocultar?

—Bien —dijo Rubes—. No irás a decirme que estos sacos son favorecedores ¿verdad?

—Vaya, Cecilio —dijo Adela—. A los hombres siempre os ocurre lo mismo cuando se trata de romper con las viejas costumbres. Pedro Rodríguez dice: «Hay que substituir la forma por la línea.» ¿Vas a decirme, Cecil, que Pedro Rodríguez no sabe lo que se dice?

Cecilio Rubes se irritó:

—Bien —dijo—. ¡Al diablo Pedro Rodríguez y París y la moda! Yo también sé lo que me digo y... bien, digo que la forma es fundamental en una mujer y que es un absurdo hablar de sustituir la forma en la mujer, porque la forma es su esencia, ¿te enteras? Y la línea recta es una equivocación inventada seguramente por una mujer más seca que un palo, y que va contra la realidad de la mujer que es, por definición... bien, es por definición, una línea curva. Bueno. Dime, bien, ¿qué es lo que queda de una mujer si prescindimos de... de... bueno, de eso? ¿Quieres decirme qué deseos van a despertar en los hombres... bien, unas escobas vestidas? ¿Quieres decirme qué cosa monstruosa va a ocurrir en el mundo si los hombres no pueden enamorarse en lo sucesivo de las mujeres?

Adela tenía ganas de llorar. Hubiera llorado allí mismo si no le pareciera grotesco llorar con aquel vestido, y aquel pelo y aquella traza. La opinión de Cecilio la había deprimido. Se encontraba espantosamente ridícula y, por un momento, odió a Pedro Rodríguez.

Dijo Cecilio Rubes:

—Los modistos no saben ya qué inventar y se ríen de vosotras colocándoos esas visiones estrafalarias. Bien, pues Cecilio Rubes no está de acuerdo con los modistos y ningún modisto se ríe impunemente de Cecilio Rubes. Bien, eso tiene remedio, ¿pero ese peinado? ¡Ah, es horrible! ¿Es que no lo comprendes? Una mujer que se precia en algo no puede asomarse así a la calle. Bien. Provocaría una revolución; eso es lo que quiero decir. Lo mejor que puedes hacer, querida, es olvidarte de ese horrible vestido y disimular ese horrible peinado y... y, en fin, tratar de olvidar este horrible momento de debilidad.

A la semana siguiente, Gloria les invitó a su casa y apareció ataviada con un vestidito «palo de rosa», de cincuenta centímetros de falda, el cuerpo largo, la línea recta, y la cabeza tan ligera de pelo como la de un muchacho de diez años.

—Bien —dijo Cecilio Rubes—. ¿Quién sería capaz de adivinar que es usted la madre de cinco criaturas? ¡Si parece usted otra!

A Adela le sacudió interiormente como un viento de tempestad.

—Dime, Adela —dijo Gloria—, ¿cómo me encuentras? Es un poco extravagante la nueva moda, ¿no es así?

—La moda siempre ha sido una cosa caprichosa —dijo Luis Sendín.

Los niños armaban una estrepitosa algarabía en el cuarto de los trastos. Dijo Adela, despechada:

—¡Oh! ¿Cómo puedes vivir, Gloria, con este ruido infernal a todas horas?

Un mes más tarde, ojeando en el Club una revista de Madrid, el coronel López se detuvo ante la página de modas.

—Rubes —dijo—. Por amor de Dios, Rubes, ¿se ha detenido a considerar con atención a esta muñeca?

—Odio la nueva moda —dijo Cecilio Rubes—. De esta manera todas las mujeres son iguales.

—Todas extraordinariamente atractivas —dijo el coronel López—. Son tentadoras, ¿no es cierto? Parece como si las hubiesen colocado un saco sobre la piel, sin otra impedimenta. Luego, al andar, bueno, al andar, los pliegues indican... Vamos, ustedes ya saben lo que yo quiero decir, ¿no es cierto?

León Valdés exclamó:

—Exacto. Sobre este punto, opino lo mismo que tú. La exhibición plena sugiere menos que una levísima insinuación.

Cecilio Rubes llegó a casa un poco cohibido y meditabundo, aquella tarde. Pensó en Paulina. A menudo, en los últimos seis años, había pensado en Paulina y no le disgustó hoy imaginarla dentro de un vestidito «palo de rosa» de falda corta y cuerpo largo y holgado. «Bien, pero Paulina no puede desprenderse de las melenas. Sería un error.» Con esta evocación casi llegó a comprender al coronel López y a León Valdés. Sí, efectivamente al moverse, se insinuarían... Desechó la imagen violentamente. No le gustaba deleitarse con lo que no estaba a su alcance. «Si los hambrientos no se recreasen tanto pensando en un menú imposible habría menos descontentos por el mundo. Y también menos revoluciones.» Cecilio Rubes pensaba así, y por ello, siempre procuraba despertarse un recuerdo casto de Paulina, aunque muy pocas veces lo consiguiera.

Besó a su mujer en la mejilla, de una manera un tanto formularia. Hacía meses que Adela no despertaba en él el apetito de otros tiempos. No obstante, salvo sus poco frecuentes escarceos extramatrimoniales, Adela seguía siendo para él el remedio de una necesidad. A veces, Adela le trastornaba en grado sumo, de manera insospechada, pero Cecilio Rubes se confesaba, entonces, que también un famélico podría trastornarse a la vista de un pedazo de pan seco. A Cecilio Rubes le gustaban mucho los símiles de los famélicos y, desde un punto de vista exclusivamente sexual, se encontraba más de un paralelo con ellos.

Adela dijo:

—Sisí no quiso trabajar hoy, Cecil. Creo que es hora de tomar una determinación con él. ¿No crees que los siete años son una edad más que suficiente para aprender a leer? Luisito Sendín ya lee de corrido y escribe y suma y resta y multiplica. Elisita Sendín, tiene sólo cinco años y ya deletrea. ¿Qué esperamos para tomar una decisión con este chico, querido?

Sisí Rubes estaba alto y desarrollado para sus siete años. Tenía un pelo intensamente rubio, casi pajizo, y la piel tostada, muy oscura; sus ojos azules, limpios, eran como dos lagos dentro de una tierra árida. Adela decía: «Mi padre era muy cetrino de piel.» Cecilio decía: «No te molestes, querida. Sisí es Rubes de los pies a la cabeza.» «Tú eres rosado de piel, Cecil, no lo olvides.» A Cecilio Rubes le mortificaba ser rosado de piel, y más aún el que se lo echasen en cara. «¡Bien, eso no hace al caso! —decía—. El chico es Rubes.» En el fondo, Cecilio estimaba una desgracia el que el chico pudiera heredar algo del malhadado funcionario Martínez.

Sisí Rubes tenía del mundo, a los siete años, una visión peculiar. El mundo se componía de dos partes, una: Sisí Rubes; la otra: el resto, con la particularidad de que esta última se debía a la primera y giraba en torno de ella de un modo complaciente y continuado. Bajo esta consideración personal que Sisí Rubes se forjó desde los dos años, Sisí era medio mundo y el centro de gravitación del otro medio. Con el uso de la razón y una idea más concreta de las cosas, le llegó a Sisí Rubes el convencimiento de que aquel que no sacaba de la vida lo que deseaba es que era un tonto.

Existía para ello un medio infalible. Sisí Rubes tenía un concepto desorbitado y excesivo del valor de las lágrimas. Las lágrimas constituían para él la llave que abría todas las puertas. Ya, cuando era aún un niño de meses, Sisí Rubes comprobó que un vagido en la noche, atraía sobre su cunita el movimiento; dos vagidos, de día, tenían la hermosa virtud de aproximar hasta su boquita diminuta la teta apasionante y suculenta del ama Jacoba.

Luego, al crecer, Sisí fue descubriendo paulatinamente la maravillosa eficacia del llanto. Unas lágrimas y una pataleta simultánea, valían, por ejemplo, para que llegara a sus manos sin demora el juguete apetecido, para retrasar una hora o dos el momento de acostarse, para salir de paseo antes de que el aña concluyera de comer, para pasar a jugar en casa de los Sendín, para que le permitieran ver de cerca la partida de tresillo que sus padres disputaban a los vecinos de enfrente. Sisí Rubes intuía, en una palabra, que las lágrimas resultaban omnipotentes, administradas con oportunidad y discreción.

Desde muy niño apreció, también, Sisí Rubes dónde se escondía el principal obstáculo para lograr sus deseos. Antes de cumplir el año, Sisí Rubes se acostumbró a ver en su madre un adversario. Ella era siempre la que se enfrentaba a sus caprichos, la que le reprendía si rompía un juguete, la que acudía a su padre en demanda de castigo, cuando Sisí Rubes trastornaba, aunque fuese levemente, el ridículo y caprichoso curso de las cosas. En realidad su madre, y sus faldas, y su ternura demasiado escondida, sólo servían para refugiarse en ella cuando el cielo pesado y sombrío se derrumbaba pavorosamente sobre la ciudad durante las dramáticas tormentas estivales. Sisí Rubes temblaba entonces y sólo hallaba refugio adecuado en la solicitud protectora de su madre. Ella era fuerte, rígida y dura, y los relámpagos y los truenos nada podrían contra ella. También servía su madre para arroparle y abrigarle contra los siniestros fantasmas que, a veces, se levantaban en sus sueños.

A Adela le preocupaban estos trastornos. Cecilio decía: «Bien, yo también tuve terrores nocturnos y miedo de las tormentas y aquí me tienes. Todos los chicos tienen terrores de esa clase.»

Por el contrario, en el decurso diario y normal de la vida, Sisí Rubes encontraba en su padre una base y un apoyo fundamental. La eficacia de su llanto penetraba en su padre primero y su madre la admitía después, siempre claro es, a regañadientes. Gracias a su padre disponía de un incomparable arsenal de juguetes. Gracias a su padre no había el menor riesgo en destriparlos. (Si Sisí destripaba un muñeco para sacarle el relleno, Cecilio Rubes decía sonriendo: «Este chico será un cirujano extraordinario.» Cuando Sisí destrozaba un automóvil de pedales o un triciclo por el placer de estropearlos, su padre decía: «¡Qué formidable ingeniero lleva dentro!») Gracias a su padre, Sisí conocía la plaza de toros, la iglesia, la botica, el teatro y el cine. Gracias a su padre disponía de una habitación empapelada de muñecos multicolores, con una sólida camita de cuello de cisne, una mesa y dos sillitas diminutas y una estantería, ahora llena de animalitos de trapo, para que el día de mañana colocase sus trofeos Sisí Rubes. Gracias a su padre, en fin, podía aún Sisí Rubes seguir disfrutando de una completa autonomía personal.

Su madre estuvo a punto de echarlo todo a rodar un año antes, al decidir enviarlo al colegio. Sisí Rubes fue cuidadosamente preparado durante meses en relación con su proyectado cambio de vida. En el colegio había flores y pájaros y confites y niños simpáticos con quienes jugar. El colegio era una especie de paraíso anticipado, que Dios tenía dispuesto en la tierra para los pequeños que eran buenos. Pero a Sisí Rubes le ocultaron que los niños del colegio no estaban allí para procurarle a él una complacencia, y que también había allí monjas oscuras y siniestras parecidas a los fantasmas que poblaban sus noches, y que también había allí un abecedario implacable y una numeración cardinal, ordinal y romana contra la que su cabecita rubia y alborotada chocaba como contra un muro. Sisí Rubes receló, tan pronto se vio en el colegio, que el medio mundo que habitualmente giraba en torno suyo trataba de desglosarse ahora y, entonces, cogió una rabieta y pidió que le llevaran a casa.

Adela, su madre, se mostró muy obstinada. Dijo: «Sisí ha de ir al colegio, si no quiere ser un desgraciado.» Pero su padre intercedía y era su padre quien mandaba en casa: «No creo que sea imprescindible ir al colegio a los seis años. Bueno. La verdad es que yo he tenido un hijo para que sea feliz. No sé si te dije alguna vez, querida que, a mi entender, la educación debe reservarse para los pobres.»

Sisí Rubes volvió a sus juguetes y a sus costumbres y a sus caprichos, con una sola innovación: cada tarde, su madre le hacía enfrentarse con el abecedario. Algunos días se rebelaba y una tarde, Adela llegó a golpearle. Sisí Rubes se lo contó a su padre, llorando. Por la noche les oyó discutir vivamente en su habitación. Luego, oyó un gran ruido. Por la mañana la mesilla de noche de su padre estaba rota. Su madre no volvió a golpearle y él podía negarse impunemente a dar su diaria lección.

Ahora, Adela decía:

—Sisí no quiso trabajar hoy, Cecil. Luisito Sendín lee de corrido y escribe y suma y resta y multiplica y Elisita Sendín, con sólo cinco años, ya deletrea. ¿Qué esperamos para tomar una decisión con este chico, querido?

Cecilio Rubes abrió el mueblecito de las botellas y se sirvió una copa. La musiquita solía inspirarle decisiones discretas.

—Bien —dijo—. ¿Qué esperas para colocarte tu vestidito «palo de rosa», querida?

—¿Eh? —dijo Adela—. ¿Te dijeron algo en el Club esta tarde, Cecilio?

—Bueno, me gusta. Me ha costado entrar, pero al fin he entrado. ¿Qué tiene eso de particular? Nunca he sido fanático ni intransigente con tus cosas, que yo sepa, querida.

A Adela le subía una fuerza dolorosa a la garganta. Dijo:

—¿Después de que Gloria está harta de él y la gente cansada de vérselo?

—Bien —dijo Rubes—. No hablo de ese traje en particular; hablo de la moda y... bien, de todo eso de la forma y la línea recta.

—Me haré otro modelo —dijo Adela—. Pero dime la verdad, Cecilio, ¿te dijeron algo en el Club esta tarde?

Sonrió Cecilio con cierta piedad:

—¿Puede caber en tu cabeza, Adela, que en el Real Club se discutan problemas tan vanos e insignificantes? —dijo.

Al día siguiente, Sisí Rubes se negó también a sufrir la lección. Adela aguardaba impaciente a Cecilio Rubes. Dijo, al verle:

—Otra vez. ¿Qué te parece?

—Otra vez, ¿qué?

—Sisí.

—¡Sisí, siempre Sisí! ¿Qué harías, querida, si Dios te hubiera dado un hijo verdaderamente arisco?

—¿No te parece arisco Sisí?

—¡Cielo santo! —chilló Rubes—. Trataste pocas criaturas en la vida, ¿verdad, querida? Bien, ¿cuándo vas a darte cuenta de que ni el arte, ni la ciencia, ni la educación se encuentran en los libros? Para tratar a tu hijo, Adela, no te debes guiar de un libro, sino de tu propio corazón. ¡Eso es!

Insistió Adela:

—No soy partidaria de blanduras con los chicos, Cecilio, ya lo sabes. ¿No crees que con esta actitud no hacemos más que perjudicarle?

—Perjudicarle, perjudicarle... ¿Piensas que un niño es más feliz llevándole siempre la contraria que viviendo su vida libremente?

—De continuar así, Sisí será un niño bobo y el hazmerreír de los demás, eso es lo que pienso.

—Eso es otra cosa —dijo Rubes—. Bien, no digo que el chico no deba aprender a leer, querida, entendámonos... Bueno, lo que yo digo es que se le puede llevar a ello de otra manera que por la viva fuerza. Por ejemplo, por ejemplo... tú puedes decirle: «Bien, pequeño, cuando aprendas a leer podrás ver aquí..., bueno, por ti mismo, lo que le ocurrió a Blanca Nieves con los enanitos del bosque.» ¿Comprendes?

Cecilio Rubes sonrió, persuadido de la eficacia de su sugestión. Estaba satisfecho de sí mismo. La reacción de Adela le dejó un poco perplejo. Dijo Adela:

—¡Oh, Cecil! ¿Tan ingenuo eres? ¿Crees que no apuré ya todos los recursos? ¿Crees que no le dije cien veces lo de Blanca Nieves y lo de Cenicienta y lo de Pulgarcito y lo del Gato con Botas? ¿Y sabes qué conseguí?

—¿Qué?

—Sisí dijo: «Sé lo que le pasó a Blanca Nieves, mamá. Y lo que les pasó a la Cenicienta, a Pulgarcito y al Gato con Botas. ¡No quiero aprender a leer!»

Cecilio Rubes permaneció un momento pensativo con la copa en la mano. Le costaba claudicar. Al fin, dijo:

—Bien. Habrá que pensar en tomar una profesora. Esa puede ser la solución. No enseña a leer quien quiere sino quien puede. Eso es. Bueno. Tomaremos una profesora para el chico; vaya. Creo que es la única posible determinación.

El primer antojo de un automóvil le asaltó a Cecilio Rubes el día que vio a León Valdés encaramado en su Forito, petardeando y sembrando el pánico por las calles y plazas de la ciudad. Los chicos se detenían embobados a verle a la puerta del Club y él descendía cojeando con cierta petulancia, se quitaba las gafas de los ojos, sacaba un poco de brillo al parabrisas, echaba un vistazo a las cuatro ruedas y encendía indefectiblemente un cigarrillo sobre el bordillo de la acera.

Rubes se dijo, al verle: «Es interesante. El automóvil es el último grito de la civilización.» Bien pensado, a Cecilio Rubes le resultaba más cómodo tomar el ferrocarril, o simplemente el landó, cuando tenía que desplazarse. Pero no era menos cierto que la gente empezaba a mirar, sobre todo la juventud, a los coches de caballos por encima del hombro, y con esa suerte de compasiva condescendencia con que se consideran las antiguallas. «Bien —se dijo Rubes un día— cuando voy en el landó la gente me mirá como suelen mirar los turistas a las murallas de Ávila.» Esto le deprimió a Cecilio Rubes. Él fue el primer hombre de la ciudad en tener luz eléctrica, calefacción y teléfono en su casa; el que León Valdés y otros cuatro o cinco conciudadanos se le hubieran anticipado en el uso del automóvil se le hacía, de pronto, una deplorable postergación. «Bien —pensó— habrá que comprar un automóvil.»

Pero cuando verdaderamente se decidió Cecilio Rubes a comprar un automóvil fue después de oir a Ramón Prado, en el Real Club, que su deseo más ferviente era adquirir un automóvil; después de oir suspirar a Méndez, el auxiliar contable: «¡Quién tuviera un automóvil!», y después de oir a su hijo Sisí decir a gritos: «¡Papá, yo quiero un automóvil!» Cecilio Rubes se decidió entonces. Cecilio Rubes solía ultimar sus adquisiciones por lo que deseaban los demás, antes que por lo que él mismo deseaba. Le gustaba que la gente dijese: «¡Qué suerte Rubes; ya se compró el automóvil»; «Ese Rubes tiene siempre lo que quiere», o bien: «¡Qué fortuna la de Cecilio Rubes!». Pero Cecilio Rubes vio, en esta ocasión, una feliz oportunidad para estimular a Sisí de una manera incruenta: «Bien —le dijo—. El día que aprendas a leer, te compraré el automóvil. Además, debes comportarte bien con la señorita Matilde.»

Cecilio Rubes no aguardó a que Sisí aprendiera a leer para empezar sus gestiones. Desechó de entrada las marcas Citroën y Ford porque el periódico decía: «Los coches Ford son los que proporcionan mayor placer», «Los automóviles Citroën son los más económicos del mundo» y Cecilio Rubes, como la mayor parte de los hombres que se anuncian, desconfiaba de los anuncios. Entendía que los anuncios estaban bien para esa parte ingenua de la humanidad, que son mayoría, pero en un hombre maliciado como él, los anuncios no provocaban otra cosa que una media sonrisa de escepticismo. Él sabía por donde se andaba y no se dejaba embaucar así como así.

Habló con Fidel Amo, que era un técnico y fue, en su juventud, campeón de velocidad en biciclo y le recomendó un Ballot, modelo torpedo «Tourist». Le dijo: «El Ballot «tourist» es un coche de semilujo, bien dotado, con embrague a disco único.» Dijo Cecilio Rubes: «Vaya. Eso es interesante.» Pero Méndez, el muchacho de los granos, no estaba de acuerdo. «Donde esté el Chevrolet, señor Rubes, que se quite el Ballot. Delante de un Chevrolet hay que descubrirse.» Cecilio vaciló. Por la tarde de ese mismo día cambió impresiones con Luis Sendín. Luis Sendín era un hombre comedido que pesaba las palabras. «¿Conoce usted el Talbot, Rubes?», le preguntó. «Bien, no, no lo conozco», respondió Cecilio. Añadió Luis: «Bueno, no sé si habrá otro tipo de coche hoy con transmisión por eje a doble cardán y empuje por las ballestas.» «Eso está bien, ¡caramba!», dijo Rubes.

Al día siguiente, en compañía de Fidel Amo, visitó la casa Ballot. El representante era un hombre pequeñito, de ojos enloquecidos y un arisco pelo indómito. Hablaba mucho y demasiado técnicamente. Cecilio Rubes se encontraba como perdido en un bosque frondoso. Decía el hombre de los ojos enloquecidos:

—Aquí tiene usted al torpedo «Tourist». La elegancia de la línea, los cuatro cilindros en bloque, las dimensiones del chasis y demás están a la vista, ¿me comprende usted? Pero reúne además una serie de características que hacen del Ballot el coche del día.

Fidel Amo lo miraba como diciendo: «¿Qué te dije yo?» Puntualizó el hombrecito del pelo estropajoso:

—Los cárters son de aluminio, ¿comprende usted? El suspensor lleva tres apoyos de grandes dimensiones para el cigüeñal y el inferior forma el depósito de aceite; en la parte posterior va acoplada la caja de velocidades, ¿comprende usted? Las válvulas alojadas en la culata de los cilindros están mandadas directamente por el árbol de levas. La distribución se efectúa con piñones helicoidales y comprende un eje vertical que recibe su movimiento del cigüeñal accionando por su extremidad inferior la bomba de circulación de aceite, por su parte media la bomba de agua y el alumbrado del motor y, por su extremidad superior el árbol de levas, ¿comprende usted?

Cecilio Rubes analizaba el mullido de los asientos, el tono del tapizado, el brillo de los níqueles y el grosor de las llantas. Fidel Amo le dio con el codo, insinuando: «¿Qué te parece?» Rubes pensó: «Todo es propaganda.» Dijo, después de dar una vuelta en torno del vehículo:

—Ah, sí; me gusta. Volveré.

A media tarde, con Méndez al lado, visitó la casa Chevrolet. Le atendió un hombre calvo de voz afeminada y modales estudiados. Hablaba con esa monotonía que da un previo aprendizaje y la repetición cotidiana de una lección dominada de memoria. No descendió el calvo, como el hombrecillo del Ballot, a detalles técnicos. Es posible que presumiera en Cecilio Rubes el desconocimiento total de la mecánica que efectivamente le invadía. Dijo:

—En los comienzos del año, el Chevrolet domina en absoluto el mercado de los precios bajos, con una preponderancia indiscutible. El Chevrolet ha conseguido esta envidiable posición por sus propios méritos, y este éxito alcanzado no ha sido de improviso, no es debido a una casualidad, sino que lo debe a haber probado de una manera decisiva la potencia del principio en que se basa esta marca, y consistente en que, dado un producto de una valía intrínseca excelente por demás....

Cecilio Rubes desistió de escucharle. Le aburría aquel hombre y le parecía un invertido. No le gustó. Tampoco le gustó el modelo de automóvil que le mostraba. Se le antojaba demasiado sencillo, totalmente desprovisto de grandeza. Pensó Rubes: «Propaganda.» Méndez le dirigía toda la capacidad de expectación anhelante que cabía en sus ojos y sus granos. Le miraba, como diciendo: «¿Qué le dije yo?» Cuando al cabo, concluyó de hablar, Rubes recorrió con sus ojos el tapizado, los níqueles y el grueso de las ruedas. Dijo, luego:

—Me gusta. Volveré.

Al día siguiente recogió a Luis Sendín en el Juzgado y visitaron al representante del Talbot. Cecilio Rubes no llegó a discernir quién de aquellos dos hombres que le abrumaban gesticulando, a su alrededor, diciendo: «Acomoda cinco pasajeros y tiene un tapizado fuerte y elegante.» «Eje delantero montado sobre un rodamiento de bolas», etc., etc., era el auténtico representante de la Casa Talbot. Ambos rivalizaban en mostrarle las maravillosas características de aquel modelo, le tomaban del brazo, le empujaban, le forzaban a agarrar el volante, a abrir y cerrar las portezuelas, le sentaron en las cinco plazas disponibles y, finalmente, le cogieron entre los dos, le acomodaron, acomodaron a Luis Sendín a su lado y salieron disparados por las calles de la ciudad. Cecilio decía: «¡Cuidado, un ciclista!», «¡Ojo, con esa mujer!» Iba asustado. El más alto de aquellos hombres conducía a velocidades de vértigo. Al regresar le obligaron a tomar el volante. Cecilio Rubes temblaba: «Bien, no es necesario —dijo—. Tendré un mecánico.» «No importa, no importa», decía el alto. El otro, por el lado opuesto, decía: «Para ordenar hay antes que conocer. ¡Desembrague!» «¡Acelere ahora!», chilló el otro. El coche arrancó de improviso y Luis Sendín se echó sobre él; notó su peso en la espalda. Volvió la cabeza. «¡Cuidado!», gritó el hombre alto. «Bien, desembrague de nuevo y cambie de velocidad», dijo el otro. Los dos actuaban sin darle tiempo a él para intentarlo, apretaban los botones, activaban las palancas, se hacían cargo del volante, con múltiple y asombrosa variedad de reflejos. Se cruzó un carrillo de mano y Cecilio Rubes dobló a la derecha, el hombre alto dobló a la izquierda, el bajo dio un frenazo en seco. Y el coche se detuvo. Los dos se reían. Cecilio Rubes se sentía como un muñeco movido por aquellos hombres. Dentro de él empezó a levantarse, como un viento, un odio feroz. «Bien —dijo, al fin—. Creo que uno de ustedes debe hacerse cargo definitivamente de esto.» «Es sencillo ¿no?», dijo el hombre alto. «En esta primera lección ha respondido usted como no es frecuente», dijo el bajo. Cecilio Rubes pensó: «De ninguna manera compraré un Talbot.»

Fidel Amo le preguntó en la primera oportunidad: «¿Te decides por el Ballot?» Méndez le decía cada día: «El Chevrolet «Coach» es su coche, señor Rubes.» Sendín decía con su habitual mesura y circunspección: «La impertinencia y la vitalidad de los representantes no resta méritos al Talbot como automóvil de calidad.» Sisí le dijo una noche: «¿Compraste el coche, papá?» «Bien. Aún no hay nada definitivo», dijo Rubes. «Bueno, papá —dijo Sisí— quería decirte que hoy he visto un Lincoln mejor que ninguno.» «Bien», dijo Rubes.

A la mañana siguiente visitó solo la casa Lincoln. Le gustó nada más verlo, el modelo «Town Car», de siete plazas, con la parte delantera descubierta para el chófer, y la caja, con cinco plazas, aislada, detrás. «Bueno —pensó—. Éste es mi coche.» El representante le dijo: «Efectivamente, señor Rubes, ese automóvil parece hecho para usted.» A Cecilio le halagó que el agente le conociese. «Un solo cardán, ¿qué le parece?», agregó, con un guiño de entendimiento, el representante. «Magnífico, magnífico», dijo Rubes al ver el guiño. Añadió el agente: «En este coche pone usted un duro de canto sobre el motor, y llega a Madrid de canto, la vibración es mínima.» Magnífico —repitió Rubes—. Me quedo con él.» Le brillaban los ojos de entusiasmo a Cecilio Rubes. También al representante le brillaban los ojos de entusiasmo. «Bien, necesito un chófer», dijo Cecilio Rubes. Entraron en las oficinas. Un subalterno dijo al agente: «Bernardino está de más». «Espléndido», dijo el agente. A Cecilio Rubes, le gustaron también las referencias de Bernardino y envió a buscarle. Era un hombre maduro, con el pelo gris en las sienes y una boca y unos ojos voluntariosos; tal vez un tanto apocado. Cecilio Rubes se quedó también con Bernardino.

Al llegar a casa dijo a Sisí:

—Bien, asómate.

Los ojos azules de Sisí parecían agrandados al regresar del balcón:

—¡Dios, si es el Lincoln, papá! —dijo.

—Bueno; es tuyo.

Cecilio Rubes se consideraba feliz sintiendo en sus brazos el cuerpecillo de Sisí, sintiendo sus besos y sus abrazos. Adela se echó a reír al verlos:

—Parecéis dos enamorados, querido —dijo.

Gritó Sisí, desde la altura de su padre:

—¡Asómate al balcón, mamá!

Volvió Adela, levemente estremecida:

—¿Querido, querido, ¿es posible...?

Chilló Sisí:

—¡Es nuestro, mamá!

—¡Oh, Dios mío! —dijo Adela—. Este verano podremos hacer esa excursión a Galicia que tanto hemos proyectado. Se lo diremos a los Sendín. ¡Oh, Cecilio, querido, qué contenta estoy!

II

El periódico del día 8 de mayo de 1927, decía: «El problema del maíz; los almacenes están abarrotados de maíz, al que no se puede dar salida por falta de ganado.» «La guerra de Marruecos: Continúa el avance por la cábila de Beni-Aros. La columna de Ketama cruzó el río Anses, ocupando Maka-Chied. La columna Capaz se encuentra en el Zoco el Yebel de Tamarrout. Todas las columnas han enlazado entre sí, y con estos movimientos, puede considerarse terminada la campaña de Senhaya y Ketama y se comenzará en el territorio de Melilla la intensa labor de organización política y militar que precisa.» También decía el periódico del 8 de mayo de 1927: «Terribles inundaciones en los Estados Unidos. Cuatrocientas mil personas sin albergue.» «¿Una guerra entre moderados y extremistas chinos? La situación de Hanken es inquietante.» «Mac Donald espera nuevas huelgas generales en Inglaterra.»

En segunda página, decía el periódico del 8 de mayo de 1927: «Ramera: se vende en el monte de Puentealto, en condiciones de arder a cuarenta céntimos carga.» «Radio: Aparatos Radio-Muse, de cuatro lámparas, funcionando en alta voz. Para casinos, sociedades, etc., modelos especiales de seis lámparas, muy potentes.» «Por baja de primeras materias, rebajo el 10 por ciento en el precio de mis tarifas. Recauchutados J. V. D.»

En tercera plana decía el periódico del 8 de mayo de 1927: «Teatro Bretón: Compañía Sánchez-Ariño. Estreno de «Los extremeños se tocan». Todos saben que se trata del mayor éxito de risa del año. En Madrid se está representando a teatro lleno desde que se estrenó.» «Cine Montoya: Hoy, estreno de la colosal joya de la Universal, «El libertino» (siete partes), por el eminente Reginald Denny, y «Un niño de grandes vuelos» (cómica, dos partes) por la Pandilla y el perro.» «Cinema Olaso: Hoy se proyecta la superproducción monstruo, marca

Metro «El trapero», creación insuperable de Jackye Coogan (Chiquilín). No deje de ver esta sentimental y graciosa película, última creación de Chiquilín», «Ideal Cinema: Hoy «El viejo gruñón», preciosa película en siete partes y una bonita cómica. Mañana: «Nobles y plebeyos.»

Cecilio Rubes se encontraba esta temporada sexualmente insatisfecho. Él prejuzgaba que el hombre al acercarse a la cincuentena dejaría de tener problemas de esta clase. Sin embargo, ahora podía asegurar que no era así, y aún que el hombre a esa edad volvía a la adolescencia en lo referente a la exacerbación de su primer instinto. No es que le desagradase sentirse útil y sexualmente famélico —como él decía— sino la imposibilidad de encontrar satisfacción en el lugar en que debía y con la frecuencia que precisaba. Adela, efectivamente, iba entrando en una fase de desinterés absoluto en este aspecto, por no decir de repulsión. Había veces que la correspondencia le costaba lágrimas y, en todo caso, una acre e indignada censura. «No somos ya dos chiquillos, ¡caramba!», decía Adela. De aquí que la complacencia de Cecilio Rubes fuera algo tan tortuoso y difícil de conseguir que, a última hora, hubo de reconocer que el remedio para su apetito era una cosa tan enojosa como, por ejemplo, tragarse una tableta de aspirina para disipar un dolor de cabeza; algo cuyos resultados constituían la única compensación de las desagradables medidas adoptadas.

Cecilio Rubes se pasaba la navaja con precaución. Su boca se retorcía en el más variado repertorio de muecas que pueda concebirse. El espejo reflejaba sus ojos y sus ojos reflejaban un profundo e instintivo desasosiego. Sus ojos se encendieron de pronto y volvieron, de súbito, a apagarse. Cecilio Rubes evocaba a Paulina.

Al romper con Paulina, Cecilio tuvo que hacerse un nudo al corazón para no pensar en el futuro. Intuía, que, no tardando, echaría en falta a la muchacha. No obstante, en un principio, Cecilio Rubes se sintió contento de sí mismo, y de su fuerza de voluntad. «Soy un hombre— pensaba—. Soy todo un hombre». Cuando su resolución comenzó a tambalearse visitó a su madre. «Cecilio —le dijo la viuda de Rubes— esto que ahora lamentas será tu mayor orgullo cuando pasen unos meses.» Pero su madre se equivocó. Cecilio Rubes empezaba a perder la fe en su madre y en su experiencia. El proceso resultó opuesto al que su madre previera. Fue en los primeros meses cuando experimentó un confortador estado de equilibrio que le compensaba de sus privaciones; mas, a los seis meses, le nació la nostalgia de Paulina y el sentimiento de Paulina, y Cecilio Rubes hubo de volcarse en Sisí para tratar de olvidar a la muchacha. Era cierto que Sisí animó su vida en los últimos años transcurridos. Cecilio Rubes volcaba en él toda su capacidad de amar y de ilusionarse. Le agradaba desvelar para su hijo los pequeños misterios de la vida, conversar con él, salir juntos al campo en el landó, protegerle contra la rigidez despótica que Adela llamaba educación, satisfacer inmediatamente sus menores caprichos, auxiliarle, en fin, de modo y manera que su joven vida no hallase en su curso el más pequeño obstáculo. Mas así y todo, la imagen de Paulina asaltaba a Cecilio Rubes cada vez más vívida y con mayor frecuencia. Luego llegaron los dengues y los reparos de Adela. Él, hasta entonces, había procurado no despertarse un recuerdo de Paulina demasiado frívolo, mas al acentuarse las reservas de su esposa, Cecilio Rubes, despechado, se decidió a evocar a la muchacha pelirroja libre de prejuicios y coacciones mentales: En deshabillé, que era como más le gustaba.

La remembranza alentó su adormecido apetito. Sisí no le bastaba ya para contenerse y Cecilio Rubes se decía: «Son dos cosas distintas. Bien. Una cosa no estorba a la otra.» Su deseo fue creciendo, cociéndose en él como se cuece el temporal bajo la capa innocua de la marejadilla. Hasta que un día, dos meses antes, Cecilio Rubes no pudo más; llamó a Bernardino y le mandó preparar el Lincoln para un viaje a Madrid.

Paulina no le había escrito desde su marcha, pero Cecilio recibió carta de uno de sus amigos comunicándole el ingreso de la muchacha en la compañía de revistas para la que él le recomendara. Cecilio presumía que allí podría encontrarla cuando quisiera. Esta seguridad represaba su impaciencia y le consolaba. En anteriores viajes a Madrid tuvo que violentarse para no dar este paso. Cecilio Rubes intuía que de volver a tener a Paulina entre sus brazos ya no habría fuerza capaz de separarlos. Ahí acechaba el peligro. Mas al admitir en su cerebro, para regodearse, la imagen de la pequeña en deshabillé, Cecilio Rubes tuvo cabal y plena conciencia de que acababa de derruir la última muralla de su resistencia viril. Pensó: «No la traeré aquí. Desde luego. Nos veremos en Madrid cada dos semanas. Bien, eso será suficiente.»

Le acometió un punzante ataque de celos cuando su amigo le dijo que Paulina hacía cinco años que no estaba con ellos. «Bien —dijo Cecilio—. ¿Dónde, entonces?» Le corroía una cosa interior que era como un fuego agrio, sin llama. Su amigo se encogió de hombros; después, dijo: «Tenía pájaros en la cabeza, la muchacha. Buenas piernas, efectivamente, pero muchos pájaros en la cabeza.» Cecilio se había enfadado: «Bien. Es bonita y tiene derecho a exigir.» El otro bostezó aburrido: «No tenía pizca de talento», dijo. «¡Vaya!», dijo Rubes. Prosiguió el otro: «Audacia no le faltaba. Me dijo un día: «Ya estoy harta; todo o nada». «¿Bien?», dijo Rubes inquisitivo. «Había un tipo elegante que le rondaba las salidas y se fue con él. Yo le había dicho anteriormente: «Nada».

Cecilio Rubes sintió un raro impulso de abofetear a aquel hombre. Pero sólo el impulso. Luego se dijo que las cosas tenían que suceder fatalmente así y se conformó. Le atenazaba una inquietud efervescente. Durante dos días buscó a Paulina por todos los lugares frívolos de Madrid. Iba ciego y sólo una vez se le ocurrió enfrentarse consigo mismo para preguntarse: «Bien, si la encuentras con ese tipo, ¿qué piensas hacer?» Entonces pensó: «Paulina no es única.» Tomó un taxi y le dijo al chófer: «Lléveme donde estén las muchachas más alegres y bonitas de Madrid.»

Al día siguiente, un poco más aplacado, Cecilio Rubes avisó a Bernardino para regresar a casa. En el trayecto miraba el cogote del chófer mientras pensaba: «Mi derecho sobre Paulina ha prescrito definitivamente.» Estaba triste. Cuando Bernardino frenó de improviso salió despedido con fuerza hacia delante. «¿Qué ocurre?», dijo irritado. «Hay un herido en la carretera», respondió el chófer. Entonces Cecilio vio a un muchacho ensangrentado y sin conocimiento. «Siga, siga», dijo Rubes. «Sangra mucho», advirtió el chófer. Rubes miró con detenimiento en derredor y no vio a nadie. «Tire, aprisa» —dijo—. «Pasan coches a menudo por aquí.» Le enojaba detenerse ahora y verse mezclado sin motivo en líos de sangre y de juzgados. «Parecía un muchacho», dijo Bernardino al acelerar. «Sí, parecía un muchacho», dijo Rubes. Inmediatamente pensó: «¿Me habrá visto alguien?». A continuación se relajó en el asiento y se acarició repetidamente la barbilla con sus dedos: «Bien —pensó—. Paulina, para mí, como si no existiera.»

Concluyó de afeitarse, se despojó del pijama y se metió en el baño. Su vientre voluminoso casi le impedía alcanzarse con las manos los pies. Se dijo: «Bueno. Hay que reconocer que las bañeras son incómodas. Necesarias y todo lo que se quiera, pero uno a cierta edad necesita... ¡Qué sé yo!, más holgura, tener el trasero un poco más alto que los pies...» Se quedó pensativo un momento con la esponja en la mano. «¡Vaya! —se dijo—. Podría ser la solución. Ya lo creo que podría ser la solución.» Se jabonó el pecho y las axilas y de nuevo se quedó quieto con la mirada perdida. Pensó: «Tener el asiento en un plano más alto que los pies... ¡Ah, sí, es una gran idea!... Incluso un respaldo con una inclinación... ¡Ah, claro! Bien, meditaré detenidamente sobre ello. Ahora no tengo tiempo.» Se tumbó en la bañera y se entretuvo un momento contemplando el islote de suaves perfiles que componía su vientre. Pensó: «Desde mañana haré gimnasia yo solo ya que a Adela le falta voluntad.» Oyó correr a su mujer por el pasillo y luego su voz enfebrecida en la puerta:

—¡Por amor de Dios, Cecil, date prisa! ¡Llegaremos tarde!

Cecilio gruñó por lo bajo. No le gustaban las cosas hechas aprisa, ni las cosas improvisadas. Quizá por eso nunca puso demasiado empeño en la primera comunión de Sisí; por eso y porque temía que un acto de esa naturaleza removiera en su pecho muchas cosas que prefería tener olvidadas. Desde un principio, opuso a los planes de su esposa una indiferencia glacial. Tan sólo le agarró un sobresalto al comunicarle Adela su deseo, de sopetón. «¿Es que tendré que comulgar yo también?», preguntó Rubes. «¡Oh, querido! mejor sería, pero no es necesario», respondió Adela. Cecilio Rubes se sintió entonces más tranquilo y admitió la comunión de Sisí por una prueba por la que necesariamente había que pasar.

Por su parte el comulgar tampoco le hubiese importado a él si la confesión no fuese un sacramento previo. A menudo Cecilio Rubes, se decía: «Yo no pregunto a nadie sus pecados. ¿Por qué he de contarle yo a nadie los míos?» Otras veces Cecilio Rubes, en un superficial examen de conciencia, llegaba a la peregrina conclusión de que él se hallaba limpio de todo pecado y sólo podía anotarse en su debe «una sarta, y no muy larga, de pequeñas y comprensibles debilidades».

Por lo demás, Cecilio Rubes era un cristiano y admitía y deseaba que su hijo se educase y formase como un cristiano.

No le molestaba, tampoco, hacer por un día de Sisí el centro de atracción de sus amistades y conocimientos. Sisí con su cuerpo esbelto y arrogante, embutido en su marinera blanca, constituiría, sin duda, un espectáculo digno y bello. Bien. Así considerado, a Cecilio Rubes le agradaba la Primera Comunión de Sisí y aun prometió a las monjitas del convento, donde el acto había de celebrarse, un estipendio cuantioso porque no faltasen ese día en la iglesia, flores, violines, tapices, coros y reposteros. Indagando en los motivos de Cecilio Rubes uno llegaba a una diáfana conclusión: Cecilio Rubes quería y no quería la Primera Comunión de Sisí Rubes.

Otra cosa era la voluntad del chico, que ya contaba, y el empeño de Adela de hacer tabla rasa de ella. Sisí tenía ya nueve años y un temperamento indomable y un buen sentido de las cosas y una clarividencia precoz. Cecilio Rubes temía engordar con estos pensamientos. Se había forjado una idea de Sisí, alta e incomparable. Bien mirado, Sisí no admitía rival, ni física, ni moralmente. Y era una cosa extraña que Cecilio advertía: Adela, de ordinario blanda y fláccida, por dentro y por fuera, se erigía ante Sisí con una rigidez indestructible. Era un prurito de educación el que la movía, un afán absurdo de amoldar al chico a una senda oscura llena de contratiempos y renunciaciones.

La víspera aconteció un espectáculo indigno y desproporcionado con su motivo. Que Sisí deseara un pantalón largo para recibir la comunión era un anhelo perfectamente lógico y admisible. Que Adela, menospreciando sus legítimos deseos, se empeñase en llevarle a comulgar con pantalones cortos era una obstinada testarudez. Cecilio Rubes oyó los gritos de Sisí y corrió a su lado. «¿Bien?», dijo. Sisí chillaba: «¡No quiero estos pantalones! ¡Sin unos pantalones largos no haré la Comunión!». Adela dijo: «Es un capricho tonto, Cecilio. Con calzones largos no van hoy más que los hijos de las porteras.» Cecilio Rubes dijo mirando a Sisí: «¿Bien?». Chilló Sisí: «¡Yo quiero unos pantalones largos! ¡Yo dije que quería unos pantalones largos!» Dijo Adela: «Compréndelo, Cecilio; ya no es momento.» Le hizo gracia a Cecilio Rubes el impulso agresivo de Sisí hacia su madre. Pensó: «Sabe defender sus derechos el amigo.» «Bueno —dijo—. No creo que cueste demasiado dar gusto al chico.» Adela dio media vuelta: «No cuentes conmigo para maleducar a mi hijo.» Cecilio corrió tras ella. Pensaba: «Idiota, idiota, idiota, ¿qué sabes tú de eso?»

Dijo: «Ahora mismo se le encargan al chico... bien, se le encargan al chico unos pantalones largos.» Adela rompió a llorar: «Yo no haré eso. No quiero que me quites la autoridad delante del niño, ¿me oyes?» A Cecilio Rubes le temblaban las manos. Adela se encerró en el dormitorio dando un portazo; pensó Rubes: «Idiota, idiota, idiota.» Chilló: «¡Cristina! Bien... Cristina —dijo, al verla, mostrándole los pantalones— vea la manera de que le hagan a Sisí para mañana... bien, para mañana, unos pantalones largos.» Sisí sonreía con las mejillas brillantes de lágrimas y vino a abrazarle. Rubes pensó: «Bien, supongo que estas peloteras suceden en todas las casas todos los días.» Dijo: «¿Estás contento?»

Cecilio Rubes se ponía la camisa cuando oyó de nuevo los tacones de Adela en el pasillo.

—¡Date prisa, Cecil! ¡Llegaremos tarde!

Cecilio rezongó al colocarse la polea. Pensó: «¡Que espere el cura!» Luego se dijo: «Bien. Eso es una broma.» Experimentaba un turbio temor cuando a veces, en el correr de la vida, sentía un súbito impulso anticlerical. Conservaba de su infancia una difusa noción de la Iglesia, y sus caóticos conocimientos le llevaban a suponer que eran los curas quienes, el día del Juicio final, revelarían ante el Señor los pecados y merecimientos de los demás hombres.

Bajó corriendo la escalera, agarrándose al pasamanos. El Lincoln, desde el portal, le hizo una magnífica impresión, recién lavado y con los niqueles brillantes. Dentro, Sisí ponía cara de ángel y Adela daba muestras de una extraña agitación. Bernardino, impecablemente uniformado, sostenía la portezuela. Dijo Rubes, sin saber lo que se decía: «Bueno, Sisí, hoy es un día grande para ti. Un gran día. ¿Comprendes?» Le dio una palmadita cariñosa en el muslo.

Cuando entraban en la iglesia sonó la música en el coro y los cánticos desafinados de una veintena de chiquillos. Notó Rubes, al ver avanzar a Sisí con sus pantalones largos y su inocencia, que algo se le ablandaba por dentro. «Bien —pensó—. No iré a emocionarme como una vieja boba.» Inclinó repetidamente la cabeza, saludando: Divisó a Valdés, con su esposa, a su amigo Tomás, a los Sendín con los niños, al coronel López y señora, a Valentín con la familia, a la señorita Matilde, a Méndez, y, llorando en un rincón, a Mercedes, la cocinera. Se alegró de pronto, al arrodillarse en el blando reclinatorio que le estaba reservado junto al altar, de este acto y de la solemnidad que le habían rodeado. Durante la misa se esforzó en permanecer erguido y digno, pensando que la crema y nata de la ciudad le observaba las espaldas. Con el rabillo del ojo contempló a Sisí, rebosando pueril unción, a su lado. Más allá, Adela se mantenía un poco pálida y como repentinamente envejecida. Se dijo Cecilio: «¿Qué pensará Adela?» Adela pensaba: «¡Oh, Dios mío!, ¿qué diría el pobre papá si levantara la cabeza?»

De pronto, el sacerdote se volvió y comenzó a hablar a Sisí en tono suave y paternal. Cecilio Rubes escuchaba embobado. Tan embobado que, cuando se dio cuenta, tenía el cuerpo hecho un ovillo sobre el reclinatorio. Detrás la señora de Valdés, murmuró al oído de su marido: «¿Te fijas en Rubes? ¡Qué aviejado está!» Cecilio se irguió de pronto. Dijo la señora de Valdés: «Se diría que me ha oído.» Decía el sacerdote:

—Hijo, no debes olvidar nunca este solemne momento de tu vida. Él debe de ser tu guía y tu sostén. Que el día de mañana seas un buen cristiano, casto, caritativo y virtuoso, como hoy lo son tus padres.

Cecilio carraspeó. Del coro surgió un rumor acorde que fue creciendo poquito a poco:

Las palomitas vuelan,
vuelan al palomaaar...

Era llegado el momento y Rubes advirtió, sin mirarla, que Adela lloraba unos metros más allá. Pensó que el momento así lo exigía y buscó en vano una lágrima abriendo y cerrando los ojos con obstinada insistencia.

Al concluir, llegaron las enhorabuenas y los parabienes, y el suculento desayuno preparado por las monjas y las conversaciones que se cruzaban, aumentando poco a poco de tono, a través de las cuatro largas mesas, dispuestas en el refectorio. Méndez decía: «Esto parece una boda.» Dijo Valentín, rehusando un pastel «... Una boda. A mí no me va bien el dulce tan de mañanas». Decía la nuera de Valentín: «¡El chiquillo está precioso!» Rubes reventaba de euforia en la presidencia: «Padre, esta bizcocheta es perfectamente inocente»... Decía el sacerdote: «¿De modo que este es el chiquillo del anuncio de las "Bañeras Rubes"? ¡Caramba, cuánto has cambiado, pequeño!» La esposa del cojo León Valdés, decía: «¿Cómo no ha venido Prado?» León Valdés bajó la voz: «Hace más de siete años que están reñidos. ¿Cuándo fue la epidemia de gripe?» Ahora decía Rubes: «Ya alcanzó nuestro respetado alcalde una Subsecretaría. Bien. La caridad no se irá ya del otro lado del río.» El sacerdote sonrió: «Caridad, hermano.» Voceó Rubes: «Caridad, caridad..., yo digo, Padre: el alcalde debe ser para la ciudad y no la ciudad para el alcalde.» Chilló el coronel López: «Magnífica idea, Rubes. Casi tan buena como este chocolate». Gloria Sendín daba cachetitos, más bien cariñosos, en la mano de su hija Elisa, que había dejado escurrir el chocolate por su vestido nuevo. Luisito Sendín preguntaba: «¿Cuánto tiempo hace que yo hice la Primera Comunión, papá?» «Un año y quince días, exactamente», decía Luis Sendín, y, después, a su mujer: «¿No te has mareado en la iglesia con tanta vela, mi vida?» A Gloria se le habían rellenado las caderas, pero sus ojos continuaban siendo alegremente luminosos. Sonrió: «Hoy estuve muy bien», dijo. Al concluir, el Padre se levantó a dar gracias y Cecilio Rubes, se precipitó. Dijo: «Yo le agradecería, Padre, bien..., yo le agradecería, una oración por mi madre. No pudo venir a la comunión de su nietecito, ¿comprende?» Dijo el cura: «¿Está enferma doña Ramona?» «Bueno, lleva una temporadita fastidiada», añadió Rubes y miró al techo en actitud resignada y devota. Rezaron. Al concluir, Sisí Rubes, sofocado por la emoción, dio vuelta a la mesa repartiendo recordatorios.

Los Sendín comieron en casa de los Rubes para festejar la Primera Comunión y el noveno cumpleaños de Sisí. Pasaron Gloria y Luis y los dos niños mayores. Antes de comer, tomaron unas copas de jerez, y Gloria dijo:

—Querido, ¿cuándo vas a comprarme la cajita de música que me tienes prometida?

Rió Sendín. Dijo:

—El niño nace en octubre, ¿no es así? Pues, en octubre.

Dijo Adela:

—¡Oh!, ¿cuándo piensas terminar de tener hijos, Gloria, querida?

Cuando se sentaron a la mesa, Sendín preguntó a Rubes:

—¿Y esos negocios?

Cecilio Rubes dibujó con su chata y floja mano un ademán como de lejanía.

—¡Los negocios, vaya! ¿Cómo van a ir los negocios en una época como esta? Sinceramente, Sendín, ¿cree usted que hemos pasado nunca otra época tan revuelta e inestable como ésta? Los tiempos son difíciles. Huelgas, hambre, guerras y el maíz pudriéndose en los graneros. ¿Qué puede esperarse de una época así?

Dijo Sendín:

—La gente entra ya con la higiene. Es evidente que se tiende ya al baño semanal y eso ya es algo.

Intervino Gloria:

—A propósito de baños —rió alto—. Leí el otro día un cuento muy divertido. El marido se lava los pies y le dice a su mujer: «El agua está demasiado caliente», y dice la mujer: «¡El año pasado me dijiste lo mismo! ¿Es que no voy a acertar nunca?» Es ocurrente, ¿verdad?

Rubes rió complaciente. Dijo Adela:

—No lo entiendo.

A Cecilio Rubes le invadió una extraña amargura. En estas explosiones de torpeza de Adela veía siempre unas desagradables reminiscencias del funcionario Martínez. Dijo:

—Parece dar a entender, querida, que únicamente se bañaba los pies de año en año.

Se volvió confidencial a Luis Sendín:

—La otra tarde —añadió— reuní en el Establecimiento a tomar unas copas a una comisión de arquitectos, aparejadores, contratistas y maestros de obras. Bien. Yo dije: «Tengo interés en que ustedes encuentren en el montaje de cuartos de aseo un lógico beneficio.» Bien, les ofrecí un descuento estimable y una bonificación. Bueno, ¿qué cree usted que me respondieron?

—No sé —dijo Sendín.

—Bien, dijeron que eso no les parecía lícito y que, por tanto, no lo aceptaban. Uno me dijo: «Me ha ofendido, señor Rubes, pero no me da la gana enfadarme con usted.» Y me sonreía como haciéndome un favor. ¿Usted qué cree?

—Es un almuerzo magnífico, Adela —decíale Luis Sendín.

Adela decía a Gloria:

—Ese modelo hace la cabeza ridículamente pequeña y yo no entro con él.

Decía Sisí a Luisito Sendín:

—En mi comunión ha habido más pasteles que en la tuya.

Rubes tocó en el brazo a Luis Sendín. Estaban ya en la carne y Cecilio Rubes esperaba un poco de comprensión con el cambio de vinos. La euforia era ahora espumosa y expansiva, como una copa de champán. Dijo:

—Yo no veo la inmoralidad en una oferta tan razonable. Bien. Pues uno me dijo: «Las casas subirán de valor y la bonificación nos la darán los propietarios, no usted». Yo dije: «¿Ha pensado usted que me chupo el dedo?» Otro dijo: «Estamos teniendo demasiada paciencia, vámonos». Yo dije: «Bien, señores. Creo que no me han comprendido». Dijo Fernández Lemos, el arquitecto del Municipio: «Creo que el que no quiere entendernos es usted, amigo Rubes. No deseamos entrar en un negocio que no nos parece correcto.» Bien. Yo me excité y dije: «¡Vayan ustedes con Dios, caballeros!», y uno me dijo al salir: «Yo no tendría inconveniente en aceptar esa oferta, amigo Rubes». ¿Usted cree, Sendín, que Fernández Lemos y otro par de tontos llevaban la representación de los demás? Bueno, usted me conoce, Sendín, y usted sabe que en mi negocio no me importa un pimiento perder un año si veo la posibilidad de que al siguiente voy a enjugar esa pérdida y a doblar los beneficios. Yo soy así. Yo soy un tipo, bien..., soy un tipo que durante todo el mes de diciembre inserto en el diario un anuncio que dice: «Entre en el nuevo año, con un buen cuarto de baño», y que me gasto en el anuncio la friolera de mil duros. Bien. Yo entiendo que eso no tiene importancia y...

Adela le miraba fijamente esperando que terminara. Dijo, al fin:

—¿No crees, Cecil, que estás hablando demasiado?

Rubes pensó: «Idiota, idiota, idiota. ¿Quién te dio vela para este entierro?» Sonrió y dijo:

—Usted me perdonará, Luis.

Dijo Gloria:

—Usted, usted; me hace gracia oiros hablar entre vosotros con tanta ceremonia. ¿No creéis que ha llegado el momento de tutearos?

Luis Sendín se sintió un poco violento. Rubes, en cambio, iba lanzado por una fuerza denodada y optimista:

—¡Magnífica idea! —chilló—. Bien, no creo que nos hayamos conocido ayer, querido Luis —le palmeaba ardorosamente la espalda—. Tú por tú, va a ser divertido, ¿no es cierto?

Bebió otra copa y añadió:

—Y ya que hemos entrado en el terreno de la confianza... Bien, te diré, te diré que yo, francamente, no te tragaba al principio. ¡Que te diga Adela, que te diga Adela! Yo decía: «Este Luis es un poco cargante.» Bueno, es gracioso, ¿no es.

cierto? Yo pensaba: «Los hombres con gafas no me inspiran confianza.» ¿Qué te parece? Ja, ja, ja. Luego has resultado un tipo divertido. ¡Que te diga Adela! Yo te calé bien... te calé en el primer chiste que dijiste una tarde, ¿no recuerdas? Dijiste, bien, dijiste: «Como no estamos en Rusia, es el rey quien manda aquí.» Yo me dije: «Es un tipo agudo éste.» ¡Vaya!

Luis Sendín estaba un poco amoscado. Bebió dos copas de champán para entonarse. Dijo:

—Ahora que se han ido los chicos le diré...

—Ja, ja, ja —rió Rubes.

—Bueno, te diré —añadió Sendín— que de entrada tampoco tú me fuiste simpático, ¿no es cierto, mi vida?

Gloria se divertía y sus pequeños ojos chispeaban. Dijo:

—¿Y lo nuestro, Adela? Lo nuestro fue más que divertido. Yo perdí la llave y tú me dijiste con la muchacha: «¿Quiere usted pasar?» Y tú me dijiste, luego: «Voy a tener un bebé y estoy asustada», y yo dije: «¡Vaya, qué casualidad! También yo espero un bebé.»

Adela rompió a reír. Se sentía estrepitosamente feliz ante su taza de café negro. No recordaba la escena del día anterior cuando se encerró en el dormitorio llorando y dijo a gritos que Cecilio la desautorizaba delante del niño. Ahora le parecía todo una broma y reconocía que Sisí estaba guapo con sus pantalones largos. Rió otra vez. Dijo:

—Y yo dije: «Mi bebé nacerá en mayo». Y tú dijiste: «¡Caramba, qué casualidad, el mío en junio!»

Cecilio sirvió licores y vaciló ante su copa. Dijo:

—Bien, no debería beber, pero hoy haremos una excepción.

Le arrastraba una euforia desordenada y, al levantarse para pasar al salón, rodeó mentalmente la cintura de Gloria y le dijo, mentalmente, que a pesar de los años y los hijos continuaba teniendo un talle mareante y tentador. Dijo:

—Gloria, a pesar de los pesares, sigues con una figura elástica y bonita.

Luis Sendín le envió una mirada desaprobadora a través de sus cristales. Gloria se sentó al piano e interpretó unos compases de «Moraima». Luego se volvió a ellos.

—¿Recordáis? —dijo—. Es la pieza que toqué en nuestra primera reunión. ¡Qué tiempos! Entonces la gente de esta ciudad me resultaba antipática y no me acostumbraba a sus calles, ni a sus comercios, ni a sus ruidos.

Luis y Cecilio se sentaron en unos sillones un poco apartados. Cecilio ofreció a Luis un cigarro y Luis lo rehusó. Encendieron unos cigarrillos egipcios. Rubes se sentía inclinado ahora a la conversación privada y confidencial. La cintura de Gloria había renovado en él adormecidos apetitos. Veía ante sí unos preciosos grabados franceses de temas equinos, que le parecían nuevos. Se relajó en el sillón y fumó despacio, con una succión esmerada y voluptuosa. A pesar de la irresponsabilidad que en su cerebro ponía el alcohol, Cecilio Rubes experimentaba cierto pudor en abordar determinados temas ante Luis Sendín. No obstante, el incipiente tuteo le invitaba a barrer de entre ellos, definitivamente, todo asomo de desconfianza. Un hombre no es amigo de otro mientras entre ambos no ha mediado una conversación sobre mujeres. Cecilio debería, en lo sucesivo, atreverse a tocar con Luis los temas que habitualmente se planteaban y resolvían entre los amigos del Real Club. Le interesaba, además, la intimidad de Luis Sendín, sus debilidades, lo que escondía por debajo de su aparente discreción y comedimiento. Dijo:

—Puestos a recordar, me venía a la cabeza hace un momento la primera noche que cené a solas con una mujer... Bien. Yo tenía dieciséis años entonces y ella casi me doblaba la edad. Yo le dije, tomándola una mano: «A tu lado no me es posible comer ni beber.» Ella se echó a reir y me dijo: «Eres demasiado joven aún, hijo mío.»

Rubes entraba con tacto y precaución. No advirtió el leve gesto de desagrado que quebró fugazmente la boca de Luis Sendín. Añadió Rubes con un ademán significativo:

—Un poco más tarde ella me dijo: «¿Sabes que ya no me pareces tan crío?» Bien. Esa es una anécdota de juventud. Luego uno ha acumulado experiencia y... bien, sin ir más lejos, hace dos meses, en Madrid, era yo quien le doblaba la edad a ella y ella me dijo: «Estoy un poco asustada, ¿sabes?» Yo pensé: «¿De qué nido ha caído esta avecilla inocente», y luego, me dije: «Recuerda lo que le ocurrió a Fidel Amo.» Bien, ¿sabes qué le ocurrió a mi amigo Fidel Amo? Bueno, estaba con una muchacha y ella le dijo: «Tengo mucho miedo, señor. A veces pienso que nunca debí dar este paso.» Amo pensó: «Un mirlo blanco.» Bien, al día siguiente nos dijo en el Club: «¡Chicos, qué bomboncito!» Ja, ja, ja. A los pocos días se encontró que había agarrado... Bueno, tú ya me entiendes, ¿no es eso?

Sendín abrió una mezquina sonrisa. Rubes añadió:

—Yo la doblaba la edad a ella y ella me dijo: «Estoy un poco asustada, ¿sabes?» Yo me dije: «Acuérdate de Fidel Amo», y tomé mis precauciones. Le dije: «Eres demasiado joven aún, hija mía.» Al poco rato tuve que decirle: «¿Sabes que ya no me pareces tan niña?» Ja, ja, ja.

Le cortó en seco el vago gesto de asombro de Luis Sendín. Se inclinó hacia él. Dijo intrigado:

—¿Es que tú...? Bien. ¿Tú no tuviste nunca una aventurilla pasajera?

—Nunca —respondió Sendín categórico.

—¡Bueno! ¿No se la pegó... no se la pegaste nunca a... a...?

—Nunca —atajó Sendín.

—Bien. Eso es hacerles un feo a las muchachas —dijo jovialmente Rubes—. Es como decir: «Fuera de la mía las demás mujeres no valen ni para descalzarme un zapato.»

Sendín pareció interesado:

—No —dijo—. A mí tampoco me divertiría que mi mujer tuviese una aventurilla pasajera.

—Bueno —dijo Rubes—. Son cosas distintas.

Miraba, ahora, a su amigo poniendo en los ojos toda su capacidad de asombro. Añadió:

—¿Tampoco viste nunca a la Chelito buscarse la pulga?

—Tampoco —respondió Sendín.

Cecilio Rubes se mostraba estupefacto. Pensó: «¿Qué clase de monstruo soy yo? ¿Qué pensará de mí Sisí el día que me conozca a fondo?» Insistió débilmente, por no cortar de una vez la conversación y reconocer así, tácitamente, su culpa:

—La Chelito es artista. Bien, uno no va a ver a la mujer tanto como a la artista.

Dijo secamente Sendín:

—No sé; no la conozco.

Pensó Rubes: «¿Quién me mandó a mí meterme en este berenjenal?» Permaneció un momento en silencio, retrepado en el sillón, un poco avergonzado de su audacia. Le pareció, de pronto, que Luis tenía temperamento de cura, y se le antojó una enormidad imaginarle acostado con Gloria en una misma cama. Pensó: «No me equivoqué al juzgarle. Es un timorato y un cargante.» Después de su euforia, le invadía un pesado aburrimiento. Se reconvino mentalmente: «¿Es que soy yo, acaso, un terrible monstruo libidinoso?» Dijo:

—El Lincoln va bien; creo que hice una buena adquisición.

Se iluminaron los ojos de Luis Sendín. El tema de los automóviles le seducía. Por un momento pensó si Cecilio iba a resultarle un hombre desequilibrado, de esos que sólo sueñan con hacer las cosas fuera de casa. Le satisfizo comprobar que su amigo tenía otras miras menos estrechas. Dijo:

—Llevo una temporada dando vueltas en la cabeza a la posibilidad de comprar un Opel-4. Claro que con tanto chico, el Opel-4 es poco coche para mí.

En el diván, Gloria y Adela se quitaban mutuamente la palabra de la boca. Hablaban en cuchicheos, con mucha pasión. Habían charlado, libremente, de modas y, veladamente, de mujeres equívocas. Gloria sabía, sobre este último punto, menos que Adela, y gozó mucho con los conocimientos de su amiga. Gloria decía:

—Es lo que yo le digo a Luis: «Si una mujer quiere educar debidamente a sus hijos, la vida no debe tener secretos para ella:

Adela dijo:

—Gloria, querida, ¿sabes tú el tormento que a mí me cuesta Sisí? Tengo mucho miedo por él, ¿comprendes? Algunas noches pienso que le estamos haciendo un desgraciado y un inútil y lloro a solas. Cecilio es blando con él y no se da cuenta de los peligros que eso encierra...

Dijo Gloria:

—¡Qué bien te comprendo!

Añadió Adela:

—Yo no quiero chocar con Cecilio, pero a veces es inevitable. No me ayuda a nada, ¿comprendes? Es más, él se goza destruyendo todo lo que yo hago y cree bobamente que con ello hace más feliz al niño. Él dice: «La educación debe reservarse para los pobres.» ¿Qué te parece?

Dijo Gloria, riendo:

—¡Qué cosas tan graciosas dice tu marido, mujer!

Añadió Adela impetuosamente:

—Dice que él quiere mucho al chico y que yo no le quiero nada y el niño me mira ya con un poco de recelo y no se da cuenta de que lo que yo deseo es su bien.

Notaba Adela una amargura creciente en la garganta: «Siempre mi optimismo viene a desembocar aquí; soy tonta», pensó. Entró Elisita Sendín llorando y ello la distrajo.

—¿Bien? — dijo Rubes.

Dijo la niña:

—Sisí me pegó, mamá. Dice que es su Primera Comunión y él manda y todos tenemos que obedecerle.

Rubes rompió a reir. Pensó: «El chico tiene madera de dictador.» Dijo Gloria: «Pobrecita.» Adela se levantó y volvió agarrando a Sisí de la mano. Dijo:

—¿Por qué pegas a la niña? ¿No sabes que es de cobardes pegar a las niñas? Pídele perdón, ¡anda!

—No quiero.

Dijo Gloria:

—Daos un besito, pequeños.

Dijo Rubes:

—Me parece una medida contraproducente que los mayores intervengan en los asuntos de los chicos. Bien..., ¿por qué no probamos a dejarlos en paz?

Elisita Sendín tenía unas graciosas trenzas morenas, cogidas con dos lazos rojos detrás de las orejas. Puso un compungido puchero. Sus ojitos eran pequeños y expresivos como los de su madre. Dijo Gloria:

—Luis, mi vida. ¿No crees que es una hora muy oportuna para retirarnos?

Luis se puso en pie. Gloria besó a Sisí:

—Felicidades, Sisí. Ya has hecho la Primera Comunión y en adelante debes comportarte como un hombrecito.

Cuando salieron, Sisí sacó la lengua. Dijo:

—Esa señora de enfrente es una sobona.

Dijo Adela, furiosa:

—¡Calla, mal educado!

Rubes se echó a reir a carcajadas. Dijo:

—¿No crees, querida, que Luis Sendín, padre, está volviéndose otra vez un poquito cargante?

Al día siguiente, camino del establecimiento «Cecilio Rubes. Materiales higiénicos», Rubes pensaba: «Bien. No es que yo me crea un dechado de virtudes, pero, francamente, tampoco un tipo corrompido hasta las raíces. Soy un poco alegre, ¡eso es todo! No soy un alelado como él, ni un medio cura. Bien. Yo me digo: «¿Qué hacen estos hombres fuera del seminario?» Si paso lista en el Club y digo que el marido fiel presente levante un dedo, no creo que salte uno. Bueno, supongo que el Real Club no será tampoco un antro de perdición, ni que nos hayamos puesto de acuerdo para asociarnos los hombres más libidinosos y mujeriegos de la ciudad». Se hundió el puño derecho en el costado y se dijo: «Esto sigue punzando y reventando. No vuelvo a probar una copa.» De repente, pensó: «¿Habrá visto Valentín buscarse la pulga a la Chelito?» Le mordió esta idea con fuerza obsesiva. Al entrar en el Establecimiento y acomodarse en su despacho, se dijo: «No es probable que Valentín haya visto a la Chelito. Es muy viejo.» Consultó sin atención las notas del calendario. Pensó: «Y eso que cuando la Chelito empezaba Valentín no tendría más de... de...» Intentó distraerse revisando unas facturas. Pensó: «También los viejos disfrutan viendo a la Chelito.» Firmó el correo y puso sobre las cartas un pesado pisapapeles. A continuación, se quedó inmóvil con los ojos sobre las espaldas encorvadas de Valentín, a quien divisaba a través de la cristalera. Voceó, de pronto, Rubes:

—¡Valentín!, bien... ¿le importaría que cambiásemos cuatro palabras?

El contable volvió la cabeza, le miró por encima de las gafas y se incorporó. Estaba ya un poco vacilante y achacoso. Méndez le siguió con la vista a través de la cristalera del despacho. Pensó: «Ya está el cochino viejo preparándome la encerrona.» Rubes entrecruzó sus mórbidos dedos y dijo:

—Bueno... en fin... no se trata de nada de particular, Valentín, sino de un simple motivo de curiosidad. Bien... Bueno... ¿Vio usted alguna vez a la Chelito buscarse la pulga?

El contable alzó una mirada asombrada, como la de un animalejo doméstico. Pensó: «¿Qué querrá que le diga, sí o no?» Hubo una pausa. Dijo finalmente Valentín:

—...La pulga. Le he visto un puñado de veces, señor Rubes.

Cecilio suspiró hondo. Sonrió luego tratando de estrechar entre ellos el naciente lazo de complicidad.

—¿Y qué? —dijo Rubes.

Era el viejo Valentín quien suspiraba ahora. Guiñó uno de sus ojos macilentos y le nacieron muchas arrugas en el vértice:

—Una mujer asombrosa —dijo—. La primera vez que la vi, lo recuerdo perfectamente, me tiró una flor, señor Rubes. Yo no me pude contener y chillé: «¡Guapa!» Ella se volvió a mí y..., en fin, ¿sabe usted lo que me dijo, señor Rubes?

—¿Qué? —insistió Cecilio interesado.

—... Ella fue y me dijo: «Eso se lo dirás a todas.» La gente se echó a reir y se armó un escándalo, pero ella empezó a moverse con esa gracia suya y a cantar y el público fue entrando en razón.

Rubes pensó: «¿Qué pensaría mi terrible y rancio vecino de este viejo?» Se sentía extraordinariamente aliviado. Le dio unas palmaditas afectuosas al contable. Valentín se hallaba sorprendido. Pensó: «La oportunidad no puede ser más favorable.» Dijo:

—Una cosa, señor Rubes. Ahora que estamos así, es decir, ahora que podemos conversar tranquilamente a solas, yo quería decirle que hace dos meses he cumplido los sesenta y la vista me falla y mi capacidad de trabajo no es la de antaño y, en fin, que creo que ganaría usted más, señor Rubes, dando paso a la juventud.

Rubes le consideró, visiblemente sorprendido.

Dijo:

—¿Me está usted pidiendo la jubilación, Valentín?

Añadió el contable con alguna dificultad:

—En cierto modo, señor Rubes, en cierto modo. Yo digo, en fin, yo digo: «A rey muerto, rey puesto.» No sé si me explico, señor Rubes. Mi hijo Jacobo concluye ahora el grado de Perito Mercantil y yo siempre pensé que él algún día podría sustituirme. Ha cursado la carrera con aprovechamiento, señor Rubes, y espero que no tendría usted ningún motivo de queja. Es honrado, señor Rubes y...

Cecilio Rubes tuvo la intuición de hallarse hundido hasta el pescuezo en una situación enojosa.

—¿Y Méndez, Valentín? Bien. ¿Ha pensado usted en ese chico? Lleva quince años aquí y es natural que tenga sus aspiraciones y la vista puesta en su retiro. Bueno. Entiendo que Méndez tiene un par de chicos y su mujer es joven aún y... y, bueno, todas esas cosas.

La voz de Valentín languidecía:

—Esas cosas... Usted resolverá, señor Rubes. Yo serví a su papá y a usted con toda mi lealtad y puse siempre todo al servicio de la casa.

Cecilio Rubes carraspeó; no veía una solución definitiva del problema. Dijo:

—Bien. Una cosa hay clara aquí, Valentín. Ese retiro está perfectamente justificado y..., y bueno, también la admisión de su chico en el establecimiento. Bien, todo eso está claro y no ofrece la menor duda. Bueno... lo demás, la categoría del muchacho y... y, bien, todo lo demás, se resolvería en su día...

Pensaba Rubes: «Yo debo hacer a este hombre una demostración de pesar y de agradecimiento. No cumplo con menos.» Añadió, levantándose y abrazando a su subordinado:

—Usted ha sido un funcionario modelo, Valentín, y, bueno, los Rubes... los Rubes le expresan a usted, por mi mediación..., en este momento, su más profunda y sincera gratitud.

Se le abrillantaron los ojos al contable. Parecía más ruin y enteco que un cuarto de hora antes, al iniciarse la conversación. Le tembló la voz:

—Señor Rubes, señor Rubes...

Cecilio sintió el peso de la cabeza del contable sobre su pecho y también, la vibración de sus sollozos reprimidos. Cecilio Rubes le pasó el brazo por la espalda y trató de consolarle. Pensó: «Huele a sudorcillo el viejo. ¿Qué hará que no se baña?» Dijo:

—Mi querido Valentín, no debe usted tomarse las cosas tan a pecho, ni, bueno...

Pensó: «Si yo fuera tan viejo como Valentín, me moriría del susto.» Valentín se recobró, al fin. Le miró intensa, implacablemente a los ojos y Cecilio Rubes pestañeó dos veces. Dijo el contable:

—Sea como sea, señor Rubes, yo también a ustedes les estoy agradecido. ¡Vaya!, mañana le presentaré al chico.

Méndez observaba al contable, a través de la vidriera, con palmaria animadversión.

III

HAY una fotografía de Cecilio Rubes, padre, con fondo de libros que pertenece a la época en que la efigie madura y orgullosa de Cecilio Rubes, padre, estuvo a punto de recorrer el mundo en triunfo como uno de los hombres que con su espíritu de iniciativa y su resolución aportó algo estimable al progreso y bienestar de la Humanidad. La fotografía de Cecilio Rubes, padre, no llegó a recorrer el mundo, pero sí insertó en el diario local y aún en el «A B C» de Madrid, como información de pago. El retrato data del día en que Cecilio Rubes, padre, firmó la escritura de constitución de una sociedad regular colectiva con los socios capitalistas don Bartolomé Alegre González y don León Valdés Beltrán y que fue autorizada por el notario firmante, don Salvador López y López de Haro.

La escritura pública de constitución de la sociedad, «Rubes, Valdés y Compañía, S. R. C.», dijo textualmente así:

«En esta Ciudad, a tres de noviembre de 1927, reunidos don Cecilio Rubes Jurado, don Bartolomé Alegre González y don León Valdés Beltrán, acuerdan en uso de su más libre derecho, constituir una sociedad regular colectiva, sujetándose a las disposiciones del Código de Comercio, a cuyo efecto hacen constar lo siguiente:

1.° Los socios que integran la Sociedad son: don Cecilio Rubes Jurado, con domicilio y residencia en esta capital; don Bartolomé Alegre González, con domicilio y residencia en esta capital, y don León Valdés Beltrán, igualmente residente y domiciliado en esta capital, todos mayores de edad, y con pleno uso de sus derechos civiles.

2.° La nueva Sociedad girará comercialmente bajo la razón social: «Rubes, Valdés y Compañía, S. R. C.», para todos sus efectos de inscripción industrial, marcas comerciales, correspondencia y servicios telegráficos y telefónicos.

3.° La gestión de los negocios correrá a cargo de los señores socios don Cecilio Rubes Jurado y don Bartolomé Alegre

González, bien entendido que alternarán semestralmente para el más equitativo reparto del trabajo.

4.º El socio don Cecilio Rubes Jurado contribuye al haber social con la cantidad de 100.000 pesetas, en efectivo; el socio don Bartolomé Alegre González, con la cantidad de 75.000 pesetas, también en efectivo, y el socio don León Valdés Beltrán, con la cantidad de 75.000 pesetas igualmente en efectivo, de lo que resulta que el capital social asciende a la cantidad de 250.000 pesetas, que se dedicarán íntegras a la explotación de la patente de invención «Bañeras Rubes», inscritas debidamente en el Registro de la Propiedad Industrial.

5.º La Sociedad tendrá una duración obligatoria de cinco años y al finalizar los mismos y después de efectuado el balance, los socios acordarán por mayoría de votos la disolución o, por el contrario, la prórroga del contrato por igual período de tiempo y así sucesivamente.

6.º Cada uno de los socios podrá retirar del haber social la cantidad de 6.000 pesetas anuales para sus gastos particulares y familiares.

7.º La distribución de los beneficios y pérdidas se efectuará anualmente y en la proporción correspondiente al capital aportado por cada uno de los socios, teniendo derecho los gestores, don Cecilio Rubes Jurado y don Bartolomé Alegre González, en concepto de gratificación, a un diez por ciento de los beneficios sociales.

8.º Cuando surgiere alguna discusión o desavenencia de carácter comercial entre dos socios, éstos renuncian de antemano a toda intervención judicial y someten sus diferencias al fallo de amigables componedores que serán elegidos a sorteo entre nueve comerciantes de la localidad señalados previamente tres por cada socio.

Y para que así conste, se firma la presente escritura pública en el lugar y fecha indicados al principio, de la que doy fe como Notario de este Ilustre Colegio Notarial.»

Cecilio Rubes experimentó una sensación extraña al estampar su firma en el pliego que el notario le tendía; era algo así como si, de pronto, el corazón se le desplomase en un abismo sin fondo. Por la mañana, le habían retratado frente a la librería del salón y se encontraba tranquilo, con una tranquilidad que provenía de una orgullosa conciencia de su propio valor, mas ahora, las rodillas le fallaban y sentía, como latidos, el paso de la sangre por las sienes.

—Bien —dijo a Valdés y a Bartolomé Alegre al salir—, esto está en marcha. Creo que lo más oportuno es celebrar nuestra unión con unas copas.

La idea de una bañera que rompiera con los moldes clásicos, nació en Cecilio Rubes mientras se bañaba en su domicilio la mañana que Sisí hizo su Primera Comunión. Entonces comprendió Cecilio Rubes que la bañera de un solo plano era inapropiada e incómoda para seres que, como él, habían rebasado la cuarentena; es decir, para aquellas personas de escasa elasticidad para quienes constituía un problema alcanzarse los pies con las manos. Cecilio Rubes suponía que estas personas eran la mayoría y, mentalmente, decidió desarrollar aquella idea en germen de la bañera de dos planos que le asaltara, como todos los grandes descubrimientos, de un modo completamente casual. Ello satisfacía, además, el constante espíritu de innovación que desde niño tenía agarrado, aunque se mostrase tan sólo de una manera intermitente, a Cecilio Rubes. Por añadidura, Rubes, en los últimos tiempos, pensaba que ahora que tenía un hijo debía forzar hasta el máximo las posibilidades de su negocio. A menudo se decía: «No puedo dejar a mi hijo hecho un ganapán. Hay que derivar, ampliar, hacer algo». De pronto, el modelo de bañera de su invención venía a resolver todas sus dudas.

No fue cosa de un día perfilar las condiciones del nuevo tipo de bañera. Había que armonizar la comodidad con la estética; lograr un modelo confortable dentro de una línea airosa y proporcionada. Cecilio Rubes realizó esta temporada sus primeros pinitos de dibujante. Con el lápiz era tardo, premioso y desangelado. Sus creaciones adolecían de agarrotamiento y falta de espontaneidad. Sin embargo, Rubes pretendía únicamente perfilar los rasgos del nuevo modelo, expresar sus esenciales características, aún de una manera tosca, para, luego, ponerse en manos de un dibujante profesional. Cecilio Rubes mordía la parte posterior del lapicero y meditaba. Adela decía: «¿Qué te sucede esta temporada, Cecil?» «Ah —decía él—, no me molestes, querida. Estoy con mis cosas». Al cabo de un mes de reflexión, Rubes tuvo perfilado, en líneas generales, el tipo de bañera de su invención. Las características, en principio, eran las siguientes:

Un metro setenta de eslora en la base (dos en la parte alta); setenta centímetros de manga y ochenta de puntal. Luego, una diferencia de quince centímetros entre el plano que servía para las piernas y el utilizado de asiento y, por último, un respaldo ordenado en ángulo diedro de ciento quince grados con el plano-asiento. (Más tarde Cecilio, aconsejado por León Valdés, que no vaciló en asociarse con él para explotar la patente, modificó la inclinación del plano-respaldo, fijándola en ciento veinte grados con referencia al plano-base).

Al presentarle a Adela el nuevo tipo de bañera concebido por él y fielmente interpretado por un dibujante profesional, su mujer reveló una agradable sorpresa: «¡Querido, qué reservado te lo tenías!», dijo. «¿Te gusta?», preguntó Rubes. «¡Oh, la bañera es bonita y parece cómoda! Te harás famoso, Cecil». Más tarde, cuando le mostró la fotografía en los periódicos junto al diseño de la «bañera Rubes», Adela sintió que su vanidad se empinaba hasta extremos que nunca pudo sospechar.

En la parte trasera del Establecimiento, Cecilio Rubes montó el taller de la nueva empresa. Fue una temporada de trabajo concienzudo y hubieron de buscarse materias primas, abastecedores y un personal competente. El problema del hijo del contable dejó de ser problema con esta nueva perspectiva del negocio. La Sociedad era cosa distinta del Establecimiento y precisaba de una administración autónoma.

La idea del reclamo publicitario surgió en Cecilio Rubes el mismo día que firmaron la escritura y se encontraron juntos los tres socios capitalistas ante sus copas respectivas. Comprendió, entonces, Cecilio Rubes que eso de que el alcohol estimulaba sus dotes de invención no era, como a veces pensaba, una pura chufla. Dijo Cecilio Rubes, después de vaciar la quinta copa:

—Bien, lo que ahora precisamos es mover el negocio, darle vuelos, interesar en el nuevo tipo de bañera a toda la nación. Bueno, estimo que es menester remover todos nuestros recursos de iniciativa en cuanto a propaganda se refiere.

Apuntó Alegre, que era un hombre altísimo, calvo y desgarbado:

—A mi entender la Prensa es más eficaz que el cinematógrafo.

Dijo León Valdés:

—Debemos coordinar ambos procedimientos. De ordinario, el cinematógrafo lo frecuenta la gente joven y el diario lo lee a fondo la gente madura. Hay que buscar el medio de interesar a todos en esta innovación.

León Valdés levantaba su cara de pájaro y su redondo y pequeño ojo negro, que era como un padrenuestro del rosario, buscaba en sus interlocutores un síntoma de aprobación. Cecilio Rubes se infló. Dijo:

—No es eso. Bien, entiendo que el problema no está en «el dónde» debe hacerse la propaganda, tanto como en «el cómo» debe hacerse la propaganda. Bueno, ahora pensaba yo en la posibilidad de interesar a la generalidad de las personas en una especie... bien, una especie de concurso, instituyendo un premio para aquella frase publicitaria que... bueno, que un jurado adecuado y solvente, considerase como la más ingeniosa y eficaz. Bueno, este concurso bien dotado, difundido por la Prensa podría interesar a los sectores que utilizan el baño tanto como a los que no lo utilizan. Lo importante es remover la opinión de arriba abajo y levantar una especie de fiebre colectiva en torno a la «bañera Rubes». Las frases seleccionadas podrían publicarse, y bien, solamente eso, bueno, junto a las peripecias del fallo y el fallo mismo, moverían el interés de la nación.

Cecilio Rubes respiró prolongadamente después de su discurso. No le sorprendió hallar en sus amigos una entusiasta unanimidad. Cecilio Rubes pagó las copas, se pasó meticulosamente los dedos por las solapas del abrigo sacudiendo un polvo invisible y salió a la calle canturreando en medio de sus consocios.

La viuda de Rubes llevaba dos meses postrada en cama y sin esperanzas. Tan sólo Cecilio Rubes alimentaba una infundada seguridad en que la vitalidad de su madre era un algo imperecedero. Verla en la cama no significaba para él más que una nueva fase de su existencia. Jamás a Cecilio Rubes se le ocurrió pensar que su madre pudiera estar sujeta, como los demás seres, a la inexorable ley de la vida y la muerte. La cama era, para él, la base del placer y del descanso. Su madre, a su edad y en su circunstancia personal, no buscaba en la cama el placer, luego buscaba el descanso.

No pasaba día sin que Cecilio Rubes hiciera una visita a su madre. Y no se imponía este deber forzado su voluntad, sino que lo llevaba a efecto con la misma meticulosidad y normal satisfacción y diligencia con que regulaba sus horas de oficina. Cecilio Rubes, a pesar de su aparente independencia, estaba sólidamente vinculado a su madre. Le agradaba someter a ella todos sus problemas. Le agradaba la manera franca y áspera con que la viuda de Rubes afrontaba las cosas, y le agradaba, en fin, por una vez en la vida, verse sometido, dominado, encarrilado, censurado o confortado. Su madre era la única persona en el mundo que gozaba de cierta ascendencia sobre él y a la que Cecilio Rubes concedía el honor de equipararsele.

La besó en la frente. Dijo:

—Bien, mamá, la cosa está en marcha. Hoy legalizamos la situación de la Sociedad. Bueno, la «bañera Rubes» es ya un hecho.

Su madre se quejó. Viendo su enorme cabeza emergiendo de los encajes y bordados de la colcha y considerando el liviano bulto que su cuerpo levantaba en la ropa, uno pensaba, sin querer, en una enorme calabaza pinchada en un palo. Dijo la viuda de Rubes:

—¿Qué dice la monja boba de tu mujer? ¿Cómo no viene?

—Bien, dice que seré famoso — dijo Rubes.

—¿También le pica a ella la vanidad?

— ¿A quién no, mamá?

Cecilio Rubes se sentó en una silla a la cabecera del lecho. Dijo:

—He estado reunido con Alegre y Valdés. Bueno. He lanzado una sugerencia que les ha gustado con vistas a la difusión de mi bañera. Organizaremos un concurso sobre frases publicitarias. Bien, la triunfadora nos servirá de «slogan» propagandístico.

Advirtió Cecilio Rubes que su madre no estaba en lo que decía. Lo advirtió en la manera de mirarle y en la forma de depositar sus afiladas manos sobre el embozo. Dijo la viuda de Rubes:

—¿Sabes ya lo de Tomás?

—¿Qué?

—Se casa con una enfermera del hospital.

—¿Qué dices?

—¿Qué ves de particular en ello? Los hombres a esa edad se casan con una prostituta o con la cocinera. Al fin y al cabo, él no ha caído tan bajo — dijo la viuda de Rubes.

—¿Estuvo aquí?

—Viene todas las mañanas. Hoy me lo dijo y me preguntó mi opinión.

—Le dirías... — intervino Rubes.

—Le dije lo que pienso, ni más ni menos. Le dije que me parecía bien y que aplaudía su determinación.

—¡Mamá!

—¿Qué quieres? ¿Puedes tú encontrar una cosa más acorde que un matrimonio entre un médico y una enfermera?

—Bien; tú no pensabas así... cuando yo... cuando yo...

—¿Qué puntos de contacto existían entre tú, un hombre educado y de posición económica, con la sandia de tu mujer? Tomás encontrará en esa muchacha una colaboradora y tendrá de qué hablar con ella cuando la luna de miel entre en su cuarto menguante. Me comprendes, ¿no?

Cecilio Rubes estaba sorprendido; más bien fingía sorpresa para no defraudar a su madre. Pensó: «Deberé anunciar el concurso en la mayor parte de los periódicos del país. Ello es una siembra. Luego vendrá la recolección». Un rincón de su conciencia le frenó: «¿Y las heladas tardías?» Él decidió: «El que no se arriesga no pasa la mar». Dijo:

—Me dejas de una pieza con lo de Tomás. Con toda su simpatía siempre fue un individuo extraño. Recuerdo que en el colegio decía: «Yo no me casaré nunca si ello me obliga a abandonar a mis padres».

—¿Y eso te parece extraño? — preguntó.

Cecilio pensaba: «Con la frase en mi poder vendrá la segunda parte: Propaganda activa». Respondió:

—Entendámonos, mamá. La vida tiene ciertas leyes y ciertas exigencias. El hombre en plena sazón busca su propia mujer y su propio hogar. Bien. Ello no implica desapego o desprecio hacia los padres.

—Es curioso, ¿y cuál crees tú que es el punto de sazón de un hombre, Cecilio?

—Ah, bien, bueno... mamá, ¡me quieres encerrar!, ¿no es así? Bien... Un hombre está en sazón... a punto de sazón... cuando su capacidad de amar... se encuentra... bien, se encuentra en su apogeo, eso es — respondió Rubes.

Dijo su madre:

—¿A qué amor te refieres?

Cecilio Rubes se puso encarnado. Se incorporó. Se azoraba pocas veces —únicamente ante su madre—, pero en esos casos tenía que moverse, actuar, para amortiguar su confusión.

—Bien, mamá —dijo—. Me voy. Esta conversación requiere tiempo y calma. — Trataba de sonreír y parecía un conejo —. Tú hubieras hecho un magnífico abogado, te lo aseguro, mamá. Bien, lo siento, pero es la hora de comer.

Sisí saltó a su cuello al llegar a casa, mas hoy Cecilio no le hizo demasiado caso, necesitaba una persona reflexiva, razonable, con quien discutir las nuevas perspectivas del negocio; una persona que supiera medir las dimensiones de su iniciativa y halagar su vanidad. Dijo, sin embargo, como de paso:

—¿Qué tal la señorita Matilde?

—Papá, ya sé sumar y restar.

Cecilio dijo:

—¡Adela, Adela! ¿Dónde está tu madre?

Adela salía del cuarto de baño:

—¡Hola, querido! ¿Sabes ya lo de Tomás?

—Bien —dijo Rubes, alicortado—. ¿Se puede encontrar algo más acorde que un matrimonio entre un médico y una enfermera? —Hizo una leve pausa; luego añadió, sonriendo—: Bien. Estuve con Alegre y Valdés, ¿sabes, querida? La sociedad tiene ya forma legal y...

Dijo Adela:

—Por lo visto es la enfermera que le ayuda en todas sus intervenciones. ¿Quién lo iba a suponer?

Recorrió las piernas de Cecilio Rubes un hormiguillo electrizado. Sentía unas ganas atroces de destaparse, como si una extraña fuerza expansiva se comprimiese en su interior. Por hacer algo, extrajo del bolsillo del chaleco su grueso reloj de oro y levantó la cubierta:

—¡Las dos y media! —vociferó—. ¿Es que no te parece una hora razonable de almorzar, querida?

En los primeros meses del año 1928 la ciudad entera vibró de norte a sur y de este a oeste con el anuncio del concurso: «¿Quiere usted ganar sin esfuerzo cincuenta duros?», que el diario publicaba con asiduidad en una de sus páginas interiores. Durante una semana, el anuncio se insertó igualmente en la Prensa de Madrid, Bilbao, Sevilla y Barcelona. Las bases del concurso «Rubes, Valdés y Compañía, S. R. C.», eran las siguientes:

«La Sociedad Rubes, Valdés y Compañía, convoca un concurso para premiar una frase publicitaria sobre el nuevo modelo de bañera que fabrica esta empresa. Las frases se ajustarán a las siguientes condiciones:

1.° Es preciso que las palabras «bañera» y «Rubes» figuren en ella.

2.° Las frases publicitarias no podrán exceder de quince palabras.

3.° Las frases seleccionadas se publicarán en el diario local, y de entre ellas, un jurado competente elegirá la premiada.

4.° El mismo jurado tendrá en cuenta los motivos de ingenio y persuasión que concurran en ellas para su selección previa e incluso la designación de la definitiva.

5.° Las frases se enviarán al domicilio social de esta Compañía, indicando en el sobre: «Para el concurso de Bañeras Rubes», antes del 1.° de mayo de 1928».

Eran los tiempos en que Cecilio Rubes, pagado en sí mismo, preguntaba a su esposa antes de acostarse: «¿No crees, querida, que el éxito me está volviendo más asociable?», o bien: «La gente pensará que me he envanecido, pero tú sabes que no es cierto, ¿verdad, querida?», o bien: «No creas, querida, que todo el mundo aceptaría su triunfo con la misma sencillez que yo lo acepto». Eran los tiempos en que, cada mañana, el cartero entregaba en el domicilio social un fajo de cartas nunca inferior al centenar y cada carta exhibía en letras bien visibles el motivo a que respondía: «Para el Concurso de «Bañeras Rubes». Entre los tres socios existía esta temporada una alegría comunicativa y explícita. Trabajaban, se reunían, determinaban, enmendaban, sumidos en una actividad continuada y febril, cuyo norte era, invariablemente, la «bañera Rubes». A veces una carta de origen insospechado levantaba en sus pechos una oleada de júbilo. Decía Rubes: «Una carta de Tenerife. Bien, este muchacho por el mero hecho de escribir desde Tenerife ya merece algo.» Decía Alegre: «¿Qué dice?» Decía Rubes: «La frase no es muy redonda que digamos: «Con baños Rubes, el cansancio baja, el optimismo sube.» Intervenía Valdés: «No me parece mal.» Cada carta provocaba un torrente apasionado de comentarios. La selección diaria no era difícil desde el momento que no existía una previa limitación de número. A Cecilio Rubes le costaba eliminar ninguna frase; todas ellas al pronunciar su nombre, ya glorioso, elogiando su invento, comportaban para él un gran valor y, en potencia, la clave de un éxito apoteósico. «Aquí dice: «Rubes bañera, en holgura y comodidad, es la primera.» «Creo que podemos prescindir de ella», decía Valdés. «¡Quiá! No está mal. Es publicable», intervenía Rubes.

Por la mañana, ante el desayuno, Cecilio Rubes se recreaba en la larga lista de frases y aleluyas alusivas que publicaba el diario. Ello, en sí, ya constituía una importante propaganda de su bañera, tanto como de su persona. Una mañana, le dijo a su mujer:

—Con estas frases haré un libro que Sisí conservará, y sus hijos, y los hijos de sus hijos. Creo que ello les animará... bien, a recordar a su abuelo Cecilio con un poquito de orgullo.

Dijo Adela:

—¿De veras crees, Cecil, que tu hijo es capaz de conservar nada que merezca la pena?

Dijo Cecilio:

—Mira, esta frase tiene fuerza; es una pena que resulte tan macabra: «La bañera Rubes es el ataúd donde definitivamente se entierran la suciedad y la fatiga.»

El 15 de mayo de 1928 comenzó la labor de selección definitiva. Rubes, Valdés y Alegre se reunían cada tarde en la oficina de la sociedad. Las recomendaciones constituían el principal obstáculo de sus deliberaciones. Una tarde Cecilio Rubes afrontó valientemente la situación:

—Bien, si nuestro concurso ha de rematarse con eficacia, hemos de resolver con absoluta independencia. Esa es mi opinión.

Bartolomé Alegre se puso inmediatamente de su parte. Valdés vacilaba. Dijo:

—Hay compromisos que no se pueden eludir.

Los tres hombres, arrellanados en sendos sillones, en mangas de camisa y con las corbatas flojas, fumaban cigarrillos turcos y deliberaban. Hubo una serie de votaciones sucesivas a fin de eliminar el mayor número posible de frases. Finalmente, cada jurado optó, en forma definitiva por su favorita. Dijo León Valdés:

—De acuerdo. Yo me quedo con esta: «Un baño en bañera Rubes da la gracia de un querube».

Preguntó maliciosamente Cecilio:

—¿No es esa la frase que recomienda nuestro respetado ex alcalde?

Valdés dio una chupada intensa a su cigarrillo y no respondió. Había en la estancia una espesa atmósfera de humo y el suelo estaba cubierto de sobres y papeles. Dijo Bartolomé Alegre:

—Decididamente la mía es esa que dice: «La bañera Rubes es el ataúd donde definitivamente se entierran la suciedad y la fatiga».

Intervino Rubes:

—La frase es acertada si no resultase de un impresionismo demasiado fúnebre. ¿Quién va a zambullirse tranquilo en nuestras bañeras si piensa que se introduce en un ataúd?

—Estoy de acuerdo —dijo León Valdés clavando en Alegre sus ojos como abalorios.

Añadió Rubes:

—La mejor a mi juicio es ésta: «Señora: El mejor perfume, un baño en bañera Rubes». Bien. Eliminemos una por votación.

A Bartolomé Alegre le dolió ver cómo León Valdés tiraba contra la frase seleccionada por él. La frase del «ataúd» quedó excluída por dos votos contra uno. A renglón seguido la frase recomendada por el ex alcalde fue eliminada por el mismo número de votos. Alegre pensó: «Toma, tú lo has buscado.» Rubes respiraba satisfacción:

—De modo —dijo con voz llena y levemente emocionada— que la frase elegida por el jurado es ésta: «Señora: El mejor perfume, un baño en bañera Rubes», que corresponde a don Orestes Gómez, de Madrid.

Dijo Alegre:

—Me duele que todos los premios se queden en Madrid. Parece que los de provincias somos poco menos que tontos.

Pero no tenía ningún recurso para alterar aquello y Rubes dijo:

—La elección se ha hecho libremente y es, por tanto, definitiva.

El diario publicó al día siguiente el fallo del jurado y con esta postrera determinación la ciudad volvió a su curso normal un poco desilusionada. Cecilio Rubes decidió aprovechar el momento de apasionada euforia que el concurso había levantado. Consultó, primero, con Alegre y Valdés y, luego, con Méndez, Valentín y Jacobo, sobre la manera de difundir las bañeras a caballo de la frase premiada. Alegre era partidario de la bañera y la frase, escuetas. A Valdés le parecía mejor un dibujo de la bañera y emergiendo de ella un rostro irradiando satisfacción y plenitud de vida. Valentín, ante su hijo, se mostraba parco de palabras y como taciturno. Dijo Méndez, a quien el reciente ascenso inclinaba, con ardiente devoción, hacia la familia Rubes: «La fotografía de su bebé tiene un gran atractivo, señor Rubes.» «Ah, gracias; mi hijo ya no es un bebé para fotografiarlo desnudo» —dijo Cecilio y pensó—: «Meditaré detenidamente sobre ello. Está visto, si yo no resuelvo las cosas no las resuelve nadie.»

En la puerta de la calle, le adelantó Valentín:

—Dispénseme, señor Rubes —dijo.

Cecilio se volvió a él, displicente:

—¿Bien? —inquirió.

—¿Bien? También yo tengo una idea, señor Rubes. No me pareció oportuno exponerla delante del chico, compréndalo.

—¿Bien?

—¿Bien? —dijo el contable—. El anuncio podría ser el dibujo de una bañera-Rubes y de pie, en ella, una señorita desnuda que...

Rubes golpeó el suelo con el bastón:

—Eso es inmoral —dijo, impaciente.

—Inmoral —dijo Valentín—. Déjeme usted terminar, señor Rubes. La señorita debe sujetar una pequeña toalla por dos de sus puntas y la toalla deber ir dispuesta de tal suerte que no se vea nada y se sospeche todo. ¿Me entiende usted, señor Rubes?

Le miraba el viejo con una picardía contagiosa. «Vaya —pensó Rubes—. Eso es otra cosa.» Dijo:

—Pensaré en ello, Valentín. Gracias.

Dos días más tarde el diario publicaba el nuevo y seductor anuncio de las bañeras-Rubes. El dibujante expresó la idea de Valentín con notable fuerza sugeridora. El texto decía: «Los perfumes irritan el cutis». Y debajo de la señorita y la bañera, se leía: «Señora: no hay mejor perfume que un baño en bañeras-Rubes».

En el Club le dijo el magistrado Lozano, aquella tarde, enarbolando el periódico:

—Dígame, Rubes: ¿venden ustedes estas señoritas también o solamente bañeras?

Rubes pensó: «Bien. Es posible que la señorita sea demasiado atractiva.» Chilló, riendo:

—Por ser para usted, le doy las dos cosas y a precios de saldo. ¿Le hace?

Para Sisí, la señorita Matilde fue una innovación atrayente dentro de la holgada monotonía que era su vida. Personalmente, la señorita Matilde no tenía otro atractivo que el de su seriedad pedagógica, tal vez un poco excesivamente desorbitada. La señorita Matilde era maestra, pensaba como maestra, comía como maestra y, por las noches, reposaba también como maestra en un punto de mesura y cuitado envaramiento. La encendía una fiebre exclusivamente didáctica y su aderezo personal iba encaminado a subrayar esta su primordial característica. Usaba gruesas gafas de concha, raya en medio, vestidos amplios de un corte entre extranjero y anticuado, las manos y las orejas desprovistas de todo adorno y cuando se llevaba un buen rato a su lado, uno acababa por darse cuenta de que la señorita Matilde hedía profusa, despiadadamente a jabón y que toda su persona era, en sus modales amanerados y sus remilgos un poco cursis, una pura pastilla de jabón de olor.

A Sisí Rubes no le importaba que la señorita Matilde fuese una mujer seca y desvaída. En principio, ella dio a su vida una dimensión nueva y, como novedad, la aceptó. Le chocaba mucho la manera peculiar con que la señorita Matilde trataba siempre de concentrar su atención. La señorita Matilde decía: «Al grano, Sisí, al grano.» Y a Sisí le asombraba la coincidencia de que la señorita Matilde dijera eso y tuviera, al propio tiempo, un granito cómico e insolente en la punta de la nariz. No le dijo nada, pero Sisí advertía una asombrosa relación entre su estribillo y aquella leve prominencia nasal que remarcaba, con acentuado orgullo, cada movimiento de su mano sobre el tablero, donde dibujaba primorosamente las letras y los números.

A Sisí Rubes le interesó la señorita Matilde desde el primer día. Seguramente este dato constituya la prueba más evidente de su eficacia pedagógica. Sisí reservaba ahora todas sus dudas y problemas para consultárselos a la señorita Matilde a la mañana siguiente. La señorita Matilde respondía a sus preguntas en forma contundente y sin vacilaciones; esto hizo pensar a Sisí Rubes que el conocimiento de la vida y del mundo que su profesora denotaba podría reportarle una provechosa utilidad. Le dijo un día: «¿De dónde vienen los niños, señorita Matilde?» Ella dijo: «De París, naturalmente.» «¿Dónde los fabrican?», prosiguió Sisí. Dijo la señorita Matilde: «En unas fábricas muy grandes y muy complicadas. Luego los embalan en unas cajas llenas de agujeritos para que los niños respiren y los mandan a sus papás.» Prosiguió Sisí: «¿Por qué mi mamá no encarga otro niño?» Añadió la señorita Matilde: «Ya tendrá bastante contigo, digo yo.» De repente, la señorita Matilde levantó su carita anodina con cierto imperio y dijo: «Al grano, Sisí, al grano.»

Siempre, de sus consultas con la señorita Matilde, le quedaba a Sisí Rubes un profundo motivo de meditación, lleno de misterio y alicientes. Movido por la curiosidad que en él despertaba su profesora, Sisí Rubes aprendió a leer, a sumar y a restar. Entonces hizo su Primera Comunión. Al día siguiente, Sisí Rubes preguntó a la señorita Matilde: «¿Por qué mi papá no comulgó ayer conmigo, señorita Matilde?» Dijo ella: «¿Lo sé yo, acaso? Sus motivos tendría.» Y arrugó la frente expresando una vaga contrariedad. «¿Es mi papá malo por eso, señorita Matilde?», insistió Sisí. Dijo la profesora: «¡Calla, criatura! Tus papás son las personas más bondadosas del mundo, ¿no lo comprendes?» Sisí vacilaba. Dijo al cabo: «¿Por qué no comulgó, entonces?» La señorita Matilde atajó: «Al grano, Sisí, al grano.» Y él se fue derecho a mirarle la nariz y a seguir sus evoluciones en el espacio, adecuadas al ritmo y sentido de los rasgos que su pequeña y dura mano trazaba en el tablero.

La señorita Matilde venía cada mañana a las diez y permanecía con Sisí hasta mediodía. Le enseñaba gramática y aritmética. Por las tardes volvía durante hora y media, que dedicaba a la formación cultural —en su más amplio sentido— del pequeñuelo. Cecilio Rubes le había dicho el primer día: «Los ejercicios de la tarde ha de encaminarlos usted a despertar en mi hijo un interés por las cosas del mundo. Entiéndame... bien, no deseo nada en concreto a esa hora, sino simplemente que mi hijo Sisí se acostumbre a pensar y que usted trate de adivinar sus inclinaciones. Bueno, señorita, yo soy de esos hombres convencidos de que muchos talentos se echan a perder por una deficiente orientación. Bien, en realidad, no sé si me explico. Yo querría adivinar en mi hijo su vocación en sus primeras manifestaciones, ¿me comprende usted?» Dijo la señorita Matilde: «Creo que le comprendo perfectamente, señor Rubes.» Dijo Cecilio Rubes: «Esto es. Pongamos por caso que usted advierte en Sisí una marcada disposición para el dibujo, para la música, para la oratoria... Bien, lo que yo quiero es conocer su vocación y fomentársela desde niño. Yo creo que aunque el día de mañana el chico haya de hacer una carrera práctica no ha de estorbarle para nada tener un sentido artístico bien desarrollado. ¿Qué opina usted de ello?»

Cecilio Rubes sentía una suave complacencia charlando con aquella señorita pedagoga sobre el porvenir de Sisí. Se ahuecó de pronto al oírla decir: «A mi entender, señor Rubes, el mundo marcharía mejor si todos los padres pusieran en el porvenir de sus hijos la mitad del interés que usted demuestra. Yo siempre he pensado también que el sentido práctico preponderante en la actividad profesional del hombre moderno debe tener una adecuada contraposición.» Cecilio Rubes dijo, casi sin pensarlo: «Ahí me tiene usted a mí.» Pensó que la señorita pedagoga le echaría un capote, pero como siguiera en silencio y le mirase con expectante atención, Cecilio Rubes se vio abocado a seguir y dijo: «Mis negocios... bien, mis negocios no me impiden tener una sensibilidad especial para... para las zarzuelas.» La señorita Matilde sonrió bondadosamente. Preguntó: «¿Es la zarzuela su violín de Ingres, señor Rubes?» Cecilio no supo qué responder y se echó a reír. «¡Vaya!», dijo luego. Añadió la señorita Matilde: «También mi difunto padre sentía una rara debilidad por la zarzuela.» Dijo Rubes: «¿Es usted huérfana?» La entonada rigidez de la señorita Matilde languideció al declarar: «Desde hace dos años.» Cecilio Rubes se levantó: «Bien, señorita, confío en usted. Tengo grandes esperanzas depositadas en ese chico.»

La señorita Matilde alternaba las tareas de la tarde. Unas veces, las dedicaba a la caligrafía, otras al dibujo, otras a la música —para la que tenía un detestable oído—, otras a explicar a Sisí los acontecimientos más sobresalientes de la historia del mundo, y otras, en fin, a ilustrarle en materia de religión. A Sisí Rubes le ganaba inmediatamente el interés por cualquiera de las actividades que la señorita Matilde señalara. Él veía en su profesora un compendio exuberante de ilustración; un insondable pozo de acontecimientos. Una tarde, a la salida, la señorita Matilde pasó por el Establecimiento.

—Señor Rubes —dijo—. Tengo para usted una grata sorpresa. Creo descubrir en Sisí una acusada disposición para la música. Mejor dicho, no me cabe duda de ello.

Sisí Rubes comenzó a la semana siguiente a dar clases de violín con un individuo sucio y nervioso a quien llamaba ceremoniosamente «señor profesor» porque él se lo indicó así el primer día. El «señor profesor» tenía unas atrabiliarias cejas levantadas y una mirada tan concentrada y poderosa que ante ella, Sisí se veía forzado a recular. Las clases duraron lo que la curiosidad de Sisí en este sentido y a las dos semanas, Cecilio Rubes le dijo al «señor profesor»:

—Bien, lamento mucho nuestra equivocación, señor profesor. El chiquillo no parece muy inclinado, ciertamente, al hermoso arte de la música.

Dijo el señor profesor con una cómica afectación:

—El chiquillo es una perfecta calamidad.

La señorita Matilde le dio una explicación a Cecilio Rubes:

—Sisí tiene curiosidad musical, señor Rubes; eso es indudable. Pero a este niño hay que saber manejarlo.

Un mes más tarde, la señorita Matilde creyó interpretar determinadas manifestaciones de Sisí, así como un elemental dibujo suyo de una corrida de toros, en el sentido de que el pequeño Rubes poseía una connatural inclinación hacia el hermoso arte del dibujo. Se lo comunicó así a su padre en la primera ocasión. Dos días después, Sisí Rubes tenía a su lado al más acreditado profesor de dibujo de la ciudad. Sisí dijo a su padre la noche de su debut:

—Papá, el profesor no me deja pintar caballos, ni vacas, ni ovejas... yo no quiero dibujar.

—Bien, ¿qué pintas, entonces?

—Rayas.

—¿Sólo rayas?

—Muchas rayas.

La señorita Matilde dijo a Cecilio Rubes:

—El niño es dócil con quien se sabe imponer.

Sisí Rubes dejó las clases de dibujo. En Sisí Rubes iba madurando, de nuevo, un anhelo de independencia. Un día preguntó a su profesora: «¿Conoció usted a Nuestro Señor Jesucristo, señorita Matilde?» «¡Por Dios, criatura! ¿Tan vieja me haces?» Insistió Sisí hondamente decepcionado: «¿Y a Colón, señorita Matilde?» «Tampoco, criatura.» Súbitamente la señorita Matilde perdió todo su misterioso interés para él. Sisí Rubes la vio torpe, vacía, humanamente limitada. Experimentó unas vacilantes ganas de llorar. Era como si algo muy preciado para él, se hubiera roto de súbito. Oyó la voz de la señorita Matilde: «Al grano, Sisí, al grano.» Se irritó. No comprendió el por qué, pero de pronto veía a la señorita Matilde tan insignificante y atolondrada como a la propia Elisita Sendín. Tampoco se preocupó de analizar las razones de su cambio de sentimientos. De nuevo le mortificó la voz enfatuada de la señorita Matilde: «Al grano, Sisí, al grano.» Sisí Rubes no supo bien lo que hacía cuando se llevó un dedo a la punta de la nariz y dijo engolando la voz: «Al grano, Sisí, al grano.» Pero sintió que se desahogaba. Dijo la señorita Matilde: «¿Estás tonto, criatura?» Sisí repetía con ademán burlón: «Al grano, Sisí, al grano.» «¿No quieres trabajar?», dijo la profesora. Sisí Rubes se hallaba empapado de la embriaguez de la rebelión: «Al grano, Sisí, al grano», repitió. La señorita Matilde perdió los estribos, sintió una racha de sangre abrasándole las orejas y le dio un coscorrón.

Al regresar del Establecimiento, Cecilio Rubes encontró a Adela levemente alterada. No le preguntó nada, sin embargo, hasta que se vio en la cama, estirado junto a ella y notó sus rodillas contra las suyas. Pasó una mano a su mujer por la cintura. Dijo Adela:

—La señorita Matilde se despidió hoy, Cecil.

—¿Cómo dices?

—Sisí la insultó y ella perdió la serenidad y le pegó.

Saltó en la cama Cecilio Rubes.

—¿Pegó al niño esa pobre desgraciada que no tiene...? — dijo exaltado.

Adela le apaciguó:

—Sisí la insultó primero, Cecil —dijo—. Nuestro hijo está ya en edad de relacionarse con otros niños. El colegio es necesario para él.

Dijo Rubes:

—El colegio, bien. ¿No sabes aún lo que Sisí piensa del colegio?

Ella se aproximó más a él. Notó Cecilio en la oscuridad su blando y frondoso cuerpo como un edredón. Añadió ahogadamente:

—No obstante, haremos otro ensayo, querida, si así lo deseas.

La rodeó con ambos brazos la cintura y la besó en los labios. Adela intentó zafarse inútilmente. Dijo, sofocada:

—¡Bruto, bruto! ¡Por amor de Dios, Cecil, cuándo querrás dejar de comportarte como un chiquillo!

IV

Le dijo Ventura Amo:

—¿Es cierto que tu padre es ese tipo de las bañeras que tiene tantos cuartos?

—Sí — dijo Sisí Rubes.

Ventura Amo puso los ojos en blanco:

—¿Cómo no lo dijiste antes? — inquirió.

—Tú no me lo preguntaste — dijo Sití, balanceando sus piernecitas en el vacío.

A Sisí Rubes, sentado en una papelera de rincón, le halagaba ver al chico de más edad y más fornido de la clase dirigiéndose a él. Todos estimaban y temían a Ventura Amo. Sostener una conversación reservada con él era un privilegio. Y ahora, mientras los demás muchachos correteaban o jugaban a la pelota con los blusones recogidos a la cintura por el gran patio, Ventura Amo se había acercado a él, con su sombrío bozo, y su gran estatura, y su mirada apasionada, y su grave y precoz conocimiento de las cosas.

—Esto no parece divertirte mucho, ¿qué años tienes? — dijo Ventura Amo.

—En mayo haré once.

—Bueno, yo tengo trece; no es mucha la diferencia. Creo que podremos divertirnos juntos. ¿Por qué no me aguardas esta tarde a la salida?

A Sisí Rubes le galopaba el corazón en el pecho. Había oído multitud de comentarios reservados y apasionantes en torno a las hazañas de Ventura Amo y se juzgaba incapaz de compartirlas. Era, ésta, una de las razones que le empujaban a odiar el colegio. Esta, y aquellos conceptos de organización, disciplina y esfuerzo que sus profesores trataban en vano de inculcarle. Su segunda experiencia del colegio no dio mejores resultados que la primera. La mitad del mundo que hasta ahora fuera Sisí Rubes perdía allí todo su valor y toda su razón de ser. Sisí Rubes era, en el Colegio, un número y un blusón más. No sólo dejaba de ser la mitad del mundo, sino que hasta desaparecían aquí los atributos propios de la persona como tal individualidad. Le parecían injustos la tiranía del profesor, el horario de clases y el plan de asignaturas. Y el ambiente del colegio, en las clases y en el rosario de la tarde, y en los recreos, se le hacía tremendamente helado e inhóspito. El colegio, en suma, iba contra naturaleza según las elementales conclusiones que Sisí Rubes podía deducir de su corta semana de asistencia. No creyó encontrar nada en él y secretamente pensaba: «Me gustaría ser amigo de Ventura Amo.» Este afán era lo único que le sostenía. Por eso tembló cuando vio a Ventura Amo acercársele en el recreo de la tarde y volvió a temblar cuando al colgar los blusones para salir a la calle, Ventura le susurró al oído: «Espérame.» Sisí dijo: «Viene la criada a buscarme.» Le encendió la sangre la rápida conclusión de Ventura Amo: «Mejor. La torearemos», dijo.

En la puerta Sisí vio a Mercedes y Ventura Amo le dijo misteriosamente: «Ponte detrás de mí». Salió, cubriéndose con su amigo, y ya en la calle echaron a correr. En la esquina aminoraron el paso. Dijo Ventura Amo:

—¿Has andado poco solo por la calle ¿no es cierto?

Admitió Sisí:

—Nunca.

Le fascinaba de pronto esta posibilidad de disponer de su cuerpo, del espacio y del tiempo libremente. Dijo Ventura Amo.

—Mira, si no te importa, arrímate a mí; yo te enseñaré a vivir.

Los ojos azules de Sisí Rubes brillaban en la obscuridad como los de los gatos. Temblaba de impaciencia. Añadió Ventura Amo:

—Para empezar, ¿tienes una hermana?

—Soy solo — dijo Sisí.

Ventura Amo hizo un gesto de decepción:

—Lo siento — dijo —. Me gustaría una hermana tuya.

Sisí lo miró patéticamente, sin comprenderlo.

Dijo Ventura:

—Cruza, vamos al parque.

—¿Al parque, de noche? — dijo Sisí.

—Aguarda y nos reiremos un rato.

Ya en el parque atravesaron un macizo y Sisí tuvo la primera sensación placentera de atropellar una disposición dictada por una autoridad superior a la de su madre. Ventura Amo le recomendaba cautela con ademanes muy vivos. Se acurrucaron detrás de un seto. La sangre se le alborotaba a Sisí en las venas. Le acuciaba la anhelante ansiedad de lo imprevisto.

Cuando sus ojos se acostumbraron a la obscuridad divisó a un hombre y a una mujer sentados en un banco. Distinguió cómo se besaban con una voracidad absorbente. Dijo al oído de su amigo: «¿Por qué se besan así?» «¡Chist» —dijo Ventura mientras arrojaba a la pareja una piedrecita. Entonces vio a Ventura que se reía de una manera rara y le vinieron a él unas ansias enormes de reír así también. Hizo un ruido extraño al reprimir la risa y el hombre del banco se levantó, sorprendido.

—¿Quién anda ahí? —dijo.

Sisí rompió a reír. Ventura Amo chilló:

—¡Déjame un poco!

Echó a correr a través del macizo y Sisí le seguía. Corría tanto y con tanto temor que le parecía que sus piernas se movían mecánicamente.

Ventura dijo: «¡El guarda!» A Sisí le latía como un animalillo la fiebre en el pecho. Intensificó cuanto pudo su carrera y cuando se detuvieron le dijo Ventura Amo:

—Corres bien.

A Sisí se le antojaba todo un sueño maravilloso. Preguntó:

—Dime, Ventura, ¿por qué se besan así?

Ventura Amo adoptaba un aire de infalibilidad al informarle:

—El beso no sabe a nada si no se pega diente con diente —dijo.

Sisí Rubes veía en su nuevo amigo un mundo atrayente, lleno de incentivo y misterio. Le miraba arrobado. Dijo:

—¿Es que los besos saben a algo?

Ventura Amo le observó de una manera que hizo que Sisí Rubes se viera ridículamente pequeño.

—Ya verás cuando tengas mis años —dijo Ventura entornando los ojos. Luego añadió, sacando un pequeño papel: —¿Quieres fumar?

—¡Oh! ¿Fumas? —dijo Sisí.

—¿Qué hacer, si no?

Lió expertamente un pitillo y dijo:

—Prueba a ver si te gusta.

Sisí chupó, tosió y escupió, todo simultáneamente:

—Sabe a rayos — dijo.

Ventura lo aspiró con delectación. Dijo:

—Yo ya no sabría privarme del tabaco. Para mí este vicio es más fuerte que las mujeres.

—¿Qué mujeres?

Sisí volvió a encontrarse diminuto y enteramente innocuo.

—¿Dónde viviste hasta hoy? — dijo Ventura.

Atravesaban una calle con los escaparates iluminados. Dijo Ventura, deteniéndose:

—Ya me gustaría una pitillera como esa.

Sisí dijo con voz quebrada, impresionado de poder corresponder con algo a quien tan desinteresadamente le daba todo:

—Yo te la regalaré.

—¿De veras?

—De veras. Tengo dinero.

Un poco más allá, Ventura Amo sintió la apremiante necesidad de otra aventura y pulsó todos los timbres de una casa de vecindad. Sisí se vio de nuevo corriendo por el empedrado, con los cabellos al viento y las mejillas encendidas de placer. Se hubiera puesto de rodillas ante Ventura Amo y le hubiera hecho reverencias. ¿Qué clase de seres eran sus padres que le ocultaron hasta hoy este mundo maravilloso? Una embriaguez extraña activaba su organismo; sentía un vivo deseo de coger, romper, deshacer entre sus pequeñas y fuertes manos. La ciudad, que hasta hoy se le antojase una inmensidad, sin concreción posible en sus límites, se le hacía, de pronto, algo manejable, que podía domeñar como un juguete; algo que no bastaba para contener su exuberante vitalidad.

Oyó a Ventura Amo que decía algo, pero no le escuchó; le invadía la euforia de la libertad en plena calle. Cuando, al poco rato, le dijo Ventura que eran las nueve, pensó que el tiempo se había desbocado con él. Añadió Ventura Amo:

—Dime, ¿te has divertido?

Sisí abrió mucho los ojos y la boca y levantó los brazos, pero no pudo encontrar una expresión satisfactoria. Dijo Ventura Amo.

—Esto no es nada. Lo pasaremos mejor.

Dijo Sisí:

—Saldremos todos los días, ¿no es cierto?

Al entrar en casa, Sisí Rubes tuvo conciencia de que para

los hombres había dos vidas y la puerta de la calle era la frontera divisoria. De puerta para dentro, era el reinado de los buenos modales, la contención y la hipocresía. La auténtica vida, la única verdad, estaba en la calle. Sisí Rubes se preguntó que es lo que su padre y su madre hacían en la calle. Pulsó el timbre con un incipiente aire de indiferencia. Se sorprendió de ver a su madre llorando. Le abrazó con una violencia inusitada y Sisí se preguntó que es lo que había ocurrido allí durante su ausencia. Dijo Adela:

—Hijo, hijo, ¿por qué has hecho esto conmigo? ¿Dónde has andado?

Sisí se explicó:

—Estuve haciendo los deberes en casa de un amigo. En adelante, no quiero que Mercedes vaya a buscarme. Todos los chicos salen solos del colegio.

—¡Oh, Sisí! Eres aún tan pequeño...

Al acostarse, Adela comunicó a Cecilio Rubes las pretensiones de Sisí. Cecilio Rubes se echó a reír. Dijo:

—Bien, no veo inconveniente en lo que Sisí pide. El chico empieza a pulsar la vida por su propia cuenta. ¿Por qué hemos de avergonzarle delante de los demás?

Por la mañana, Sisí le dijo a su padre:

—Me gusta ir al colegio, papá. Yo quiero aprender cosas nuevas.

Su padre le acarició el cogote. Cecilio Rubes veía a Sisí fuerte y sólido, con energías sobradas para afrontar las dificultades de la vida. Sisí Rubes continuó saliendo cada tarde con Ventura Amo. Al día siguiente le regaló la pitillera y Ventura dijo: «¡Qué grande eres!» Entre ellos se iba anudando una amistad basada en un recíproco interés. Ventura Amo le enseñaba cosas nuevas y fascinadoras cada día. Una tarde le dijo:

—Llámame Ven; los buenos amigos me llaman Ven. Ventura yo no sé si es nombre de hombre o de mujer.

Sisí Rubes se confió:

—Tú llámame Sisí.

Corrían juntos las más increíbles aventuras y Sisí Rubes llegó a adquirir un prestigio en el colegio. Ser el segundo de Ventura Amo, comportaba un honor y una dignidad envidiables. También comportaba determinados riesgos, pero Sisí no los rehuía. Si había de organizarse un tumulto o una huelga de brazos caídos con el hermano Domingo, el más joven de la Comunidad, Sisí Rubes tomaba parte activa en el planteamiento y encabezaba, virilmente, la puesta en práctica. Sisí Rubes se mostraba consecuente en su amistad con Ventura Amo y estaba a su lado en las duras y en las maduras. Junto a Ven, Sisí Rubes sentía como su cuerpo y su alma iban tallándose de acuerdo con las más estrictas normas de la virilidad.

En una ocasión, correteando por las calles, Sisí se echó a reír y dijo, señalando con su dedo a una extraña mujer:

—¡Oh, Ven, mira qué gorda está!

—Está — dijo Ventura Amo, lacónicamente.

—¿Está qué? — preguntó Sisí, que siempre esperaba de su nuevo amigo un descubrimiento sensacional.

—Está preñada; eso quiero decir — dijo Ven.

Sisí Rubes clavó en Ventura Amo su insólita mirada azul:

—¿Qué es preñada? — dijo.

—Que tiene un chico dentro, vaya.

—¿Un chico dentro?

Ventura Amo se cruzó de brazos y le miró con una sombra de enojo.

—¿Es que todavía crees que los niños vienen de París? — dijo.

—¿De dónde, si no?

—Del vientre de su madre.

Sisí Rubes se encontraba violentamente aturdido. Notaba un calor diabólico en las orejas. Intuía que pisaba un límite de madurez:

—Explícame — exigió.

Ventura Amo le explicó. Dijo Sisí Rubes:

—Tengo una vecina que echa un hijo cada año. ¿Cómo es posible?

—El marido será un hombrachón, ¿no es cierto? — inquirió Ventura Amo.

—¡Oh, no! Tiene gafas — dijo Sisí —. Dentro de unos días espera otro.

Dijo Ventura Amo para refrendar sus explicaciones:

—Fíjate en si está gorda y mañana me lo cuentas.

Sisí quiso aquella tarde pasar a casa de los Sendín. Luisito Sendín no le gustaba, porque era demasiado serio y aplicado. Elisita Sendín, con sus coletas y su aire ingenuo, era una niña boba. Ana, Daniel y Rodrigo Sendín eran unos niños empalagosos y cargantes que no hacían más que pelearse y llorar. Dijo Adela: «¿Cómo quieres hoy jugar con los niños de enfrente?» «Me aburro» —dijo Sisí—. Luisito le dijo, al verle: «¿Qué tal en tu colegio?» Le dijo Elisita Sendín: «Las niñas de mi colegio dicen que los niños de tu colegio son unos mal educados». Dijo Rodrigo Sendín: «Mira cómo salto desde esta mesa.» Salió Gloria y Sisí Rubes la miró de refilón: «Dios mío —se dijo—. ¿Cómo no me fijé antes?» Al día siguiente, le dijo a Ven: —«Mi vecina está gorda como una vaca»». Aquella tarde, Ventura Amo le llevó a su casa. A Sisí Rubes le causó una agradable impresión aquel alojamiento descuidado, donde los niños no habían de sujetarse a límites ni trabas. Ven vivía en un barrio apartado, en una casita modesta. El piso estaba lleno de polvo y papeles rotos y cada mueble tenía allí una misión imprescindible. Sisí Rubes no advirtió en casa de su amigo un solo objeto superfluo. «Así debe de ser» —pensó—. Les abrió una ancianita muy arrugada y encorvada y cuyas manos temblaban nerviosamente. Ven dijo al entrar:

—Abuela, un amigo.

La viejecita se llevó la mano a la oreja e hizo un ademán de escuchar un poco tardío, pero Ventura no la hizo caso. Pasaron a un despacho con una mesa de oficina, un sillón y una librería. En la librería había unas botellas. Dijo Sisí:

—¿No hay nadie más que esa vieja?

Dijo Ventura:

—Mi padre es viajante y está siempre fuera. Mi madre murió de la gripe. La abuela es sorda, no te preocupes.

Sisí envidiaba con todo su ser la situación de Ventura Amo. Se le antojaba que una vida así, y no la suya, merecía la pena de ser vivida. Dijo Ven, tomando unas revistas de la librería:

—Atiende.

Las hojeó, deteniéndose en los grabados de mujeres jóvenes. Ante un anuncio de fajas francesas emitió algo así como un gruñido.

—¿Qué pasa? —dijo Sisí, siempre expectante.

—Mira —dijo Ventura.

—¿Qué? —dijo Sisí.

—Vamos ¿es que se te pasea el alma por el cuerpo? ¡Esto es una mujer!

—¿Está? —insinuó Sisí, tímidamente.

Ven se enfureció.

—Está buena. Eso está —dijo Ventura Amo—. ¿Es que en la vida saliste con una chica?

—Nunca —reconoció Sisí.

Ventura Amo le consideró con una lejana compasión:

—Para la primavera —dijo— te llevaré con unas chicas que se dejan besar. Aún eres muy joven.

—¿Sí?

—Sí. Una cosa —dijo Ventura, mirándole fijamente—. Habrás de estirarte el pelo y pasarte la maquinilla todas las semanas. Necesitas un poco de bigote; así no representas.

—¿Sí?

—Sí. Además otra cosa. ¿Quién tiene empeño en tu casa en acicalarte y perfumarte como un marica? Di.

—¿Qué es marica? —dijo Sisí.

—Los tíos que parecen tías.

Sisí Rubes se sintió humillado.

—Mamá me arregla.

—¿Por qué dices «mamá»? —insistió Ven, ganado por un súbito afán de hacer de su amigo Sisí Rubes un hombre nuevo.

—¿Cómo he de decir? —dijo Sisí sumisamente.

—«Madre» decimos los hombres. Tú verás.

Sisí Rubes en manos de Ventura Amo era un algo dúctil y maleable. Comprendía que aún le quedaba mucho terreno que recorrer pero no desesperaba. Interiormente bendecía el día que tropezó con Ven, ya que ello le puso en camino de hacerse un hombre. Le movía hacia su amigo una creciente admiración. En los días siguientes riñó con su madre por cuestión de las ondas del cabello y del perfume. Su madre no transigía y le dijo algo de un extraño afán de «parecerse a los chicos de la calle». Sisí buscó amparo en su padre. «Los chicos del colegio se ríen de mí» —dijo—. Su padre le acarició el cogote. Dijo: «Adela, Adela, querida Adela. ¿Qué mal ves en que nuestro hijo quiera ser un hombre austero?». A Cecilio le hacían gracia las exigencias que Sisí planteaba en lo que él llamaba «su despertar». Sisí Rubes, conseguida esta nueva meta, se dedicó concienzudamente a pasarse de vez en cuando, a hurtadillas, la maquinilla de su padre. Le poseía un ahincado sentimiento de no defraudar a Ven en lo más mínimo. Deseaba ardientemente «representar». Para ello necesitaba disponer de un al menos incipiente bozo en primavera. ¿Con qué cara, si no, iba a presentarse ante las chicas que se dejaban besar?

A veces, tenía la sensación de que andaba pisando una zona prohibida, pero estimaba mucho lo que él llamaba «su hombría» para volverse atrás. Además, Sisí Rubes estaba habituado a no respetar demasiadas prohibiciones, ni obstáculos. La vida le sonrió fácil desde su nacimiento. Empezó a ver en los hermanos Sendín unas criaturas ñoñas e insoportables. En ocasiones se decía, perplejo: «Y pensar que de pequeño me gustaba jugar con ellos». Consideraba su primera infancia una época imbécil, felizmente rebasada. Cuando Daniel Sendín cumplió cinco años y le invitaron sus padres a merendar tuvo un ataque de furia. Hubo de dejar plantado a Ven aquella tarde. Luego, comparando a Ventura Amo con aquellos chiquillos, casi se reía en voz alta, al verlos tan desprovistos de ideas y ambiciones, con sus cabecitas limpias y bien cuidadas. A fin de cuentas, resultó que no lo pasó tan mal y después de merendar, dijo confidencialmente a Elisita Sendín, la pobre tonta de las coletas y los lazos rojos:

—Me cuesta quedarme sin fumar, ¿sabes?

Elisita Sendín se llevó las manos a sus brillantes ojos sorprendidos.

—¡Ah! ¿Fumas? —dijo.

—¿Qué hacer, si no?

Después Sisí Rubes charló confidencialmente con Luisito Sendín. Le dijo:

—Hueles a colonia. ¿Es que te perfumas?

—Sí —reconoció Luisito Sendín.

—Lo siento, pero eres un marica —dijo Sisí.

—¿Qué es marica?

Sisí convino piadosamente:

—Los tíos que parecen tías.

Para Adela no era un secreto el paulatino cambio de Sisí. A veces, de tiempo en tiempo, pensaba que el chico se le escurría de entre los dedos y se estremecía. En vista de la esterilidad y la ineficacia de sus propias razones, apoyaba ahora sus argumentos en Cecilio: «Tu padre» quiere esto; «tu padre» quiere lo otro, le decía a Sisí, pero Sisí, claramente lo advertía ella, tenía desde hacía unos meses, cuerda propia. No era dócil, ni obediente, ni manejable. Adela desesperaba de encontrar ayuda en Cecilio Rubes. Comprendía que Cecilio era otro desde el nacimiento de Sisí y que este hecho la libró a ella de una vida seca y desértica, pero Cecilio se mostraba blando y acomodaticio para las cosas del niño. Respecto a ella,

Cecilio estaba frío esta temporada y sólo semanalmente la exigía como marido y ella lo aceptaba de mala gana. Nunca encontró placer en ello, pero ahora, ya en plena menopausia, se la hacía una demostración baja e indecente. En esos momentos concretos, Adela pensaba que Cecilio estaría mejor encerrado en un manicomio. Mas nada de esto suponía para Adela causa suficiente de depresión. Estos motivos producían en su ánimo desfallecimientos ocasionales e intermitentes, pero, normalmente, Adela no se sentía desgraciada, sino más bien feliz. No pensaba seriamente que Sisí llegara a perderse.

Un día disponiendo la ropa de Sisí encontró unas motas de tabaco en el bolsillo del pantalón. «¡Oh! —se dijo—. ¿Será posible que fume este crío?» Estuvo inquieta y desazonada hasta que llegó Sisí. Al verle dijo:

—Échame el aliento. Anda.

Sisí obedeció.

—¿A qué huele? —dijo ella.

—A menta —dijo Sisí—. He comido una pastilla.

—Bueno, no es a menta a lo que hueles, si lo quieres saber; es a tabaco. «Tu padre» se enfadará cuando lo sepa. ¿Qué clase de hombrecito canijo vas a ser, querido, si te agarras al pitillo desde los once años? ¿No lo comprendes?

Adela turnaba con Sisí procedimientos persuasivos pacíficos y violentos. Con cualquiera de ellos daba en roca; ella lo sabía. A Cecilio Rubes quiso «hablarle seriamente» antes de la cena.

—Querido —dijo—, acabo de descubrir en nuestro hijo lo único que le faltaba. Sisí fuma.

—Bien. ¿Hasta hoy no ha fumado? —dijo Cecilio con insolencia cínica—. Yo empecé a los ocho años, para que lo sepas.

A Adela le aplanaban las contestaciones de su marido. Ella se recreaba en armar castillos y montañas antes de su llegada, para que él, con sólo dos palabras, los destruyese. Sonrió Cecilio tratando de compensarla:

—Bien, recibí en la tienda carta de tu primo Hipólito desde África; ahí la tienes...

Adela jamás recibía cartas. Su familia lejana, desperdigada por toda la geografía peninsular y protectorado, apenas se preocupaba de ella. Sus hermanos la escribían de año en año, desde La Habana, durante las Navidades. Abrió apresurada la carta. Dijo: «¿Cuántos años hace que no viene por aquí Hipo?

Ignora hasta mi domicilio.» Pasó la vista por los renglones desiguales y un poco infantiles y su rostro fue adquiriendo una vivaz animación.

—Vaya, Cecil. Hipo quiere que le destinen aquí cuando ascienda a comandante, ¿sabes? ¡Qué alegría! Todos se fueron. Hipo es el único que vuelve.

Cecilio Rubes se sintió apesadumbrado. Le afectaba íntimamente cuanto se refiriese a la aproximación geográfica de un pariente de su mujer.

—¿Qué quiere? —dijo con acentuado desagrado.

—Pregunta cómo están las cosas aquí. Si hay pisos militares decorosos, la cuestión comida y demás. ¡Qué alegría que Hipo vuelva al cabo de quince años, Cecil!

Adela advirtió la depresión de Cecilio. Pensó: «Oh, lo había olvidado. A Cecilio le gusta verme interesada en las cosas que se trae entre manos.» Dijo:

—¿Hiciste algo de lo tuyo, querido?

Dijo Cecilio Rubes:

—Ya tengo la licencia en el bolsillo. Bien. Esta tarde hablé con un marmolista. Parece que no hay dificultad. Los Rubes tendrán el panteón que merecen. Bueno. Otra cosa... En el Real Club me anuncian un homenaje. —Cecilio Rubes sonreía con una clemencia infinita. Quería aparentar modestia, pero que los demás apreciasen su talento creador. Añadió—: Quieren... quieren. Bien, piensan solicitar para mí la Medalla de la Ciudad. ¿Qué te parece, querida?

Cecilio Rubes se incorporó y miró al grupo entrañable de sus amigos, los concurrentes asiduos al Real Club. Se sentaban todos en torno a una larga mesa y en las copas respectivas se dilataba el champán. Cecilio Rubes se encontraba pesado y ahíto. Pensó: «A mis años un poco de gimnasia abdominal por las mañanas me vendría de perlas... Bien, he de comenzar cuanto antes.» Carraspeó antes de hablar y experimentó algo como un desasosiego al ver todos los ojos clavados en él.

Había preparado concienzudamente este discurso. La primera noche apenas pudo dormir. Pensaba: «¿He de empezar diciendo: «Señores...» o bien «Mis queridos amigos...?» Cuando decidió, le asaltó otra terrible duda: «¿Qué actitud debo adoptar? La modestia se ve con simpatía, pero empequeñece los verdaderos méritos de uno. Bien. La excesiva vanagloria repele. ¿Cómo enfocar mi discurso?» A la tarde siguiente se sentó a su mesa y Adela le dijo al cabo de media hora: «¿Escribes a Hipo, querido?» «Ah, no; en qué cabeza cabe», dijo Cecilio. Dos horas más tarde, dijo Adela: «¿Es que preparas un libro, Cecil?» Dijo él: «Bien, querida, ¿por qué no me dejas en paz?» Tenía la cabeza como llena de agujeros y le costaba un esfuerzo desproporcionado discurrir. Pensó: «No sabré qué decir. Diré: «A todos muchas gracias. Nada más.» Se puso nervioso y salió al balcón a fumar un cigarrillo. Pero todo fue inútil. No llegaba a establecer una correspondencia entre su cerebro, su pluma y la cuartilla. Se dijo: «Es improcedente. Estoy vacío.»

De súbito, mientras se bañaba a la mañana siguiente, le asaltaron cuatro ideas aprovechables. «¡Vaya!», pensó. Se secó, se enfundó en la bata y tomó la pluma. El discurso le salió redondo. Clavó, ahora, su mirada en León Valdés, para concentrarse. Dijo:

—Mis queridos amigos: Nos reunimos hoy en un acto fraternal que tiene la virtud de remover en mí sentimientos puros y encontradas emociones. Bien. Me agasajáis hoy por lo que consideráis un triunfo de uno de vosotros, de uno de vuestros conciudadanos...

El coronel López había dicho al ofrecer el homenaje: «Cecilio Rubes, nuestro querido amigo, es un genuino representante de los valores, de la capacidad de inventiva de la raza. Pero Cecilio Rubes es, además, un caballero en el más amplio y generoso sentido del vocablo.» Añadió Rubes:

—En realidad, yo me pregunto: ¿Qué he hecho? Bien. Mi vanidad me responde: «Has revolucionado la higiene universal.» Mi modestia me dice: «Lo que has hecho no tiene la menor importancia, Rubes.»

Cecilio Rubes pudo captar recientemente la opinión de la ciudad: «La bañera Rubes tiene el inconveniente de que exige más agua que la bañera normal para cubrir el vientre. De ordinario, la gente que en el baño no se alcanza los pies con las manos es gente de vientre sensible a los cambios de temperatura. La bañera Rubes es, pues, inútil y contraproducente porque obliga al usuario a bañarse con faja o a emplear un termo de tamaño desusado.» Se sintió un poco perplejo. Empero tenía el discurso enrollado en el cerebro como el hilo en un carrete. Dijo:

—Entre estos extremos me debato. ¿He conseguido algo útil en lo referente al progreso higiénico mundial? Bien. Sinceramente, creo que sí. Creo que la nueva técnica del aseo, ideada y desarrollada por mí, comporta para una humanidad una inmediata consecuencia práctica: El que la higiene llegue a los viejos. Ahora bien, ¿es proporcionada vuestra demostración de admiración y afecto a mis pequeños méritos? Sinceramente también, creo que no. Vuestra demostración es excesiva.

El banquete fue opíparo y la camaradería efusiva y abierta. Rubes notaba en su hígado, el banquete; la camaradería efusiva y abierta, en el corazón. Ambos estallaban congestionados. Fidel Amos le dijo al llegar: «Querido Cecilín, estábamos en deuda contigo.» Luego, vino un loco deglutir y una conversación llena de aspavientos y exclamaciones. Se habló de mujeres: «Una bonita muchacha y una bañera Rubes. No pido más», dijo el magistrado Lozano en el colmo del entusiasmo. «¡La del anuncio, la del anuncio!», chilló el coronel López. Cecilio Rubes examinó la nariz de Ramón Prado, frente a él, con una suerte de conmovida ternura. Añadió:

—Y creo que vuestra demostración es excesiva porque en este acto, que nunca olvidaré, hay más afecto, más gratitud, más limpieza de corazón, más efusividad, más conmovedora franqueza, que las que merece Cecilio Rubes ni hombre alguno de la Tierra.

Volvió a mirar a Ramón Prado y le sonrió. Ramón Prado le devolvió la sonrisa. Rubes pensó: «Me gustaría que me viese Adela ahora.» Acababa de hacer las paces con Ramón Prado, al cabo de casi diez años, y experimentaba un cálido derramamiento de corazón. Le emocionó enterarse tres días antes de que Ramón Prado era de los que firmaban el homenaje. Al llegar, aquella tarde, Prado dijo, echándose en sus brazos y clavándole su deforme nariz en el hombro: «Querido Cecilio, creo que «aquello» debemos olvidarlo de una vez. Mi hermano tenía la gripe entonces y yo me hallaba excitado.» Cecilio le estrechó en sus brazos. Cerraba y abría ardientemente los ojos buscando una lágrima. «Bien —dijo—. Yo tenía el convencimiento de que con más higiene la epidemia no se habría producido.» Ahora miraba la nariz de su amigo Ramón Prado y sonreía. Añadió:

—Por todo ello, mis queridos amigos, me encuentro emocionado. Mi limitación impide a mi cerebro y a mi lengua expresar cuanto mi corazón siente. Sólo puedo deciros una cosa. Os estoy agradecido; os estoy, sinceramente, profundamente agradecido.

Le aturdió el ruido de los aplausos y los palmetazos en la espalda y la reanudación de la expansiva euforia, reprimida momentáneamente, por respeto a sus palabras. Cecilio Rubes obsequió a sus amigos con unos gruesos cigarros habanos. Inmediatamente, Fidel Amo dio cuenta de haberse enviado una propuesta al municipio solicitando para Cecilio Rubes la Medalla de la Ciudad «en mérito a los servicios prestados por dicho ciudadano a la higiene universal». Rubes dio las gracias y dijo: «La cosa me parece excesiva.» Pensaba: «Soy el único que verdaderamente ha descollado del grupo.»

Entró el conserje y se acercó a él: «Señor Rubes —le dijo con voz temblona al oído—, avisan de casa de su madre que la señora viuda de Rubes se ha agravado.» Cecilio se puso en pie de un salto. Notó un puntazo en el hígado, pero no le prestó atención.

—Bien, señores —dijo—, una cruel novedad. Mi madre se ha agravado súbitamente.

A Cecilio Rubes le agradó la solidaridad de sus compañeros; le agradó sobre todo no sentirse solo en tan difíciles momentos. En la puerta tomó un coche y, advirtió que, a medida que se aproximaba a cada de su madre, la euforia despertada por el banquete se trocaba en una opresiva congoja. Por si esto fuera poco, él se esforzaba en adoptar una expresión de amargura para todos aquellos conocidos que pudieran sorprenderle a través de la ventanilla.

Entró en la habitación de puntillas. Tomás estaba al lado de la enferma. La viuda de Rubes abrió los ojos y Tomás salió. Dijo la viuda de Rubes con muy poca voz:

—Cecilio, esto se acaba.

Cecilio se sentó a su lado. Dijo:

—¡Bien, mamá! ¿Por qué has de ser tan exageradamente aprensiva?

La cabeza de la anciana parecía más grande que nunca. Dijo:

—¿Cuándo te convencerás, borrico, de que alguna vez he de marcharme?

Cecilio Rubes observó la respiración fatigada de la enferma. Apenas tenían fuerza sus pulmones para levantar el peso de la ropa. Le tomó una mano Cecilio y la encontró viscosa y fría.

—¡No, mamá, no! —dijo—. Todavía no.

La enferma cerró los ojos y estuvieron un largo rato en silencio. Le agobiaba a Cecilio la penumbra, los muebles oscuros, la tensión que gravitaba sobre ellos. Dijo la viuda de Rubes, al fin:

—Estrenaré el panteón, Cecilio. No creas que es un honor despreciable. Tuviste una magnífica idea. Dime, hijo, ¿cómo estaba tu padre?

—¿Mi padre? — dijo Cecilio.

—¿No trasvasaste ayer sus restos?

El banquete se le ponía ahora de punta a Rubes en el estómago y la cabeza le daba vueltas. Dijo:

—Bien. Lo mismo podría ser mi padre que otro cualquiera.

Entró la doncella y dijo:

—Señor, está el párroco.

Se inclinó Rubes sobre el rostro de su madre y dijo con voz crispada:

—¡No, mamá, hasta ese punto no!

—Que pase — dijo la anciana.

Rubes salió. En la sala se hallaba Tomás con dos amigas de su madre. Le pareció una eternidad el tiempo que la viuda de Rubes empleaba con el cura. Cuando volvió a su lado la encontró muy agotada. Le dijo:

—Sisí... ¿No puede venir el pequeño Sisí a ver a su abuela?

Cecilio envió recado telefónico a su casa. Debía venir Adela. A Sisí deberían recogerlo a la salida del Colegio. Cecilio Rubes se veía desordenado por una inmensa conmoción interior. Jamás supuso que estos momentos tuvieran una fecha real para ocurrir en su vida. Llegó Adela y le abrazó levemente conmovida. La encontró gorda y dura de cintura, pero desechó este pensamiento por parecerle, ahora, irreverente. Le dijo Adela, con cierta reserva:

—Sisí no quiso venir con Mercedes, querido.

Cecilio se desconcertó.

—¿En qué piensa ese chico? — dijo.

Adela se acercó a su suegra con cierta repugnancia. No sentía simpatías por ella ni ahora, que la veía a punto de salvar la última frontera. Dijo la viuda de Rubes, con una voz sorprendentemente adormecida:

—Ese chico, Sisí... Debes velar por él, Adela.

Adela encontró a su suegra desusadamente blanda. Pensó: «La muerte ablanda las piedras.» Luego, se dijo: «¿Dónde está su cuerpo que no hace bulto en la ropa?» Acercó sus labios al oído de la anciana:

—No te preocupes, mamá.

Poco después, la enferma se despidió de Cecilio y le entregó unos papeles reservados. La viuda de Rubes demostraba una insólita entereza. Dijo: «No pongáis otros féretros encima del mío, Cecilio. Me ahogaría.» Cecilio dijo broncamente: «Te lo prometo, mamá.» Se le afilaban las mejillas a la enferma y adquirían una sobrecogedora lividez de cera. Empero seguía firme. Cecilio pensó: «Es lo mismo que cuando tronaba y yo me refugiaba en ella.» Se encontraba tan pueril e indefenso como entonces y se hubiera arrojado con gusto sobre su pecho y hubiera sollozado hasta vaciarse sobre él. Balbuceó la anciana:

—Sisí... ¿No viene Sisí?... Llegará tarde.

Sisí decía a Ven en ese momento:

—¿Dónde está tu padre?

Dijo Ven:

—Viaja. Cuando yo cumpla quince años viviremos en Madrid.

—¿Te irás?

—Yo quiero irme a Madrid. Allí las fulanas andan sueltas por las calles.

—¿Qué es fulana? —dijo Sisí.

Ven apretó con el tacón la piedra previamente introducida en una bomba de riego y de súbito surgió un surtidor espectacular. Dijo Ven:

—¡Corre! ¡El guardia!

La viuda de Rubes, en tanto, tomó la mano de Cecilio y trató de incorporarse. Su cabezota se derrumbó, de súbito, a plomo sobre la almohada y, entonces, Tomás se acercó a ella, la levantó un párpado y dijo, volviéndose:

—Ha muerto.

A Cecilio Rubes le subió un sollozo, como un rugido, a la garganta. Se veía impotente y cruelmente solo. Por un momento pensó: «¿Por qué no he de morir yo también?» Había perdido su habitual dominio de sí. Los nervios le vencían. No experimentó el menor deseo de abrazar a Adela y, en cambio, pensó en Paulina con una suerte de melancólica añoranza. «Ah, no; eso no está bien», se dijo. Le movía una especie de temor infundado a la muerte. Para él, su madre acababa de abandonar aquella habitación, sin que ni las puertas, ni las ventanas se abriesen. «Sin romperla, ni mancharla», pensó, exactamente. Miró el cuerpo de su madre y se dijo: «Bien. No es ella. ¿Qué tiene de común esta figura con mi madre?» Se encontró débil y salió de la estancia. Adela, detrás, le dijo: «Debes descansar, Cecil. Yo permaneceré aquí.» Dijo Cecilio: «Descansar con mi madre de cuerpo presente... ¿Es esto cuanto se te ocurre, querida?»

Adela se ruborizó. «Al menos cámbiate de ropa, Cecil. Eso te descansará.» Cecilio lo admitió porque necesitaba moverse, hacer algo. Al salir, le dijo Adela: «Mira a ver qué ha sido de Sisí.» «Sisí —se dijo Cecilio. Arrellanado en el asiento posterior del Lincoln, pensó—: Sisí.» Al llegar a casa, su extraño estado de ánimo le llevaba a culpar a Sisí de la muerte de su madre. Lo vio tranquilamente sentado en un sillón, leyendo un libro. Fue a él, arrebatado por una viva excitación. Dijo:

—¿Es así como fuiste a ver a tu abuela?

Dijo Sisí, sin moverse:

—Lo olvidé, papá.

Cecilio Rubes notó en la palma de la mano una neta exigencia. Sin pensar en lo que hacía la levantó y la aplastó estruendosamente contra la mejilla del niño. Inmediatamente se arrepintió, pero le pareció una cobardía volverse atrás. Le asustó ver a Sisí retorciéndose en el sillón y, luego, incorporarse y arrojarle el libro a la cabeza con todas sus fuerzas.

—¡No te acerques! ¡Idiota! ¡No vuelvas a acercarte a mí! —chilló Sisí.

Al cambiarse de ropa, Cecilio Rubes pensó que acababa de cometer una terrible equivocación. Una cosa extraña, como un oleaje, le subía y le bajaba a la garganta. Oía llorar a Sisí, lejos. Entonces le asaltaron también a él unos irreprimibles deseos de llorar. «¡Ah! —pensó—. ¿Por qué estoy solo en una noche tan horrible?» Cambió la cartera de americana y salió. Ante Sisí, vaciló unos momentos. Luego, impulsivamente se arrodilló junto a él y le abrazó. Le hablaba con una calidez casi femenina, desahogándose:

—Bien, hijo mío, tienes que perdonarme, ¿comprendes? Bueno, los nervios... los nervios no me respondieron, ¿sabes? Yo no quise pegarte, Sisí, querido niño mío...

Lloraba sobre él, sobre su indiferencia absoluta, sobre su dolida rigidez. Prosiguió:

—La abuela ha muerto, ¿entiendes, hijo mío? La abuela es mi madre y papá acaba de quedarse sin madre y... bien, me estallaron los nervios y no supe lo que hacía. Bueno, a veces pienso, a veces pienso que si tú...

Volvió a él Sisí su expresión fría y distante. Dijo perentorio:

—¿No mueren todos los viejos? ¿No tenemos que morir todos?

Vibraba un desgarro restallante en su voz y Cecilio Rubes le abrazó y le atrajo hacia sí. Notó que su cuerpecillo se relajaba, se entregaba y se alegró de haber afrontado la situación directamente. Después, cuando se incorporó para salir, se encontró más firme sobre sus piernas. Dijo humildemente: «Luego vendrá mamá, querido. Bien. Yo tengo necesidad de salir.»

V

DECÍA el periódico del 1.° de junio de 1929: «Las elecciones inglesas. El voto femenino da el triunfo a los partidos extremos. Los laboristas formarán gobierno.» También decía el periódico del 1.° de junio de 1929: «Las curaciones del doctor Asuero. El doctor Asuero estuvo ayer en el domicilio de su madre política, la señora viuda de Arcaute. Allí llamó al guardián de la casa, que padece hace muchos años reuma y le dijo: «Ven que te voy a curar.» Efectivamente, con una breve intervención, fue sanado el viejo servidor. A su regreso a San Sebastián, operó a una señora en el Hotel María Cristina, obteniendo la enferma considerable mejoría.» Decía, también, el periódico de 1.° de junio de 1929: «La Exposición de Barcelona. Inauguración del monumento a la Reina. El Rey visita las instalaciones.»

En tercera plana decía el periódico de 1.° de junio de 1929, encerrando los caracteres tipográficos dentro de un pie humano: «Si están sus pies: hinchados, ardientes, cansados, sudorosos, sensibles, doloridos... Si padecen callos, durezas, grietas, ampollas, sabañones, contusiones... Nada encontrará mejor que un baño con Sal-ban. Paquete para un baño, treinta y cinco céntimos. Farmacias y droguerías.» Y, más arriba: «Silencioso como una sombra... Inflexible. Espacioso. Pruebe el nuevo Dodge Brothers, seis.»

Doblando la página, decía el periódico de 1.° de junio de 1929: «Teatro Bretón: Hoy, últimas representaciones a precios populares de la famosísima comedia, en tres actos, original de Pedro Muñoz Seca, «El alfiler», que constituye un verdadero éxito de la compañía Meliá-Cibrián.» «Cinema Montoya: Esta tarde, a las siete y a las diez, «Rin-tin-tín, mandíbulas de acero», interesante cinedrama, marca superdiana, en el que el famoso Rin-tin-tín produce justa admiración por su excelente trabajo.»

También decía el periódico de 1.° de junio de 1929: «Señora: no hay mejor perfume que un baño en bañera Rubes.» Era el pan de cada día, pero Cecilio Rubes lo oía ya como quien oye llover; sabía, además, que para las señoras sí había mejores perfumes que su bañera. Esto era un mal. Era un mal que Cecilio Rubes fuese el primer convencido de la falsedad de su «slogan» publicitario. El negocio de las bañeras no prosperó como él imaginara un año antes; ni como soñaran León Valdés y Bartolomé Alegre. La innovación higiénica despertó una resonancia de relativa curiosidad en el ámbito meramente local. Algunas familias se decidieron a introducir las bañeras Rubes en sus cuartos de aseo e, incluso, algunas casas de nueva planta instalaron los cuartos de baño con la bañera de su invención. Empero, sus deficiencias circularon entre los bañistas domésticos con mayor fuerza persuasiva que su frase de propaganda. La gente decía que en los baños Rubes tenía uno que optar entre enfriarse el vientre o instalar unos termos desproporcionadamente grandes. Ello, que era fundamentalmente cierto, retrajo a la clientela. Rubes lo sabía y como no podía permanecer pasivamente con los brazos cruzados, decidió continuar la venta de bañeras de un solo plano —de las bañeras de tipo clásico— en su Establecimiento. Su actitud motivó el enojo de sus consocios. Rubes no podía hacer la competencia a la Compañía. El Establecimiento «Cecilio Rubes, Materiales higiénicos», el más importante de la ciudad, debía expender solamente baños de los fabricados por «Rubes, Valdés y Cía. S. R. C.». En este sentido se expresaban sus consocios y Cecilio Rubes no tuvo otra salida que plantarse: «Bien —dijo—. ¿Es que ustedes creen que porque la Compañía se hunda ha de hundirse el Establecimiento con ella?» Valdés le hizo ver que si él no vendía bañeras de tipo clásico, la venta de «bañeras Rubes» se incrementaría. Cecilio trató de convencerle de que si él no servía al público la bañera que apetecía, el público se iría a comprar a Madrid o Barcelona con el perjuicio consiguiente para su Establecimiento. Regañaron y Bartolomé Alegre dijo: «La Sociedad ha nacido muerta.» Apuntó Valdés: «Entiendo que en nuestras manos está proporcionarla balones de oxígeno.» Dijo Rubes: «Si los balones de oxígeno que esperas consisten en que yo no venda bañeras de un solo plano estás fresco.» Añadió Valdés: «Ningún socio debe dedicarse particularmente al mismo fin mercantil que la Compañía a que pertenece. Este es un postulado elemental.» Rubes se cargó. Dijo: «El fin social de «Rubes, Valdés y Compañía» es la fabricación de bañeras-Rubes. Mi negocio es exclusivamente de venta de bañeras y no de fabricación. Bien, creo que está claro. Sobre este punto no se hizo en la escritura la menor salvedad.» Valdés pensó llevar la cosa adelante, pero, luego, desistió. No valía la pena enredarse en una cuestión judicial. Transcurridos los cinco años fijados se disolverían y asunto concluido.

Para Cecilio fue aquel un nuevo y sintomático indicio. La Sociedad se desintegraba y él no llegaría, como soñaba, a ser un hombre mundialmente famoso.

Antes de esto sostuvo una larga y espinosa querella con los perfumistas. Hasta ahora la Sociedad no le proporcionaba más que sinsabores y problemas enojosos. Cecilio Rubes no estaba satisfecho; no podía estarlo. Los perfumistas arremetieron cinco meses antes contra su «slogan» publicitario. La Sociedad «Rubes, Valdés y Compañía» venía anunciándose así: «Los perfumes irritan el cutis. Señora, no hay mejor perfume que un baño en «bañera Rubes». Los perfumistas estimaron que la primera parte del anuncio suponía «una competencia desleal que envolviendo una inexactitud notoria —ya que está suficientemente demostrado que los perfumes no irritan el cutis— merma el crédito y perjudica al negocio de perfumería.» Cecilio Rubes recibió un comunicado del Juzgado Municipal en este sentido. Los perfumistas, a lo que era de ver, querían bronca. «Es una insensatez, nada hay de desleal en esta competencia», se dijo Rubes. Los perfumistas solicitaban la supresión de esta frase y Cecilio Rubes se revolvió como un león enjaulado. Pasó a ver a Luis Sendín, que le había llevado con tacto algunos pequeños asuntos, y le expuso la cuestión. Le dijo Sendín:

—No es mucho lo que piden.

—Bien —dijo Rubes—. Eso significa que he de acceder.

Luis Sendín consultó de nuevo la copia de la reclamación que enviaba el Juzgado. Añadió:

—En estos casos, lo grave suele ser la indemnización. Los perfumistas no la reclaman. Se limitan a pedir que cese lo que ellos estiman una «competencia desleal», es decir, que suprimas la primera parte de tu anuncio.

Miró a Cecilio, buscando su aprobación.

—¿Bien? —dijo Rubes.

—Lo más sencillo es darles gusto; máxime cuando ello no lesiona tus intereses. Si la cosa prosperase podría irrogarte un perjuicio económico serio.

Chilló Rubes:

—¡Ceder bobamente siempre lesiona mis intereses!

Valdés y Alegre se mostraron partidarios de los paños calientes. Dijo Valdés, el cojo: «No quiero más líos.» Dijo Alegre: «Estoy de la Sociedad hasta aquí», se señalaba la gran calva, en la punta de su enorme estatura. Cecilio Rubes aceptó, a la fuerza, el acto de conciliación. Acudió al Juzgado con Luis Sendín de «hombre bueno» y aceptó la petición de los perfumistas. En lo sucesivo el anuncio quedaría redactado así: «Señora, no hay mejor perfume que un baño en bañera-Rubes», suprimiendo, en consecuencia, la primera parte que decía: «Los perfumes irritan el cutis.» Concluido el acto, Rubes estrechó las manos de los representantes del gremio de perfumería y, quieras que no, se sintió vejado y deprimido.

En realidad, la Sociedad no le proporcionó hasta el momento más que disgustos. Exceptuando la resonancia del concurso, su fotografía en el «A B C» de Madrid, como información de pago, y el homenaje de sus colejas del Real Club, muy poco había sacado en limpio de la bañera de su invención. Rubes pensaba, a veces: «La verdad es que es de necios tratar de reformar el mundo. Por cada ser inteligente hay más de un millar de burros entre los hombres.» Pero lo que más le dolió fue ver desechada la solicitud de su grupo pidiendo para él la Medalla de la Ciudad. Esto no podría olvidarlo Rubes aunque viviera mil años. A veces, se confesaba: «Es la mayor vejación que puede soportar un hombre.» Lo cierto es que salvo el apoyo de su buen amigo el concejal Rodríguez, la demanda cayó en el vacío en el Municipio. Para algunos, incluso, fue un estupendo motivo de hilaridad. Dijo el teniente alcalde Ruiz Bravo: «Señores, considero un error esta solicitud. Por este camino sería cosa de pensar si merece igualmente la Medalla de la Ciudad el inventor del papel higiénico en rollos.» Dijo el concejal Vedate: «Sería capaz de inventar la bañera-vertical, si el municipio premiaba con tanta largueza una tontería semejante.» El alcalde reconoció «que la Medalla de la Ciudad fue creada con unas miras más altas.» En resumen, la solicitud de los amigos del Real Club fue desechada y Rubes se enteró de las interioridades de la sesión por boca de su amigo Rodríguez. Primero sintió calor y, luego, un frío intenso; primero se puso encarnado y, luego, amarillo. Al fin, vociferó: «¡Cochinos ediles!» Sus ya escasas simpatías por la administración local, sufrieron una nueva merma con este contratiempo y cuando Hipólito, el primo de Adela, llegó de Ceuta y se laɛntó del estado del pavimento en las calles principales de la ciudad, Cecilio se apresuró a declarar:

—Bien. ¿Crees tú que es posible el decoro urbano cuando nuestros ediles tienen los ojos pustos en Madrid? Yo digo: El alcalde debe ser para la ciudad y no la ciudad para el alcalde.

Aparte de este desfogamiento, Cecilio Rubes no experimentó la menor alegría cuando Hipólito descendió del tren, con su camisa azulona, y los puños sucios, y su constitución regordeta, y su franca y agresiva campechanía. Hipólito decía «¡Arrea!» a cada dos por tres, y le presentó a su mujer diciendo: «Mi señora», y tenía los mofletes congestionados como si terminara de salir del pueblo. Los tres chicos parecían tontos y no hacían más que darse con el codo y reírse sin ton ni son. A Cecilio le amargó la excesiva efusividad de Adela hacia su primo. Le besó en la cara y le llamó varias veces «Querido Hipo». A Cecilio le confesaba con frecuencia Adela últimamente: «Oh, Cecil, de niños, Hipo y yo estuvimos muy unidos. Siempre que jugábamos él y yo formábamos una pareja inseparable.» «¿De niños, niños?», inquirió Cecilio un poco escamado. Adela se ruborizó: «Bueno y un poco después.» Aventuró Rubes: «¿Te besó alguna vez tu primo Hipo?» Adela se encontraba molesta: «¡Oh, Cecil, nos besábamos normalmente como hermanos!» «¡Como hermanos!», gruñó Cecilio de mal humor.

Ahora Hipo tomaba a Adela del brazo y Cecilio tenía que atender a su mujer, que era pequeña también y extrañamente estúpida. Le dijo: «¿Tienen cines bonitos aquí?» Más adelante, dijo: «¿Echan películas bonitas aquí?» Cuando iban a entrar en el Lincoln, Hipo se volvió: «¡Arrea! —dijo—. ¡Vaya un automóvil que te gastas, querido primo!» El «querido primo» le sentó a Rubes como un alfilerazo. Sisí decía, un poco apartado, a su primo mayor: «¿Fumas?» «¿Fumas tú?», le dijo el primito levemente espantado. «¿Qué hacer, si no?», dijo Sisí. Ya en el coche, Hipo se ladeaba sobre el trasportín y se limpiaba con un pañuelo el sudor de las manos. A cada momento se agachaba un poco para mirar por la ventanilla. «¡Arrea! —decía—. Esto está completamente cambiado.» Adela sonreía: «No lo conocerás.»

A Cecilio Rubes le mortificaba tener que ser el rodrigón de estos inesperados primos; le mortificaba el evidente afán de Adela por estrechar los lazos familiares. Le había dicho: «Son los únicos parientes que viven a mi lado en mucho tiempo y quiero disfrutarles, Cecil.» Cecilio pensaba: ¡Idiota, idiota! ¿Es posible que con esta gentuza se pueda disfrutar de algo?»

Hipo vio en ellos su tabla de salvación. Conservaba pocos amigos en la ciudad y ninguno, desde luego, podía compararse con sus primos. Cecilio Rubes se acostumbró a encontrarlos en su casa cuando llegaba del Establecimiento. Hipólito sentía una predilección especial por los temas africanos y hablaba con frecuencia de «los moros» y «la guerra». «Allí la vida es distinta», decía. Adela preguntaba ingenuamente: «¿Es cierto que las mujeres se cubren la cara?» «¡Arrea, claro!», decía Hipólito echándose a reir con un confuso gorgoteo gutural. La señora de Hipólito, Ester, sonreía con una sonrisita completamente hueca y convencional. «Yo le diría...», intervenía tímidamente. Hipo estaballa: «Mujer, tutéala. Estamos en familia.» Estas alusiones a la familiaridad estremecían a Cecilio Rubes. En ocasiones, Adela les invitaba a comer y Cecilio no se sentía con fuerzas para oponerse abiertamente. Confiaba en que Adela advirtiera algún día su irritación y se decidiera a prescindir de sus parientes. Mas Adela acostumbraba a lograr sus pequeñas satisfacciones en la vida a contrapelo de su marido. Cecilio no resistía el ruido de Ester al sorber la sopa, o el hecho de que se llevase el pescado a la boca con la paleta en vez de con el tenedor. Estas minucias cobraban en su interior el relieve de cosas trascendentales. En presencia de sus primos por afinidad se encontraba desalentado. Un día le dijo Hipólito:

—Mi querido primo, yo querría asociarme a algún club. Entre la casa y el cuartel y el cuartel y la casa se oxida uno. Echo de menos un poco de vida de relación.

—Bien —dijo Cecilio sobrecogido—, ahí tienes el Círculo...

—El Círculo se me hace demasiado bullanguero. Yo querría algo más recogido y... y más familiar. ¿Qué tal está el Real Club?

Cecilio temblaba visiblemente:

—No te gustaría —dijo, tajante.

—¿Tú crees?

—Es... bien, ¿cómo te diría yo? Bueno, una cosa excesivamente seria.

—Me gusta —dijo Hipo—. Me gustan la seriedad y los buenos modales en los casinos.

—Bien... Te he dicho serio, cuando, en realidad, el Real Club es... bueno, todo lo contrario. ¡Que te diga Adela! Comilonas, juego, vino...

—¡Arrea! —dijo Hipo—. Me estás dando por el gusto, Cecilio. Vino, comida, juego, ¿eh, Ester? —guiñó un ojo a su mujer—. El primo parece que conoce mis debilidades.

Apuntó Cecilio con un hilo de voz:

—Creo que me explico mal... El Real Club es... —buceaba en sí mismo, y miraba a Hipólito, que esperaba anhelante que se explicase—. Es como una gran familia un poco ñoña y un poco aburrida y un poco especial... Bien, un sitio donde el que llega por vez primera se encuentra como gallina en corral ajeno... Esa es la cosa.

—Sigue —dijo Hipólito—. Eso va en temperamentos. Yo no me acoquino ni ante el Padre Santo.

Se limpiaba el sudor de las manos con el pañuelo. Cecilio pensaba: «¿Qué haría yo en el Club con este hombre? ¿Qué pensaría el coronel López? ¿Y Fidel Amo?» Dijo:

—En realidad, es algo caro... Es muy caro, realmente.

—¿Cuánto?

Cecilio Rubes tenía conciencia de que se jugaba la última carta:

—Quinientas la entrada —dijo.

—¡Arrea! —dijo Hipo—. Esto ya me gusta menos.

Cecilio le abrumó:

—La cuota mensual es de diez duros..., bien, más luego alguna comida, homenajes, gastos de juego y demás te suponen la friolera de veinte duros mensuales.

Intervino Ester:

—Eso no es para ti, Hipo.

Cecilio suspiró hondo cuando observó que Hipólito desistía. En lo sucesivo siempre se mostraba en guardia ante su primo. Le temía. Temía su audacia, un poco irresponsable, y su anhelo por hacer de todo y probar de todo en la vida. Le mortificaba cuanto se refería a sus parientes. El hecho de que Adela quisiera meter al pequeño Lito por las narices de Sisí le sacaba de quicio. Ante esto se plantó:

—Querida —le dijo una noche a su mujer—, ya ves que respeto a tus parientes, y... bien, les estimo como tales, pero no me gusta que Sisí intime con ese chico medio moro.

—¿Te refieres a Lito? —dijo Adela.

—Exacto.

—¡Oh, Cecil! ¿Qué niños no tratará Sisí de un tiempo a esta parte? Lito es un niño extraordinariamente dócil.

Lito tenía una cara desagradablemente redonda, una tez

oscura y una mirada negra, evasiva y lánguida. A menudo, su padre le preguntaba: «¿Qué vas a ser?» «Cura», respondía el niño invariablemente. Era su gracia y su padre la celebraba con el gorgoteo gutural acostumbrado en él cuando algo le ocasionaba mucha risa.

—Entiéndeme —añadió Cecilio, conciliador—. No digo que Sisí no se trate con él. Bueno, lo que quiero es que tú no fuerces la cosa para que los niños intimen.

A Sisí, Lito Martínez, su primo, le producía una extraña satisfacción. Sisí le consideraba un niño tonto, pero dotado de unas misteriosas facultades que exacerbaba en él un fondo de sadismo. Le agradaba mortificar a aquel muchachito impasible, de tez cetrina y mirada ingenua, que tenía dos años menos que él. Sisí le proporcionaba humillaciones y sacrificios sin cuento. Decía Lito: «Yo quiero sufrir para ser santo.» Decía Sisí: «Déjate dar dos docenas de pellizcos.» Lito decía: «Venga.» Y Sisí, con una crueldad refinada, iba retorciendo las carnecitas de su primo hasta producirle un amoratamiento en la piel. Un día les sorprendió Ester. Chilló: «¿Qué le haces al niño?» Sisí se estremeció. Abrió los ojos Lito, cuyos párpados se apretaban siempre mientras duraba la tortura. Sonrió con inefable conformidad y sus oscuros ojos llorosos brillaban extrañamente: «Quiero hacer sacrificios —dijo—. Yo se lo pedí.» «Déjate de boberías —dijo Ester—. ¿Estás tonto?» Y miraba a Sisí con horrorizada expresión.

Otras veces, Sisí le llamaba «moro» y «perro judío» a Lito y, ante eso, su primo se enardecía: «¡Soy cristiano! ¡Más cristiano que tú!», voceaba. Y Sisí reía y se lo contaba luego a Ventura Amo. Ventura le preguntaba: «¿Crees tú que tu primo se dejará pinchar?» «Creo que sí», admitía Sisí Rubes. Y un día llevaron a Lito a casa del viajante. «¿Te importaría que te pinchase?», dijo Ven. Lito puso un gesto de heroica resignación. Dijo: «Puedes atravesarme la frente y los carrillos con un alfiler si quieres; y la piel de los brazos también. No sangro.» Soportó sin una queja el suplicio y, al final, sus ojos oscuros tenían una rara chispa de iluminado. Su resistencia al dolor levantaba en el pecho de Ventura Amo una oleada creciente de refinamiento. Al concluir, le dijo, airado: «Eres un perro judío. Sólo un judío puede aguantar lo que tú aguantas.» «¡Soy más cristiano que tú!», chilló Lito, saltándosele las lágrimas y entonces Ventura Amo le dio un coscorrón. «Eso sí puedes hacerlo», advirtió sumisamente Lito.

Sisí Rubes seguía viendo en Ventura Amo el prototipo del hombre perfecto, con un sentido de la vida perfecto también, y con un avispado método para gozar de ella. Se reunían, ahora, a menudo en su casa y Ventura Amo le aleccionaba en los más diversos aspectos. Ventura Amo sentía una notable inclinación hacia las revistas frívolas. Ahora con el dinero de Sisí y con las que el viajante compraba en sus viajes, tenían suficiente entretenimiento para sus horas de ocio. Sisí Rubes advirtió que aquellos dibujos obscenos que en principio no le hacían mella iban moviendo paulatinamente en su carne algo así como un apetito indeterminado; aquellas mujeres provocaban en él una ansiedad semejante a la que le producía la vista del agua cuando tenía sed.

A menudo merodeaban por el parque acechando a las parejas y estos movimientos que, en su origen, constituyeron una pueril distracción, iban levantando en Sisí un extraño sentimiento de envidia. Él, a veces, deseaba estar en el lugar de aquellos hombres y no tirándoles chinitas o riendo veladamente desde detrás del seto.

Los jueves, Sisí aprovechaba las tardes libres para acudir al cinematógrafo con Ventura Amo. Sisí Rubes le invitaba con abierta liberalidad. Consideraba que era ésta una pequeñísima compensación a los desvelos de Ventura hacia él. La primera tarde que asistieron a un cine juntos, al pasar los anuncios del intermedio, Ven le dio con el codo sorprendido. «Mira —dijo— los baños de tu padre. ¿Has visto qué fulana?» Sisí Rubes contemplaba embelesado la grácil figura de la muchacha saliendo del baño y deseó vivamente, ignoraba bien por qué, apartar la inoportuna toalla de un manotazo. Sisí no sabía que su padre, once años atrás, deseó hacer lo mismo con un biombo y lo hizo, al fin. Dijo Ven: «Tu padre debe ser un buen randa, ¿eh?» Sisí rió en voz alta. En realidad desconocía absolutamente qué era lo que su padre hacía una vez que cerraba la puerta de la calle. Sabía que tenía una tienda de baños y una Sociedad, pero ignoraba el tiempo que una y otra le ocupaban. Podía ser, efectivamente, como Ven apuntaba, «un buen randa».

Hasta la última primavera, Cecilio Rubes no consideró a su hijo un ser capaz de razonar y reaccionar inteligentemente ante los avatares de la vida. Lo descubrió una tarde soleada de domingo en que Bernardino los llevó en el automóvil al campo. Los trigos apuntaban y la implacable meseta árida del estío parecía, a la luz tibia de la primavera, un océano de pujante fertilidad. Fue, en esta ocasión, cuando Cecilio Rubes se volvió por vez primera a su hijo y lo vio bajo una luz desconocida:

—Bien —dijo—. ¿Qué querrías ser el día de mañana, Sisí?

Su hijo lo miró y demoró levemente la respuesta. Rubes pensó: «¡Dios mío, este chico razona ya!» Y fue para él un conmovedor descubrimiento. Desde la marcha de Paulina, Rubes se sentía incompleto. Desde la muerte de su madre, solo.

—Me gustaría ser ingeniero —dijo Sisí.

A Sisí Rubes le gustaba ser viajante, pero Sisí Rubes sabía que estas cosas no podían descubrírsele inopinadamente a su padre. Había que fingir y tener tacto.

—¿Te gustan las matemáticas? —dijo Cecilio.

—Ah, no —dijo Sisí, con espontáneo horror.

—¿Entonces?

—Me gustaría tender puentes sin manejar números —añadió Sisí.

Cecilio Rubes se detuvo un momento y hundió la contera del bastón en la ura de un grillo que acababa de refugiarse en ella atemorizado. Dijo, luego:

—Me temo que eso no sea posible. La vida tiene ciertas normas sobre las que uno no puede saltar alegremente. Bien, no sé si será una enormidad más, pero en este país no se puede ser ingeniero sin familiarizarse antes con los números.

Sisí se apresuró:

—Seré otra cosa, entonces —dijo.

Sisí Rubes ocupaba el anteúltimo lugar de la clase. El último era Ventura Amo. Dijo Cecilio Rubes:

—La Medicina no requiere cálculos.

—No me gusta —dijo Sisí.

—¿Y abogado?

—¿Qué es abogado?

—Como el papá de Luisito Sendín —dijo Rubes.

Torció el gesto Sisí.

—Bien —sonrió Rubes—. Creo que aún tienes tiempo de reflexionar sobre ello. Me gustan los muchachos que como tú reflexionan y no resuelven a tontas y a locas.

A partir de esta conversación, Cecilio Rubes creyó adivinar en el pequeño Sisí el primer brote de madurez. Le encontró serio y ponderado. Le gustó por dentro como le había gustado siempre por fuera. Decidió ser el mejor amigo y confidente de su hijo. A Luis Sendín se lo dijo así una tarde:

—Me gustaría que mi hijo no tuviese conmigo ningún reparo. Bien, conocerle a fondo en sus sentimientos y en sus debilidades, eso es lo que quiero decir. Yo aspiro a que mi hijo me confiese tranquilamente el día de mañana: «Papá, he estado con una pécora. ¿Crees que en lo sucesivo debo tomar alguna precaución?» El padre que llegue a basar las relaciones con su hijo en este grado de confianza tiene todo resuelto.

De vez en cuando, se entrevistaba ahora con Sisí y procuraba sondearle, sin herir su susceptibilidad. Mas Sisí Rubes sabía ya que la postura a adoptar en casa era distinta a la que convenía adoptar en la calle. El hombre tenía dos vidas y, en consecuencia, dos caras. Con su padre guardaba siempre una simulada actitud de reserva. Observó que sus padres se mostraban intrigados respecto a sus nuevas relaciones. Adela decía, con frecuencia, a Cecilio:

—Sisí fuma y dice palabras feas y se comporta como un chico de la calle. ¿No crees, Cecil, que tenemos a ese chiquillo demasiado suelto?

Rubes dirigió sus tiros en este sentido. Con delicadeza descendió a las profundidades del alma de Sisí. Le preguntó por su amigo:

—Es un buen chico —dijo Sisí.

—¿Qué es su padre? —preguntó Rubes, como sin darle importancia.

—Viajante.

Rió Rubes, despectivo.

—Bien, Sisí —dijo—. A veces pienso que te encontrarías mejor entre muchachos de tu clase.

—¿Es malo ser viajante? —indagó Sisí.

—¡Ah, bueno! No es que sea malo, hijo mío; me libraré mucho de decir que eso sea malo.

Dijo Sisí:

—Ven es el mejor chico de la clase y me ayuda en mis deberes.

—¿Ah, sí?

—Sí.

—Eso es otra cosa —dijo Rubes.

Con Adela se enfrentó Cecilio a la hora de cenar. Tomó parte decidida por Sisí.

—Es una tontería eso de dejarse llevar por un mal entendido orgullo de casta —dijo—. Bien. El que Sisí tenga un amigo de origen humilde debe servirnos de satisfacción si, como en este caso, bueno, sí, como en este caso, es el muchacho más inteligente del grupo y promete ser algo importante en la vida.

Dijo Adela:

—¿Y por qué se esconden, Cecil, si puede saberse? ¿Por qué no trae Sisí a casa a su amigo y le conocemos y les vigilamos un poco?

Cecilio se lo dijo así a Sisí y Sisí a Ventura Amo:

—Tienes que venir a mi casa —dijo—. Mis padres quieren conocerte. Tendrás que ponerte bien y saludar como es debido.

Ventura se revolvió como si le hubieran dado una bofetada:

—¿Es que te avergüenzas de mí? —dijo—. Yo no me vuelvo marica, aunque tenga que ir a tu casa. Yo soy como soy y si no te gusto te largas. ¿Entiendes?

Ante Adela, Ventura Amo se sintió, empero, un poco cohibido. Adela se encontraba favorecida con el luto y adoptaba unos aires majestuosos. Ello hacía que Ven se sintiera disminuido; ello y los muebles brillantes y macizos, y la coordinación de elementos domésticos, y las frondosas alfombras y los cuadros obscuros de las paredes. Dijo: «¡Hola!», y no volvió a abrir la boca hasta que se vio a solas con Sisí en su cuarto. Dijo allí: «¡Caracoles, vaya casa!» Sisí le mostró sus juguetes y Ventura Amo se arrojó entre ellos con enloquecido interés. Adela los vigilaba por la puerta del falsete. Por la noche, le dijo a Cecilio:

—¡Oh! querido, ese muchacho, Ven, es un auténtico golfillo. Dice: «Caracoles», «no me amueles», «órdiga», «al ojo lo vieras» y unas horribles palabrotas. ¿Qué enseñanzas provechosas puede sacar Sisí de este amigote?

Cecilio sonreía. Dijo:

—¿Qué importa eso, si Sisí aprende a trabajar y a vivir al lado de ese muchacho?

Adela se excitó:

—¿Y eres tú quien se opone a que Sisí intime con su primito Lito?

—Ese chico medio moro es un lelo —dijo Cecilio, arrebatado de sinceridad.

Pero Sisí no hubiera abandonado a Ventura Amo, aunque su padre se lo hubiera exigido. Sisí le dijo a Ven a la tarde siguiente:

—Si mi padre me exige que riña contigo me escaparé de casa, Ven.

—¿Tendrías agallas? —preguntó Ventura abrumado por el arranque de adhesión de su amigo.

—¡Te lo juro como que me llamo Sisí!

Ventura le palmeó la espalda y dijo:

—Eres un hombre. A veces dudo de ti, pero ahora no me cabe duda de que eres un hombre.

Pasaron la tarde en el despacho del viajante viendo revistas. Cuando se cansaron, Ven tomó una de las botellas de la estantería y le dijo a Sisí:

—Tengo sed. Voy a echar un trago.

Trajo dos vasos y Sisí bebió también. Se sentía más hombre, y más fuerte, y más importante, con aquel pesado vaso en la mano. Preguntó: «¿Dónde anda la vieja?» Dijo Ven: «Te digo que es sorda; no te preocupes.» Sisí bebió otra vez y comenzó a notarse absurdamente contento y optimista. Dijo:

—Ya es primavera, Ven. ¿Cuándo salimos con esas chicas que se dejan besar?

Ven vaciló. Dijo, enervado:

—¿Quieres que te sea sincero?

—Sí —respondió Sisí.

Bueno —añadió Ven—. Me parece que con esos jerseicitos de bebé que usas, la Mary se reirá de ti.

Sisí se puso encarnado. Bebió otro vaso y eructó. Luego le asaltó el hipo. Preguntó:

—¿Es mayor esa chica?

—Tiene catorce años —dijo Ven—. Está acostumbrada a chicos como yo, con bigote y chaqueta. No sé si a ti te dejaría que la besaras.

—Me haré una chaqueta de hombre —dijo Sisí, ofendido. Y bebió otra copa.

Empezó a encontrarse distinto. Sus dedos rozaban su cara con una sensibilidad especial. Veía a Ven como algo lejano y le hablaba a gritos. Tenían el balcón abierto y hacía calor. Ven dijo, asomándose:

—Va a tronar.

A Sisí le entró un extraño temblor. Dijo con oscura vehemencia:

—¡No tronará!

—¿Te asustan los truenos? —dijo Ven, intrigado.

—No me asustan los truenos, pero no tronará —insistió tercamente.

Bebió para olvidarse de la posibilidad de los truenos. En

su nebulosa conciencia, Sisí comprendía que necesitaba estar junto a su madre por si la tormenta llegaba. De siempre, los truenos le inspiraron un seco y sobrecogedor respeto. Le parecía, al oírlos, que la tierra se desmoronaba y amenazaba tragarle. Nadie más que su madre, ocultándole en el regazo, servía para neutralizar su pánico. En una ocasión, la tormenta le sorprendió sin su madre y Sisí hubo de refugiarse bajo dos colchones y durante su transcurso no cesó de gritar y llorar como un poseído. Bebió una vez más y dijo:

—He de irme, Ven. Mi... mi madre dijo que no me retrasara.

Ven se acercó a él de un salto. Tenía Sisí la cara desencajada y su pelo rubio revuelto y húmedo de sudor. Dijo Ven:

—No puedes marchar así; estás borracho.

—Me iré —insistió Sisí.

Ven le llevó a un lavabo y le remojó la cabeza con agua fría. Empero, la palidez y el mal semblante no desaparecieron de él. Sisí hipaba con fuerza. Le iba envolviendo un negro y asfixiante terror. Pensó: «¿Me dará tiempo a llegar a casa?» Ven bajó con él. Le parecía a Sisí que pisaba una ciudad desconocida. El suelo se levantaba a su paso y en la primera esquina tropezó y se cayó. Ven se echó a reir. Dijo:

—Estás borracho perdido, Sisí.

Sisí miraba al cielo. Por la parte de poniente los relámpagos cruzaban los tejados de las casas. No tronaba aún, sin embargo. Sentía en sus vísceras el eco del recorrido eléctrico del rayo. Comenzó a cantar para aturdirse. Dijo Ven, tomándole del brazo:

—¡Calla! La gente te mira.

Estalló Sisí:

—¡Oh, pesado! ¿Qué me importa la gente a mí? Dime: ¿cuándo salimos con esas chicas... hip... con esas chicas... que se dejan besar?

Ven le dejó en la puerta de su casa. Sisí tardó un cuarto de hora en acertar a salir del ascensor. Hubo un momento en que pensó que Ven le había enjaulado adrede para que la tormenta le sorprendiese indefenso y empezó a chillar despavorido. La criada del principal, a la que Ven preguntaba siempre que la veía «que cuándo podría pasar un rato con ella», le abrió la portezuela. Dijo: «Qué te ocurre, Sisí?» Sisí no contestó. Añadió ella: «No llames ahí. Esa no es tu casa.» Le venteó como un perro de caza. «¿Qué hiciste, Sisí? Hueles a vino» —prosiguió. «¡Qué te importa... hip... qué te importa a ti!»

—dijo Sisí. Se alegró de pronto, de que Cristina se hubiera casado un mes atrás. Cristina le había visto nacer y metía las narices donde no le importaba. Pensó: «Que me abra la nueva y no me abra Mercedes.» Le costó un esfuerzo inusitado pulsar el timbre. Le abrió la criada nueva y respiró satisfecho. Ahora, ya en su casa, casi no se acordaba de la tormenta. La puerta del salón, entornada, dejaba escapar la voz poderosa de su padre:

—La época es dura. Dime, Hipólito, ¿hubo alguna vez una época tan difícil para los negocios como ésta? A veces pienso que los hombres no llegaremos nunca a entendernos.

Inesperadamente salió Adela y le encontró recostado en la consola del «hall». Las paredes cerradas acentuaban el malestar de Sisí y algo le empujaba a vomitar sobre la alfombra del vestíbulo. Chilló su madre, al verle:

—¡Oh, Sisí! ¿Qué es lo que te ocurre, hijo mío?

Le tomó por los hombros. Olfateó el ambiente:

—¡Dios mío! ¡Estás bebido, Sisí!

Sisí la miraba como un perro apaleado. Quiso hablar, pero el hipo le cortó. A Adela le brillaba una lágrima en el ojo izquierdo. Pensó Sisí: «Tiene un ojo distinto del otro.» Adela pensaba: «Oh, Dios! Nos matará a disgustos; nos matará a disgustos.» Le tomó por la cintura y le condujo a su habitación. En el trayecto, Sisí vomitó una pasta pesada y áspera. Le quedó un regusto seco en la lengua y el paladar. Pensó: «Me quiero morir.» Dijo en alta voz:

—Quiero morirme, mamá. ¡Quiero morirme!

Adela lloraba silenciosamente. Le metió en la cama, le arropó y apagó la luz. Deseó que sus primos se marcharan. Cuando, al fin, se vio a solas con Cecilio, rompió a llorar de nuevo sobre su hombro. Cecilio le daba golpecitos confortadores en la espalda. Adela no podía hablar. Esperó un largo rato. Rubes pensaba: «¡Ah, los histerismos absurdos de la menopausia!» La dio a beber un poco de agua. Finalmente dijo Adela:

—Sisí, Cecilio... ¡Sisí!

—Bien, Sisí —dijo Cecilio—. ¿Es que no sabes pronunciar el nombre de tu hijo sin ahogarte en lágrimas?

—Ha venido bebido, Cecil... ¡Bebido!

—¡Ah, bueno! Los niños son muy aficionados a fingirse hombres antes de tiempo —dijo Rubes.

—Está... está enfermo —añadió Adela.

—¿Enfermo? —Rubes frunció el entrecejo.

Pasaron a la habitación de Sisí que dormía, honda, pesadamente. Rubes le tocó la frente. Dijo:

—Está fresco como un ángel, querida. Bien, no exageres las cosas hasta ese punto. Un vaso de vino basta para trastornar a un niño de esta edad. Bueno, de todos modos... de todos modos, yo hablaré con él mañana.

Tres días más tarde Sisí Rubes manifestó que sin un traje de chaqueta no volvería al colegio. Adela dijo: «¡Qué horror! Como un hombrecito. ¿No comprendes, hijo, que vas a parecer un niño de pueblo?» Rubes sonreía. Sisí se mostró inflexible. Cecilio pensaba: «Un chico con este carácter no lo pasará mal en la vida.» Agregó Adela: «¿Es ese Ven quien te mete estos pájaros en la cabeza? No querrás parecerte a él, ¿no es cierto, mi vida?» Dijo Sisí: «Todos los niños de la clase usan chaqueta menos yo. Necesito bolsillos para llevar mis cosas.» Aún insistió Adela, aunque sabía de antemano que la baza no sería suya: «Eso es una cosa horrible, Sisí, ¿no lo comprendes?»

A la semana siguiente, le dijo Ventura Amo a Sisí, mirándole de arriba abajo:

—Esto ya es otra cosa. ¿Cuándo salimos con las chicas?

Era verano, y quince días después Adela le llevaría a Santander. Dijo Sisí:

—Antes de dos semanas tendrá que ser.

Por la noche, Rubes anunció un viaje imprevisto a Madrid. Lo decidió por la tarde, cuando, camino del Establecimiento, vio una muchacha ondulante cruzar a su lado. Pensó: «¡Caramba, qué cosas preciosas quedan aún por el mundo! Mañana me iré a Madrid.» Sisí dijo a Ven: «Lo mejor es esta tarde. Mi padre ha marchado a Madrid.» Dijo Ven: «¿Cómo las aviso yo ahora?» Debió resolver inmediatamente la dificultad, porque añadió en seguida: «Pasa a las ocho a buscarme.»

Adela se sorprendió de ver a Sisí estirándose el cabello y mirándose reiteradamente al espejo. Le encontró nervioso y distinto. A la hora de comer, le dijo como de pasada: «¿Qué te dijo papá el día que te conoció, mamá?» Después de comer, dijo: «¿De qué cosas pueden hablar un hombre y una mujer antes de casarse?» Su instinto maternal le anunciaba a Adela un peligro. Pensó: «No estando Cecilio soy yo quien manda aquí.» A las siete, Sisí preguntó: «¿Qué hora tienes, mamá?» Adela se dijo: «Trataré de entretenerlo.» A las siete y media, Sisí se puso la americana, dispuesto a salir. Adela dijo: «No es hora, Sisí, de andar por la calle.» Dijo Sisí: «Me espera un amigo.» Adela le recordó tembloteante y vencido por la borrachera. «No irás.» —dijo, autoritaria—. «¡Tengo que ir!» —dijo—. Adela se levantó y se colocó delante de la puerta. Insistió: «Querido, entra en razón. No es hora de que un chiquillo ande solo por la calle.» Dijo Sisí: «No voy solo; voy con un amigo.» Adela se cerró: «No te molestes; no saldrás.» Sisí se vio acorralado, pensó en Ven y se dijo: «Pensará que no tengo independencia, ni agallas para salir con las chicas.» Crispó los puños y dijo airado: «Déjame salir.» Odiaba a su madre, de pronto, con una vehemencia precoz. La consideró como un enemigo irreductible. Pensó fugazmente: «Tengo que intentarlo.» Dijo su madre: «Quítate la chaqueta y quédate conmigo; jugaremos una partida de damas.» Un golpe de sangre ofuscó por un momento a Sisí. Se arrojó sobre su madre y dijo: ¡Quita!» Adela temblaba. No quería hacerle daño; apenas si se atrevía a emplear la fuerza con él. Notó los golpes de Sisí en pleno rostro y pensó que algo grande y fundamental se hundía de pronto en el mundo. No hizo la menor resistencia al ver a Sisí franquear la puerta y huir. Un áspero sollozo la agarrotó la garganta. Aún sentía en su carne los golpes de su hijo, unas leves huellas dolorosas. Pensó, mientras el llanto la desbordaba: «Cecilio y yo lo hemos querido así.»

El niño descendió apresuradamente las escaleras y en el portal olvidó ya la tenaz oposición de su madre. El corazón le golpeaba apasionadamente el pecho. Deseaba imaginar la actitud de la Mary hacia él. Ven le dijo al verle: «Tú irás con la morena, que es un poco más baja y yo con la rubia. La tuya es la Mary; la mía, la Nati.» Sisí dijo: «Bueno.» Las encontraron junto al quiosco del parque. A Sisí le cohibieron un poco los ademanes resueltos de las muchachas, sus picudos pechitos insolentes. La Mary le sonrió: «Buenas» —dijo. Sisí se aturrulló un poco. Dijo la Nati, que tenía unas pestañas muy largas: «Ven, tu amigo parece muy chiquillo.» La Mary era más alta que él y Sisí dijo para nivelarse: «Vamos; os convido a un bombón helado.» Las chicas se cogieron del brazo y Sisí se colocó junto a la Mary. Ven le había advertido: «Tendremos que aguardar a que anochezca.» Se cruzaron con Luisito Sendín y Sisí levantó la voz para que le viera. «¿Es amigo tuyo ese chico tan majo?» —preguntó la Mary. Respondió Sisí: «Conocido.» Luisito Sendín volvió dos veces la cabeza, estupefacto. En el bar de la esquina del parque, Sisí les convidó a un «orange». Caía el sol tras de los árboles del parque y Sisí dijo a la Mary: «Vamos a dar un paseo.» Ven le había advertido: «Con estas chicas hay que actuar con cautela.» Sisí se sentía ante la muchacha respetuoso y minúsculo. La chica le dijo: «¡Qué joven eres! Aún no tienes vello en las piernas.» El se rió, profundamente dolido: «Tengo trece años» —mintió. Ya en los paseos del parque las dos parejas se separaron. Anochecía y Sisí Rubes lamentó que la noche no tocara a su fin. De repente le mortificaba tener que dar conversación a la Mary y tener que besarla; de otro modo Ventura se reiría de él y lo despreciaría. Dijo: «¿Por que no nos sentamos aquí?» Se sentaron muy separados y la Mary le preguntó: «Es la primera vez que sales con una chica. ¿verdad?» Se acercó a él y Sisí reconoció humildemente: «Sí; es la primera vez.» Le molestaba que la Mary advirtiera su inexperiencia y su juventud. De otro lado, el turbio deseo que otras veces le poseyera estaba, ahora, muy lejos de él. La Mary olía intensamente a perfume barato y Sisí Rubes se encontraba un poco mareado. Vio que un hombre en un banco próximo echaba el brazo por los hombros de su pareja, y le imitó. No sabía qué hacer con la Mary entre sus brazos. Ella rompió a reir: «Te doy calor, ¿no es así?» Sisí pensaba: «¿Qué hará Ven con la Nati?» Y deseó, de pronto, espiarle y arrojarle chinitas desde detrás de un seto.

Sisí pensaba en el beso como pensaba en las medicinas cuando estaba enfermo: como en un mal necesario. Aproximó su rostro al de la muchacha y dijo: «Eres muy guapa, ¿sabes?» La Mary le observaba de reojo. No era bonita, pero tenía el atractivo de la juventud. Sisí pensaba: «Quiero sentir deseos de besarla.» Pero, a su pesar, la chica le inspiraba un profundo anhelo de soledad y lejanía. Sisí se dijo: «Procuraré dar diente con diente. De otro modo, ella pensará que soy un pobre tonto como mi primo Lito.» Dijo, de súbito, con entusiasmo: «¿Sabes que tengo un primo que se deja atravesar los carrillos con un alfiler?» «¡Chico!» —dijo la Mary. «No sangra, además» —añadió Sisí. Habló de las particularidades de Lito durante un cuarto de hora. «Es medio moro, ¿entiendes? Mi padre lo dice así.» «¡Chico!» —decía la Mary. Al cabo, Sisí se dio cuenta de que aún no la había besado y el tiempo pasaba. Se acomodó en el banco y atrajo a la muchacha hacia él. Había visto repetidamente en el cine, la técnica y el procedimiento del beso de amor. Se sofocó al decir: «Te amo, ¿sabes?» Cerró los ojos como cuando ingería una medicina y besó a la muchacha largamente. Ella dijo, toda agitada.

—Chico, no creí que fueras así.

Sisí sonrió, en la oscuridad, complacido. Notaba el labio de arriba ligeramente tumefacto.

LIBRO TERCERO
(1935-1938)

I

EL periódico del 22 de octubre de 1935, decía: «Revelación sensacional: Sorprenda a sus amistades luciendo esta noche un cutis de «Estrella». El gran secreto de Hollywood da a la piel el tono de color que más le favorece. El esmalte nacarado de rosas «Carpe» hace de cada mujer una verdadera belleza. Frasco grande, 7'50 pesetas. Frasco pequeño, 4'25 — timbre aparte —». También decía el periódico de 22 de octubre de 1935: «Dice el señor Gil Robles: «Se ha frenado la revolución; mientras alentemos opondremos una barrera a los instintos destructores.» «La benemérita recupera en Asturias 12.000 pesetas procedentes del asalto al Banco de España.» «Para gestionar el indulto del reo Manuel Vasco, condenado a muerte en Granada por el atraco ocurrido hace unos meses en Motril, se encuentra en Madrid, desde ayer, el alcalde de la capital granadina acompañado de varios concejales.» «Trescientas mil personas se concentraron en el campo de Comillas para escuchar al señor Azaña.»

Decía igualmente el periódico de 22 de octubre de 1935: «La guerra en Abisinia: «Salen para Dessie 6.000 hombres de la guardia imperial. La aviación italiana bombardeó, durante una hora, el importante nudo abisinio de Dhaguerre. Skillave ha sido ocupado.»

En segunda página decía el periódico del 22 de octubre de 1935: «Pompas fúnebres «El Recuerdo.» Única casa que dispone de suntuosas carrozas. Féretros de todas clases, tamaños y precios. Hábitos y uniformes. Es la casa que más servicios hace y la que mejor los presta. Servicio nocturno.» «Cinema Montoya: Hoy, definitivamente, último día de proyección de la emocionante película «Nuestra hijita», por Shirley Temple, hablada en español. El éxito del día. Mañana estreno del gran acontecimiento cinematográfico Metro Goldwyn «La viuda alegre», una maravillosa creación de la sin rival pareja Mac Donald-Chevalier». «Cinema Olaso: hoy, últimas proyecciones de la superproducción máxima de la temporada, hablada en español, «Viva Villa», por Wallace Beery. - El viernes estreno de la superproducción Warner Bros, hablada en español, «Duro, y a la cabeza», por James Cagney. Un film gracioso, dinámico y juvenil, en el que no falta nada.» «Ideal Cinema: Hoy, estreno de la película policíaca: «La novia de la suerte», por Bárbara Stanwyck. Butaca, vermut y noche, una peseta. Próximamente, «Busco un millonario», en español, por Jean Harlow y Lionel Barrymore». «Cine Jardín: Hoy, butaca 0'75 pesetas, vermut, y noche, 0'50 pesetas, la producción de gran éxito, hablada y cantada en español, por José Mojica, «Mi último amor». En breve, «Cleopatra», por Claudette Colbert».

Sisí Rubes, solo en el palco proscenio, miraba las piernas de la muchacha, con ojos encandilados. La gente aplaudía y Sisí no aplaudió porque no se dio cuenta de que había que aplaudir. Cuando veía a una muchacha que le gustaba, a Sisí Rubes se le borraba de la cabeza toda otra impresión. Había heredado la debilidad sexual de los Rubes. Acababa de cumplir diecisiete años y le gustaban las chicas, la música, el juego y el buen vino. Con una particularidad: en sus preferencias no existía un orden fijo de prelación. A ratos creía que las mujeres estaban por delante del juego y del buen vino, pero una vez saciado, colmado y desbordado de caricias femeninas, buscaba en el vino el olvido de las mujeres. Con frecuencia, ahíto de alcohol, se convertía en un asiduo de las mesas de juego del Casino para olvidarse del vino. Luego, volvía a empezar la rueda inalterable.

En ocasiones, Sisí Rubes se miraba hacia dentro y se encontraba espantosamente vacío. Entonces se iba a Madrid para aturdirse. Su vida en la capital oscilaba entre los *music-halls*, las salas de fiestas, las revistas frívolas y las casas de compromiso. Al final, siempre topaba Sisí Rubes con un desamparo ineluctable. Advertía en su propio desenfreno una odiosa limitación. Se preguntaba: «¿Dónde voy a parar?» En estos casos, buscaba en Luisito Sendín un punto de apoyo y un consejo. Algo por dentro le decía que en el sistema, y en el autocontrol, y la aplicación, y el patriotismo de Luisito Sendín se escondía algo aprovechable. Mas no podía imitarle. En realidad, era tarde para tratar de imitarle. Él, en su circunstancia personal, debería conformarse con salvar lo poco que aún pudiera de su propio naufragio. Desconfiaba de su padre y de su madre porque sabía que, en aquél, su conducta no hallaría jamás un reproche y, en su madre, en cambio, encontraría censuras constantes, pero nunca, absolutamente, un punto de partida creador y positivo. Su madre se limitaba a censurar, pero no le decía: «Aprovecha tu tiempo en esta tarea o esta actitud.» No; su madre sólo sabía decir: «Hijo, nos matarás a disgustos; nos matarás a disgustos.»

De nuevo se levantó el telón y la muchacha rubia desfiló bajo su palco y Sisí la guiñó un ojo. Sisí Rubes no tenía ahora sentidos más que para la muchacha. Le gustaban estas revistas, como le gustaban las playas porque, en una y otra manifestación de vida, las chicas no podían darle el pego. Lo que se veía —y se veía casi todo— era la pura verdad. Alguna vez, Sisí Rubes, enamorado en la calle se enfriaba al poco rato al descubrir que los presuntos encantos que le sugestionaron no tenían una acorde traducción real. «¡Cuántos pechos fláccidos, cuántas caderas escurridas, cuántos muslos endebles, se ocultaban bajo una fingida y artificial firmeza!» —pensaba.

Sisí tenía una gallarda apariencia en sus diecisiete años. Era ancho, alto, rubio y con una atractiva viveza en el rostro; tenía unas manos poderosas y hábiles, pulcramente cuidadas, y las caricias de sus dedos dejaban una difusa sensación de dureza. Él sabía que a las chicas las gustaba su presencia, su aparente respeto, sus modales y su educación. Ahora, aquella muchachita del conjunto le agradaba por su elasticidad y por su piel tersa y suave. Volvió a guiñarla un ojo y ella le sonrió sosteniendo su mirada. Parecía muy jovencita y en el pecho ancho de Sisí Rubes empezó a cocerse algo, como una impaciencia.

Frecuentemente, Sisí pensaba que de haber seguido más tiempo ligado a Ventura Amo sus gustos se hubieran atrofiado. Ahora se alegraba de que Ven se marchase tres años antes a Madrid. En su día lo sintió, porque Ven había llegado a ser su sombra. De todos modos a Ven le estaba agradecido. Ven era uno de esos hombres prematuros que ayudan a los demás a reparar en las cosas bellas y atractivas de la vida. Sin Ven, empujándolo, Sisí sería a estas alturas un pobre diablo pegado todo el día de Dios a las faldas de su madre. Excitado por la muchachita rubia Sisí Rubes pensaba ahora así. Cansado de la muchachita rubia, Sisí hubiera pensado: «Maldito Ven, ¡cómo ha destrozado mi vida!» Pero, de momento, Sisí no podía estar cansado de la muchachita rubia.

El día que Ven le dijo: «Lo siento, Sisí. El mes que viene, mi padre, la vieja y yo nos iremos a vivir a Madrid», Sisí Rubes experimentó una sensación como si le metieran bajo un fanal. Creyó que se ahogaría y, por un momento, no pudo responder. Al cabo, dijo: «¿Qué voy a hacer yo sin ti?» En su casa lloró contra la almohada durante mucho rato y evocó a veces a Ven en pleno derrame cordial. Más tarde, cuando Ven se marchó, Sisí constató que había heredado un respeto y una hegemonía. Los muchachos de la clase se peleaban por su amistad y los Hermanos le señalaban como la oveja negra del grupo, lo mismo que meses antes señalaran a Ven. Ello, para Sisí, significaba mucho. Su afligida depresión desapareció y fue substituida por un sentimiento de propia admiración e íntimo orgullo. A menudo, pensaba en Ven: «¿Qué hará ese chico en Madrid con las fulanas sueltas por las calles?», se decía Sisí. Y, aunque a distancia, procuraba emularle. Se unió ahora a Lucas Ribera, un muchacho gordinflón y rudo, y le presentó a la Mary y a la Nati.

Antes de marchar, Ventura Amo le inició debidamente. La primera vez, Sisí experimentó un obscuro atolondramiento. Pero las muchachas eran simpáticas y la vieja le dio de fumar. Sisí notó que, a pesar de la música, y a pesar del vino, y a pesar de los cigarrillos, y a pesar de todo lo demás, tras el aparente brillo externo de las muchachas se ocultaba una velada sombra de tristeza. Él había pensado: «¿Es que están aquí a la fuerza?» La chatina del pelo tirante le dijo: «¿Es cierto que quieres subir? ¡Si eres un crío!» Tenía el rojo de los labios corrido y los ojos hinchados como si en todo el día no hubiese cesado de llorar. Al cabo, le dijo la chica chatina del pelo tirante: «¿Sabes que no eres tan crío?» Las de abajo se echaron a reir. «¡Vaya, nene, enhorabuena!», le dijo la vieja. Y Ven, orgulloso de sí mismo y de su amigo, le pasó el brazo por la espalda y le murmuró al oído: «Ya eres un hombre.»

Cuando Ven se marchó a Madrid, Sisí llevó a Lucas Ribera con él. El gordinflón estaba aterrado. Las chicas se rieron de él y los sentaron en sus rodillas. Vestían todas con unas batas chillonas muy descotadas y tomaron a Lucas como un entretenimiento. Lucas le dijo al salir: «Me gusta la Nati; éstas, no.» Sisí pensaba todo lo contrario. La Mary y la Nati ya no le gustaban; su indecisión, a la hora de la verdad, le había llevado a regañar con ellas. «Es otra cosa», le dijo a Lucas. En lo sucesivo, prescindió de Lucas Ribera. La vieja fumaba tabaco negro y llegó a demostrar por Sisí una abierta predilección. Un día le dijo «¿Por qué no nos regala tu papá una bañera?» Dijo Sisí: «Se lo diré. Ya lo creo.» Saltó la vieja: «¡No se te ocurra!; era una broma.» Las chicas le enseñaban a bailar a Sisí con un viejo gramófono que agriaba la música. Solía pasar allí muchos buenos ratos y con más frecuencia.

Una noche, la vieja no le dejó pasar de la puerta. Denotaba una viva contrariedad: «¿Qué años tienes?», le preguntó por una rendija. «Catorce», respondió Sisí. «¡Lárgate y no vuelvas en cuatro años!», le dijo. Sisí imploró, recurrió a su antigua amistad y a los pitillos que habían fumado juntos. La vieja de dijo, por toda respuesta: «No me gustan los líos con la policía, ¿comprendes?», y cerró la puerta.

Sisí Rubes se encontró tan desamparado como si le hubieran arrojado de su propia casa. Volvió con la Nati. Una tarde le preguntó: «¿A qué esperas tú?» Ella dijo: «Si estás aguardando, vas fresco. Yo no soy de ésas.» La llevaba del brazo por la penumbra de los jardines y, de repente, se dieron de bruces con el Hermano Prefecto. Al día siguiente lo expulsaron del colegio. Cecilio Rubes trató de evitar aquello. La insistencia de su padre abrumaba a Sisí. Dijo Rubes al Hermano Director: «Eso son chiquilladas, Padre.» El Hermano Director sonreía: «Llámeme Hermano; no somos Padres.» «Está bien, Padre; pero estará usted de acuerdo en que lo ocurrido, bien, lo ocurrido no tiene mayor importancia.» Fue en vano. Sisí Rubes fue expulsado del colegio sin aprobar el cuarto año de bachillerato.

Cecilio Rubes lo lamentó. Mal que bien, Sisí iba tirando y en los exámenes se defendía. Decidió llevarlo al Instituto. Sisí se dio cuenta de que salía ganando mucho en el cambio. Comenzó por faltar a una clase diaria y terminó por no aparecer por allí. Ante sus ruegos, la Nati le facilitó una nueva dirección y Sisí pasaba las tardes allí bailando y charlando con las chicas.

En una ocasión, Lucas Ribera, el gordito, le encontró en la calle. Le dijo: «¡Caramba, Rubes, cuánto tiempo sin verte!

Se fue con él y le gustó el plan de Lucas. Todas las tardes de jueves y domingos se reunían con otros muchachos en una taberna a jugar a las siete y media. Sisí tomó el gusto a la aventura del riesgo. Le agradaba el cosquilleo del azar, la emoción tensa de lo imprevisto. En adelante, asistió con mucha frecuencia a las partidas de Lucas Ribera.

En junio, lo suspendieron en todas las asignaturas. Su padre le dijo: «Bien, Sisí. ¿Es que no te gustan los estudios?» «No quiero estudiar más», dijo Sisí. Rubes pensó: «Es mi segunda edición.» Adela le dijo a su marido: «Querido, ¿cuándo piensas decir "¡Basta!"?» Rubes se echó a reir: «He tenido un hijo, uno solo, para que sea feliz.» Dijo Adela: «Es un mal educado.» Añadió Cecilio: «Querida Adela, no sé si te dije alguna vez que, en mi opinión, la educación debe reservarse para los pobres.»

Ahora, Sisí Rubes iba algún rato por el Establecimiento. Era lo bastante inteligente para no defraudar a su padre en lo fundamental. Fingía interés por los negocios y por las bañeras. Dos años antes, su padre se encerró con él en el despacho. Le habló largamente de la «bañera Rubes», de la Sociedad, «Rubes, Valdés y Compañía» y de los nuevos negocios abordados y, finalmente, le confesó que «la bañera de su invención no le había procurado más que sinsabores.» «¿Bien, papá?», inquirió Sisí. Rubes le entregó la escritura. Notaba Cecilio Rubes una profunda satisfacción haciendo partícipe a su hijo de sus inquietudes mercantiles. A pesar de todo, Cecilio Rubes se sentía orgulloso de Sisí. Sisí dijo: «Creo que es el momento de disolver la Sociedad.» Cecilio disolvió la Compañía. A Adela le dijo: «El chico tiene un punto de vista agudísimo para los negocios.» Adela abrió mucho los ojos: «¡Ojalá sea así!», suspiró. Agregó Rubes: «Y demuestra un profundo interés.» Su mujer dijo: «Luisito Sendín ha aprobado el primer año de abogado, Cecil.» Saltó Rubes: «¿Qué sería del mundo, querida, si todos los muchachos fueran abogados?» Adela se acaloró: «Lito, mi sobrino, estudia para cura. Todos los niños tienen un ideal y una ambición en la vida menos el nuestro, Cecil; eso es lo que quiero decir.» La mano blanca y blanda de Adela se desmayaba penosamente sobre el mantel. Rubes pensó: «No tiene sangre en las venas; nunca tuvo sangre en las venas.» Dijo: «¿Es que te gustaría que Sisí fuera cura?»

Sisí, en realidad, no se tomaba la molestia de estudiar las cuestiones que su padre le confiaba. Primero analizaba la reacción de su padre ante el problema y luego decidía conforme imaginaba que a él le agradaría más. De esta manera Cecilio Rubes estaba siempre satisfecho. Cecilio llegó a pensar que Sisí era un peón insubstituible para la buena marcha del Establecimiento. Sisí pensaba: «Todas estas cosas son ridículas.»

Ahora pensaba: «Esta chiquitina me está trastornando.» De

nuevo guiñó un ojo y la muchacha dijo que «sí» con la cabeza. Evolucionaba en el escenario con gracia y picardía y tenía las piernas llenitas. Su carne no era demasiado blanca, además. En sus devaneos, Sisí Rubes había llegado a la conclusión de que las carnes excesivamente blancas le repugnaban. Se volvió exigente con las mujeres y, ahora, al recordar a la chatina del pelo tirante, experimentaba una especie de náuseas. Bajó definitivamente el telón y Sisí Rubes se pasó la punta de la lengua por los labios. Su experiencia le aconsejaba no precipitarse. Salió al pasillo y encendió un pitillo mientras la gente aplaudía. No experimentaba ansiedad, ni torpeza, sólo un vivo y apremiante deseo. Al concluir el cigarrillo, pasó al escenario por la puerta reservada del proscenio. Ahora, el corazón se le agitaba levemente en el pecho. Cuando divisó a la chica entre la baraúnda de la tramoya, sonrió para sí y se estiró disimuladamente la americana. Hasta que no estuvo a dos pasos de ella, no divisó a su padre. Sisí Rubes se quedó cortado:

—Bien —dijo Cecilio Rubes—. Bien... La señorita Chelo... Mi hijo...

Cecilio Rubes experimentó, primero, un súbito azoramiento. Luego, pensó: «Abandonaré el campo.» Por último, se dijo: «¿Cuándo pensé encontrar en mi hijo un competidor?» Añadió en voz alta:

—Bien..., vine a felicitar a esta señorita por su actuación. No te vayas a pensar otra cosa.

Sisí Rubes notó en los hombros que le volvía el aplomo.

—¡Oh, papá! —dijo—. También a mí me gustó cómo bailaba. ¡Eso no tiene nada de particular!

La muchacha bajaba la cabeza con estudiada timidez. Dijo Rubes, estrechando la mano de la muchacha:

—Bien; ha sido para mí un gran placer. —Pensó: «Este Sisí es un águila.» Después, en plena evocación melancólica: «¡Ah, mis diecisiete años!» Parecía más bajo ahora, con su rosada calva brillante y la pesadez de la renuncia aplomando sus pasos. Cuando se volvió para salir, Sisí dijo a la muchacha:

—¡Oh, qué bien baila usted! ¿No le dijeron nunca que es el mayor atractivo del espectáculo?

—Gracias —dijo la muchacha.

Sisí la miraba apasionadamente.

—¿Por qué —dijo—, por qué no ha de venirse a cenar conmigo?

—Apenas dispongo de tres cuartos de hora —dijo ella.

—Sobrará tiempo —dijo Sisí.

Ya en la calle, la tomó del brazo y ella se apretó contra él. Dijo:

—Dentro de media hora debo estar en el teatro.

—Yo también —afirmó Sisí—. Aún no he acabado de mirarla.

En el angosto reservado, se dio cuenta Sisí Rubes de que la muchacha no era tan joven como desde el escenario le pareciese; tenía patas de gallo en los ángulos de los ojos y la boca entre paréntesis. Empero era atractiva. Al concluir de cenar, la besó, y al besarla, notó su cuerpo como cargarse de electricidad. Regresaron al teatro y ella no separaba la vista del proscenio. Le dijo el empresario: «Niña, esas sonrisas hay que repartirlas. Lo que hagas después me trae absolutamente sin cuidado.» Sisí le guiñó el ojo y, al concluir, la esperó en la puerta trasera del teatro. La acompañó hasta la pensión.

En la calle solitaria Sisí la tomó por la cintura y volvió a besarla. La besó repetidamente, cada vez con mayor ahínco. En su cintura, notó que la muchacha desfallecía. Dijo ella, en un arranque:

—Yo no sé si hago bien o no perdiendo la cabeza por ti, pero me gustas un disparate.

Para Adela, el primer quiebro importante de su vida fue el matrimonio con Cecilio Rubes. El segundo, el nacimiento de Sisí; el tercero empezaba ahora, al abordar la cincuentena. Invitó a cenar a Gloria y Ester y sus respectivos maridos para celebrar su cuarenta y cinco cumpleaños. Hipo le había dicho la víspera: «¡Arrea! ¿Cuarenta y cinco? ¿Quieres decir que cuando yo jugaba contigo aún no habías nacido?» Y le hizo una mueca de entendimiento. Dijo Adela: «Sabrás guardarme el secreto, ¿no es así?» Adela pensaba: «A partir de hoy exigiré a Cecilio un poco de respeto. ¡Dios mío, ya soy medio centenaria!» Adela constataba una extraña metamorfosis en su carácter. En los últimos años, su preocupación exclusiva fue Sisí. En verdad, Adela nunca temió, hasta ahora, la corrupción moral de Sisí, ni, tan siquiera, la pérdida de sus modales corteses. Temía únicamente que Sisí se volviese feo, tosco, borracho, y que su salud se resintiese. De siempre vio en él un motivo de orgullo y gozaba soñando con su perfección. Se miraba en él, y se vanagloriaba de que lo más suyo que tuvo nunca en la vida fuese algo tan hermoso. Cuando le vio amarrado a Ven experimentó un escalofrío. Vio en los ojos negros y evasivos de aquel chico un matiz de perversión. Se dijo: «Nada bueno sacará Sisí de esta amistad.» La indiferencia de Cecilio la llevó a desistir de sus tentativas para cambiar el curso de las cosas. Debía resignarse. Aún intentó algo en las ausencias de Cecilio, pero una vez que Sisí se atrevió a golpearla, comprendió Adela que el chico se le había marchado definitivamente de las manos. Sentía hacia él un cariño impulsivo, un poco ciego e irracional, inspirado más por la armonía física de Sisí que por la comunidad de sangre y la convivencia. Luego, lo vio con frecuencia con unas chicas extrañas. Le decía a Cecilio, al principio:

—¿Son chicas formales ésas que van con Sisí?

—¡Bien, bien! —decía Rubes—. Esas son cosas suyas. Comprenderás que no voy a meterme en sus asuntos privados. Su vida le corresponde y si yo me metiera en ella haría muy bien mandándome al diablo.

A veces Sisí llegaba a casa borracho y Adela le ayudaba a acostarse. Viéndole así, Adela pensaba que lo mejor para Sisí, a pesar de su juventud, sería que se enamorase seriamente de una buena muchacha. Un día habló con él confidencialmente y, en la conversación, dejó caer, como de pasada, el nombre de Elisita Sendín. Sisí hizo un elocuente gesto. Dijo:

—¡Valiente pavisosa!

Adela la defendió; Elisita Sendín no contaba más que quince años y el uniforme y las coletas no la favorecían nada. Añadió Sisí:

—Es una pena que sean hermanos. Elisita y Luis harían un estupendo matrimonio.

Tampoco a Cecilio le agradó esta posibilidad. Le dijo:

—¿Estás loca? Esos Sendín no tienen donde caerse muertos. Son nueve hermanos. Bien. ¿Has pensado alguna vez lo que resulta dividiendo nada entre nueve?

Le pareció ingeniosa su manifestación y la rió sin reservas. Sin darse cuenta, acababa de poner el dedo en la llaga. Desde que Adela supo que ya no podía tener más hijos, se sintió socavada por unos lancinantes escrúpulos de conciencia. A menudo pensaba que la manera de ser de Sisí era un castigo del cielo. Ella veía a los Sendín, a los chicos de su primo Hipólito, sin ir más lejos, que eran de otra manera. Una vez, Luis Sendín había dicho: «Cuando hay muchos hermanos ellos mismos se educan por fricción.» Gloria dijo, en otro momento: «Es una manera de enseñarles a renunciar desde que nacen.» Y ella pensó: «¿Por qué no he tenido yo más hijos?»

A los veintitrés años de casada, a Adela se le antojaba su actitud ante Cecilio demasiado culpable y acomodaticia. Recordó su oferta de una custodia de plata y se abochornó. También evocó la mirada de Cecilio en su noche de bodas: «No soy de esos hombres que tienen hijos. Bien. No quiero hijos, ¿me entiendes?» Ahora, Adela, no se sentía justificada. Un día, espoleada por un vago deseo reivindicativo, compró una custodia de plata y se la llevó al párroco. Dijo el viejo sacerdote: «Señora Rubes, no sé cómo pagarla...» Adela tenía lágrimas en los ojos. «Rece por mí», le dijo. Desde entonces bajaba a la iglesia con bastante asiduidad y allí, en la tibia penumbra del templo, se encontraba más confortada. No se explicaba cómo existían seres que quemaban iglesias y no entendían el porqué había grupos que simbolizaban en ellas un orden de cosas que aborrecían. Para ella, la Iglesia era la paz, el único reducto adonde no llegaba el egoísmo y la sensualidad de los hombres. Lamentó haberlo hallado tan tarde, y cuando entrevió una oportunidad de apoyarla se decidió a hacerlo de corazón. Cecilio la contuvo: «Votar, votar... —dijo—. Bien, ¿quieres decirme, querida, qué es lo que ganas con significarte? ¿Es que no son todos ellos unos aprovechados y unos sinvergüenzas?» Adela insistió: «Debemos ponernos al lado de la Iglesia, Cecil.» Voceó Cecilio: «¡La Iglesia, la Iglesia! ¿Qué diablos te da a ti la Iglesia?» Pensó: «He estado demasiado rudo.» Agregó: «Bien, querida, creo en Dios como tú y como todos, pero no creo que la Iglesia tenga nada que ver en esta merienda de negros.» Dijo Adela: «Un día dijiste, Cecil, que el Rey era un parásito y votaste por la República. Luego te has arrepentido y dices que sin un Rey no es posible gobernar a este pueblo de cafres.» «Bien —añadió Cecilio—. ¿Es que quieres meterte mañana en medio de los tiros? ¿No sabes, querida, que mañana habrá palos en todas las esquinas?» Adela advertía que su recién descubierta adhesión a la Iglesia, la prestaba una firmeza que nunca tuvo. «Es en esos casos donde debemos demostrar lo que somos, Cecil. Ya que no tengo autoridad ninguna sobre ti, ni sobre mi hijo, déjame al menos conservarla sobre mí. ¡Mañana votaré!» Cecilio pensó: «Idiota, idiota, idiota... ¿Desde cuándo se cree esta idiota una heroína?»

A partir de aquí, Adela empezó a considerarse una pieza

de posible trascendencia nacional. Al mismo tiempo, su temor por Sisí fue cambiando de signo. Se sobrecogía pensando la vida que llevaba su hijo y la dificultad, cada vez mayor, de que en el otro mundo se salvase. A veces, se despertaba gritando en la alta noche palabras incoherentes. Encontraba un profundo consuelo rezando por Sisí. A Adela le ganaba por momentos un ardiente fervor religioso. Empezó a bendecir la mesa y a dar gracias después de las comidas. «No debo tener respetos humanos», se decía. Cecilio opuso una débil y medrosa resistencia. «Esto es una vieja costumbre de pueblo, querida», dijo. «Lo que está bien, está bien en el pueblo y en la ciudad», respondió Adela.

Ella misma se sorprendía de que al borde de los cincuenta años brotase en ella esta intemperante energía. «¿Será la menopausia?», se preguntaba, en ocasiones.

Una tarde, Gloria le habló de la C.E.D.A. con fines proselitistas. Gloria era una vehemente propagandista de la C.E.D.A. y decía: «¿Puede aspirarse a algo más grande que a tener Dios, Patria, familia, orden y trabajo?» A pesar de su resolución actual, Adela no se decidió: «No me puedo afiliar a ningún partido, Gloria. Compréndelo. Cecilio me mataría.» Gloria se mostró muy comprensiva: «Antes es el marido que nada», dijo. Añadió Adela, sofocada por la conciencia de su nueva dimensión: «De todos modos cuenta conmigo para lo que necesites. Si quieres que te acompañe algún día, te acompañaré. Estoy decidida a luchar antes de que todo se hunda.»

Luis Sendín ponía a disposición de su mujer, y de su campaña política, el cochecillo de cuatro plazas que acababa de adquirir. Era un Opel 4 cilindros. Un día, después de comer, Gloria pidió a Adela que la acompañase a un pequeño recorrido por los pueblos próximos. Adela aceptó. Dijo: «¿Qué es lo que hacéis ahora si no va a haber elecciones?» «Siempre conviene tener todo preparado. Al año que viene las habrá» —dijo Gloria. Después se concentró en un ángulo del coche en actitud reflexiva. Pensó Adela: «Está madurando su discurso; debo callar.» Y la sorprendía ver a su amiga en esa actitud. Cuando divisó el tosco y polvoriento pueblecito, sintió un poco de miedo: «Nos pueden matar» —pensó. Y experimentó una secreta satisfacción de pensar que se arriesgaba por una gran causa.

Adela barruntaba vagamente que algo fundamental andaba en juego por aquellos días. Le dijo Gloria: «Tú siéntate a mi lado y observa; nada más.» Adela se arreboló un poco al ver a Gloria de pie, tras un tablero de amasar pan, con su sombrerito calado y la sonrisa en los labios. Las mujeres del pueblo llenaban el desportillado local y en sus ojos había tristeza y como una remota curiosidad. Al comenzar a hablar Gloria, se hizo un comprometido silencio y Adela pensó: «El ambiente está cargado. Señor, no nos abandones.» Y Gloria decía: «¿Puede aspirarse a algo más grande que a tener Dios, Patria, familia, orden y trabajo? Esto es lo que os ofrece la C.E.D.A. Esto y la redención de los campesinos y una cristiana hermandad entre todos los hombres.» Estornudó una vieja y algunas mujeres aplaudieron. Gloria, al hablar, se inflamaba y se volvía extraordinariamente bonita. Hablaba despacio y con firme serenidad. Adela pensaba: «¡Oh, tiene un acento que conmueve a las piedras!» Al concluir, chilló una mujer de pelo lacio y piel amarillenta: «¡Y el auto para vosotras, pedazos de zorras!» Adela se sofocó pero no dija nada. Otras mujeres se excitaban y coreaban a la mujer de la tez amarillenta. Se armó un pequeño alboroto y Gloria le hizo una seña para que saliera. El mecánico tenía ya el motor en marcha y partieron. Adela se decía: «Un día la matarán en uno de estos pueblos de Dios y nadie sabrá quién ha sido.»

Recorrieron otros pueblos y Gloria decía en todos: «Dios, Patria, Familia, Orden y Trabajo. Esto es lo que os ofrece la C.E.D.A.» Y unos aplaudían y otros la insultaban y Gloria no se alteraba ni con las ovaciones ni con los improperios. Por lo general, su sencillez arrebataba. Al acabar las visitas, le dijo Gloria, apretándola el brazo: «Querida, ¿te importa haberme acompañado?» Adela sentía aún su corazón comprimido. Se esforzó: «¡De ninguna manera!» —dijo—. Cuenta conmigo siempre que lo necesites.» Agregó Gloria: «Esta noche se lo contaré a Luis y se entusiasmará.» Dijo Adela con una sorda envidia: «¿Pensáis en casa todos lo mismo?» «¡Hasta el pequeño Juanito!» —dijo Gloria, arrebatada.

En lo sucesivo, Adela acompañó a Gloria en muchas de sus correrías. Adela empezaba a descubrir lo que era el campo y lo que eran los campesinos. No acertaba a distinguir un pueblo de otro y todos, con sus casitas de adobe, la plaza polvorienta y su fuente calcinada, y la iglesia en punta, cobijada la torre bajo un gran nido de cigüeñas, le parecían lo mismo. Una noche, al regresar, un grupo patibulario detuvo el coche en la carretera. Eran media docena de hombres ceñudos, armados con garrotes y parecían tener un excelente humor. Dijo uno asomándose por la ventanilla: «Son mujeres.» «¿Qué clase de mujeres?» —preguntó otro. Estalló, vibrando en la quietud y la soledad del campo, una risotada. «Fulanas caras» —dijo un tercero. Un obscuro terror se alzaba en el pecho de Adela, que quiso rezar y no acertaba a recordar su mente en una oración. Se le había olvidado el «Señor mío Jesucristo». Entonces una enorme cabeza alborotada se metió por el hueco de la ventanilla, a su lado, y dijo: «Ojito, palomas. A la próxima os colgaremos. Ya estáis avisadas.» Adela dijo, estremecida, a Gloria, al reanudar la marcha: «¿Oíste?» «Bueno, ¡no te preocupes! Les gusta presumir de bravucones» —respondió Gloria con una tranquila sonrisa. Mas el incidente sumió a Adela en una crisis nerviosa. En la ocasión siguiente, Adela dijo: «¡Lo siento mucho, Gloria! Hoy, no puedo acompañarte.» Gloria no dijo nada. Estaba organizando ahora en los pueblos las delegaciones del partido. Ponía en su tarea el mismo cálido afán que puso siempre en traer hijos al mundo y en educarlos. Cecilio decía:

—No es misión de mujeres ésa. Bien, en realidad, creo que tampoco de hombres. Es tarea de diablos esa de enviscar a unos contra otros.

Adela calló. Cecilio ignoraba que ella iba con Gloria con alguna frecuencia. Mas a Cecilio, ahora que su mujer entraba en la cincuentena, le preocupaba, sobre todo, su problema sexual. Contra todas sus previsiones, él había cumplido los cincuenta y cuatro y se hallaba tan útil y fogoso como el día que se casó. Esto originaba una cuestión peliaguda. Adela se empeñaba en «que a su edad era inmoral y grotesco hacer chiquilladas.» Por añadidura, los muslos de Adela estaban llenos de cráteres, sus senos fláccidos —ella decía, si él se quejaba: «¡Oh, Cecil, esto es una glándula, no un músculo!» —y su cintura enteriza. Francamente, Adela no le servía ya. Mas tampoco era posible a sus años repetir la experiencia de Paulina. Sisí ya no era un niño y la ciudad resultaba demasiado pequeña para ocultar una cosa así. Por si fuera poco, él no podía ajustar sus viajes a Madrid a sus constantes apremios. Ello levantaría en Adela el recelo y la sospecha. Todo este cerco le ponía nervioso a Cecilio Rubes. Vivió meses bajo el peso de esta inquietud. El que Sisí no pudiera ser ingeniero o arquitecto era una preocupación de segundo orden. Lo primordial era que Sisí disfrutase de la vida y glorificase a su padre por haberle engendrado y por disponer al alcance de su mano todas las cosas buenas y deseables del universo. Por otro lado, Cecilio Rubes iba admitiendo la limitación de la vida humana. Fueron aquellos años demasiado crueles para dudar de ello. Tras su madre, fueron Valentín, el viejo contable, el magistrado Lozano, y Fidel Amo, a pesar de los poderosos remedios que durante su vida expendiera en su botica. Todo ello demostraba que la vida era efímera y que un día, no tardando mucho, le tocaría a él.

Alguna vez, Cecilio Rubes se sobrecogía pensando: «Quince años nada más; como mucho, veinte, y al hoyo.» Y dejaba volar su imaginación en torno a lo que encontraría más allá del hoyo. Le estremecía la idea de la nada. Para confortarse, pensaba: «Bien, como cuando Napoleón. ¿Sufría yo en tiempos de Napoleón?» Inmediatamente pensaba: «¿Por qué como cuando Napoleón? ¡Yo creo en Dios! ¡Yo quiero creer en Dios!» Esta incertidumbre, ya que no otra cosa, espoleaba su apetito carnal. Quería disfrutar de la vida mientras pudiera y luego, ya de viejo, arrepentirse. Tras muchas vacilaciones se decidió a frecuentar los «music-hall» y los escenarios y remediar su problema con fugaces aventuras ocasionales.

El fracaso de la «Bañera Rubes» produjo en él un torvo desengaño. Se consideraba un incomprendido y decidió para lo sucesivo «no levantar un dedo aunque la humanidad se viniese abajo». La humanidad era necia y los seres inteligentes como él eran apartados violentamente por la necedad del rebaño. «En realidad —pensaba— las mujeres son más necias que los hombres, pero siquiera, sirven para algo.»

Se sorprendió de ver a Adela esta temporada enredada en las cosas de Iglesia y bendiciendo la mesa. A veces pensaba: «Las mujeres son muy supersticiosas.» Mas, casi en seguida, se decía: «Naturalmente, Dios es lo primero.» Adela se santiguaba ahora al pasar ante la puerta de los templos y rezaba de rodillas a los pies de la cama.

Una noche le dijo: «Querido, desearía celebrar mi cuarenta y cinco cumpleaños.» Dijo Rubes: «¿No te avergüenza decir mentiras?» La sondeaba. Respondió Adela: «Cumplo cuarenta y cinco más cinco, Cecil —eso no es una mentira; es una reserva mental.» Cecilio pensó: «Está bueno eso.»»

Inmediatamente pensó: «Dentro de tres días se estrena una revista en el Bretón.» Dijo: «De todas maneras puedes celebrarlo si ese es tu gusto, querida.» Preguntó Adela: «¿Por qué dices «De todas maneras?» Cecilio dio media vuelta en la cama. Dijo: «Ahora que vamos a entrar en esa edad en que el matrimonio se convierte en una cosa blanca, convendría poner dos camas aquí.» «¡Oh, claro! —dijo Adela—. ¿De veras vamos a hacerlo así?» Respondió Cecilio: «Tú dices que a partir de los cincuenta no quieres más chiquilladas.» «¡Oh, Cecil querido...!» Le acarició la cara. Añadió, en la obscuridad: «Invitaremos a cenar a los Sendín y a mis primos.» «¿A Hipo?», inquirió Rubes. «¿Por qué no? Hipólito y Ester son mis únicos próximos parientes y quiero disfrutarles, querido.» Cecilio guardó silencio. Agregó Adela: «Pondré el turbante de langostinos que tanto te gusta.» Dijo Rubes: «Bien, y un consomé ¿no?» «Sí, un consomé» —agregó Adela. Después añadió: «Yo desearía que Gloria diese un pequeño concierto y que Ester cantase. ¿Qué te parece?» Cecilio no contestó. Insistió Adela: «¿Qué te parece?» Cecilio emitió un breve ronquido. Pensó Adela: «¡Qué tranquila vida la de este hombre!» Dio media vuelta. Pensó: «No volveré a salir de viaje con Gloria. Le diré que Cecilio me lo ha prohibido.» Llevaba varios días soñando con la cabeza desgreñada de aquel hombre metiéndose por el hueco de la ventanilla. Le inspiraba tal terror la imagen que, al evocarla, le castañeteaban los dientes. «Puedo trabajar en otra cosa», se dijo para reforzar su decisión. Luego pensó: «Quizá con dos camas se le olviden esas porquerías. O quizá le excite más.» Por último pensó: «Consomé y turbante de langostinos.» Con esa idea se quedó dormida.

El día de su cumpleaños, Adela no encontró langostinos en el mercado y los sustituyó por langosta. Cecilio pensó, al despertarse: «Daré una vuelta por el Bretón... Bien, nada más que para preparar el terreno. No estaría bien en el cumpleaños de mi mujer.» Al tropezar con Sisí, delante de la muchacha rubia, pensó que era ya un viejo. También pensó: «¿No cenará Sisí en casa en el cumpleaños de su madre?» Cedió el campo y, cuando a las diez y media, Adela dijo preocupada: «¿Qué le ocurrirá a Sisí?», respondió Cecilio: «¡Ah, querida, me olvidaba! Sisí me dijo esta tarde que acababa de encontrarse un antiguo amigo y regresaría tarde.»

Hipo llamaba «calducho» al consomé y Ester lo alabó diciendo «que estaba muy sustancioso». Rubes vigilaba a sus parientes y cada una de sus manifestaciones o ademanes le avergonzaban. Empezó a beber para olvidarse de ello. Luis Sendín se mostraba grave y silencioso esta noche. Se esforzó Rubes en crear entre todos un clima de familiaridad y confianza. Preguntó a Sendín por sus pleitos y a Hipo por la situación militar. Después, miró la garganta de Gloria con anhelante nerviosismo. No obstante, sus esfuerzos resultaron vanos. La comida discurría fríamente a pesar de la calidad de los vinos y la suculencia del menú. Chilló, al fin.

—¡La cochina política os trastorna a todos! Bien. ¿Qué pasa aquí, si puede saberse?

Él no quería pensar en la política. Sus escasas lucubraciones sobre el tema iban a desembocar fatalmente en la macabra imagen de su propia cabeza sanguinolenta olvidada en una bañera. No le gustaba pensar en ello. En momentos de efervescencia y disturbios, le decía a su mujer: «¿Por qué no marchar a Portugal como León Valdés?» Decía Adela: «Si todos hacemos lo mismo, ¿quién va a quedar aquí para defender eso?»

Dijo Gloria:

—Es una tontería, Luis. Nunca pasó nada y hoy no pasará nada tampoco.

—¿Qué ocurre? —dijo Hipólito.

El rumor de unas voces y unas carreras ascendió de la calle. Adela se incorporó tan bruscamente que derramó un vaso de vino sobre el mantel.

—¿Le sucederá algo a Sisí? —gritó alarmada. Se asomó al balcón, mientras Gloria, lívida, crispaba los dedos en las puntas del mantel. Rubes pensó en la muchacha rubia:

—Sisí está con un amigo —dijo.

Nadie le hizo caso. Ester miraba sorprendida a Gloria y Adela cerró el balcón de golpe. Gravitaba sobre ellos un clima de agobiante tensión. Había aparecido, de súbito, sin que nadie se percatase de ello y, ahora, el ambiente vibraba y parecía como si cada uno de los presentes recelase de su prójimo. Cecilio llenó las copas y les animó a beber. Poco a poco, la tirantez iba cediendo. Rubes dijo:

—La política no es lo esencial en la vida. Ante una buena mesa, la política que se vaya al diablo.

—¡Arrea! —rió Hipo.

Cecilio sirvió coñac. Sonó la musiquita del mueble-bar y Gloria dijo:

—¿Queréis que toque el piano?

—¿De veras crees, Cecilio, que no se está preparando una gorda? —le dijo Luis en un aparte.

—¡Ah, por favor...! —gimió Rubes.

De repente oyó la voz pastosa de Ester cantando, la vio cimbrearse y pensó: «Está borracha.» Gloria la acompañaba al piano. Hipólito dio un azote a su mujer al pasar por su lado. Notó Cecilio un puntazo en el hígado y se dijo: «No vuelvo a probar una copa.» A continuación, Gloria interpretó las «Czardas» de Monti y Rubes sintió la urgente necesidad de una mujer. Se levantó y puso la gramola en marcha. Fue Hipo quien sugirió:

—¿Bailamos?

Seguían bebiendo coñac y el ambiente se caldeaba. Hipólito sacó a bailar a su prima y entonces Rubes se decidió y tomó a Gloria por la cintura. Nunca bailó con ella. Lo había deseado mucho, por poder dominar con su abrazo aquel cuerpo flexible, pero le contenía la seca circunspección de Sendín y una especie de respetuosa reserva. Cuando vio a Luis bailar con Ester, se confió y oprimió a Gloria dulcemente entre sus brazos. Rubes había bebido y no daba demasiada importancia a sus actos. Le gustaba aquella cintura a la que ni los años, ni los hijos habían podido vencer. Advertía en Gloria una firme resistencia, pero ello le divertía. La dijo suavemente: «Tienes la cintura de una niña de quince años.» Gloria se echó a reir. Le brillaban sus pequeños ojos y Rubes experimentó deseos de besarla. Intentó atraerla de nuevo, pero le contuvo la acre mirada de Sendín. Pensó: «Está celoso. El probo y concienzudo Luis está celoso como un árabe.» Dijo a Gloria: «¿No te dice tu marido que eres una mujercita maravillosa?» Gloria estaba inquieta entre los brazos de Rubes. Le encontraba desagradablemente próximo y sobón. Sin embargo, no la apetecía hacer una escena. De siempre intuyó en Rubes un algo viscoso que la repelía. Con frecuencia pensaba que Cecilio Rubes era regañón, puntilloso y sensual como una mujer gorda y compadecía a Adela. Le agradó poder cambiar de pareja, aunque Hipólito bailase con un contoneo exageradamente popular. Empero, le parecía un bendito. En cambio, a Rubes le molestó tener que danzar con su prima Ester. Ella le decía «Primo» y «Bendición». Era tan notablemente baja, que Cecilio había de poner la mano casi en su cogote. A Cecilio se le hizo que la hedían los sobacos y arrugó la nariz. «¿Te he pisado, primo?», le dijo Ester. Al pasar junto a Gloria e Hipólito, dijo Rubes, bromeando: «¡Cambio de pareja!» Y, de nuevo se asió a la breve cintura de Gloria y aspiró la discreta fragancia de su cabellos. Gloria se sofocó de la audacia de Rubes. Pensó: «Cecilio se pone a veces intolerable.» Rubes pensaba: «Tiene la misma flexibilidad de Paulina a los veinte años.» Hacía mucho que sus nervios no sufrían esta vibrante tensión. Acusaban, sin duda, la proximidad de la mujer, la honestidad de la mujer y la fidelidad de la mujer de un amigo. Esto para Cecilio Rubes era una experiencia desconocida. En su audacia pensó: «Acabaría cediendo como todas las mujeres.» Dijo: «Estás preciosa, Gloria, esta noche.» Y la miraba directa, impúdicamente, a los ojos.

Cecilio Rubes no se explicaba bien lo que aconteció en los minutos siguientes. Tenía idea de que la criada entró desencajada y dijo algo. Un poco antes oyó el timbre de la puerta y constató en la cintura de Gloria un fugaz estremecimiento. Había pensado: «Ya cede.» Pero Gloria se libró de su abrazo de un tirón y corrió hacia el pasillo enloquecida. Todos salieron detrás y él salió también. La puerta de la calle estaba entreabierta. Todos pasaban a casa de los Sendín y el pasó también. Advirtió en la confusa algarabía de conversaciones que algo desusado ocurría. Entonces descubrió a Luisito Sendín derrumbado en un sofá y sangrando por su negra cabeza. Elisita Sendín le restañaba la herida con un algodón mojado en alcohol. La niña estaba en camisón y Rubes estudió la grácil curva de su cuerpo adolescente al inclinarse sobre su hermano. Adela gritó al ver el cuadro y, en cambio, Gloria no perdió la serenidad. Dijo:

—¿Fueron?

Luisito Sendín abrió sus francos ojos y sonrió. Tenía un mentón pugnaz y sólido y una boca voluntariosa. Dijo:

—Sí; hubo jaleo.

Hipo preguntó:

—¿Cómo ha sido?

Dijo Luis Sendín:

—Voy a buscar un médico.

Adela estaba espantada. Se volvió a Rubes.

—¿Y Sisí, Cecil? ¡Por amor de Dios!, ¿dónde está mi hijo esta noche? —Se acercó a Luisito Sendín—. ¿Estaba «allí» Sisí? —preguntó—. Dime, ¿estaba contigo?

—¡Oh, no! —dijo Luisito Sendín.

—¿Cómo fue? —dijo Ester.

A Luisito Sendín le agotaba tanta solicitud:

—Un golpe —dijo.

Continuaba sangrando. Adela se aproximó a Rubes. El salón de los Sendín era pequeño y desangelado. Dijo:

—A Sisí le ha ocurrido algo, Cecil. Estoy segura. ¿Dónde está este hijo a las dos de la madrugada? ¡Por Dios bendito, Cecil, ve a buscarle!

Cecilio Rubes pensó en la muchacha del Bretón. Dijo:

—No te preocupes, Sisí está en buenas manos.

—¿Dónde está, Cecil? ¿Dónde está? Tú sabes donde está.

Cecilio trató de calmarla. Regresó Luis con el médico, quien dio a Luisito dos puntos de sutura.

—¿Fue en las Carmelitas? —preguntó.

—En las Esclavas —respondió el muchacho arrugando la frente.

No se quejó, ni hizo un ademán de impaciencia. Cecilio, en cierta manera, admiraba la capacidad de sufrimiento de los Sendín. Él, por no ver la operación, se distrajo admirando la gentil armonía del cuerpo de Gloria. «Parece una muchacha; parece una muchacha», se repetía, asombrado. «De todos modos, debe tener diez años menos que Adela. Sí; sin duda cuando vino recién casada no era más que una chiquilla.»

Hipólito dijo:

—Ahora, la Intendencia y todo resuelto.

Hipo sentía un desmesurado cariño por su Cuerpo. Cuando aludía a la necesidad de comer hablaba de «La Intendencia». Consideró que Luisito, después de los puntos, se encontraría definitivamente repuesto con un adecuado refrigerio. Ester le dijo:

—Deberíamos irnos; aquí no pintamos nada.

Se disolvió la reunión. En casa, el nerviosismo de Adela subió de punto. Se retorcía las manos y lloraba. Cecilio comprendió que carecía de recursos para consolarla. El que Sisí estuviera con una muchacha a estas horas comportaría para Adela un disgusto superior al de saberle con un chirlo en la cabeza. Trató de distraerla hablándole de la guerra de Abisinia. La guerra de Abisinia era para Cecilio Rubes una historia de aventuras. Él, que detestaba la violencia, hubiera participado en la guerra de Abisinia, junto a los italianos, sin el menor inconveniente. A veces decía: «Esa guerra es coser y cantar.» En ocasiones, se compadecía del Negus y, otras, lo llamaba «suicida y soberbio.» Mussolini no le gustaba porque era un hombre de acción. Cecilio Rubes consideraba a los hombres de acción, cuando manejaban multitudes, más peligrosos que los criminales. A Adela, la guerra de Abisinia la pillaba un poco de trasmano. El que los infieles muriesen a centenares redundaba en beneficio de los fieles. Eso creía ella, al menos, en su incipiente religiosidad. No escuchaba, ahora, a Cecilio. El tic-tac del reloj de pie la desazonaba. De vez en cuando decía:

—Ese chico, Cecil. ¡Ese chico!

Cecilio decía:

El afán imperialista de los países grandes terminará por hundir el mundo. Bien. ¿No crees tú...?

Adela no creía nada. A las cinco intentó dormir. Pero no le fue posible. A las cinco y media, Cecilio hubo de salir a la calle para ver «si Sisí venía». Dio un paseo por el parque, fumó un cigarrillo y volvió a subir. Adela dijo:

—¿Dónde puede estar metido a estas horas, Cecil? Este chico nos matará a disgustos.

Su imaginación se le representaba ya cadáver; incluso, llegó a pensar que sería hermoso, al fin y al cabo, si había entregado la vida por un ideal. Inmediatamente pensó que, así y todo, preferiría tenerle vivo en casa. Volvió a retorcerse las manos, a echar unas lagrimitas y a decir:

—Ese chico, Cecil. ¡Ese chico...!

A las ocho menos cuarto apareció Sisí. Estaba pálido y demacrado. Se sorprendió de encontrar a sus padres de pie. «Al fin y al cabo, papá lo sabía», se dijo. Otras noches, su madre no se enteraba de sus ausencias. Adela se abrazó a él, casi sin aliento. De repente le pesaban la vigilia, la tensión y la noche, en las sienes. Dijo:

—Hijo, ¿qué ha sido de ti? Luisito vino herido. ¡Oh, qué susto me has dado!

Le besaba con frenesí; le acariciaba la cara, las manos, el cuello, complaciéndose en su integridad. Pensaba: «Un mes a misa de siete; lo he prometido. ¿Qué importa eso?»

Dijo Sisí:

—¡Cómo lamento no haber comido contigo, mamá! Mi amigo marchó ahora en el exprés de las siete. Hacía mucho tiempo que no nos veíamos, ¿sabes?

Mientras le preparaba «algo caliente», Adela repetía: «Deberías haber avisado, Sisí. Otra vez avísanos». Solo, ante su padre, Sisí sonrió.

Cecilio dijo:

—No debes abusar así; bien, eso está mal y puede perjudicarte.

Sisí pensó: «Está celoso. Me lo imaginaba. Verdaderamente es una mujer extraordinaria». Y cerró los ojos y estiró los brazos en ademán de cansancio.

II

Sisí Rubes se creyó enamorado cuando Isabel Gutiérrez, hija de un modesto cerrajero, le rechazó al intentar besarla. Este hecho, en la vida de Sisí Rubes, no tenía precedentes. Más tarde o más temprano, todas cedían. Claro que a Sisí Rubes no le atraían la dignidad ni el recato. A su entender, las muchachas dignas y recatadas eran tan insípidas como un alimento sin sal. Algunas veces, sobraban la compostura y la dignidad y, de entregarse, era una solemne necedad enervar el momento con dengues y escrúpulos sin sentido. En la especial manera de entender la vida del joven Rubes figuraba la teoría de que el hombre se casa con aquella mujer bonita que se le resiste. Antes no; de no resistírsele ninguna mujer bonita, tampoco. Por eso él pensó que no podría soportar la vida, privado de los muslos firmes y el busto erguido de Isabel Gutiérrez. Sisí Rubes se dijo, al fallar el tercer intento: «Estoy enamorado como un cabrito.» No había cumplido aún los dieciocho años, pero suponía que el amor no requiere una edad definida para manifestarse.

Salía cada tarde con la muchacha y la llevaba al cine o de paseo. Isabel no era ñoña para bordear el peligro, porque el peligro era su arma decisiva. No ponía reparo alguno cuando Sisí le pedía salir al campo o sentarse, de noche, en un oscuro banco del parque. Ella sabía que podía estar allí tranquilamente y hasta que el estar allí era un paso más para alcanzar sus calculadas previsiones. No ignoraba que su destino dependía inmediatamente de su resistencia. Sabía igualmente que al levantar la cabeza de un golpe y mostrar su desnuda garganta, o al cruzar las piernas bajo la falda, o al entornar los ojos y sonreír de determinada manera, Sisí se excitaba y ella no vacilaba en poner en juego todos estos recursos. Todo era lícito, puesto que el fin era lícito. Le gustaba Sisí, y le gustaba su automóvil, y le gustaba el negocio de su futuro suegro. Le gustaba, también, que Sisí oliese a tabaco rubio —Sisí fumaba «Bisonte»— y que llevase las americanas bien cortadas. Algunas veces Sisí, encendido por las insinuaciones de la muchacha, trataba de abrazarla. Ella se incorporaba bruscamente, trascendiendo un fúnebre desconsuelo:

—¡No, no, Sisí! —decía—. De seguir así no volveremos a salir juntos. Para mí será la muerte, pero lo dejaré, ¡te lo aseguro!

Sisí se humillaba, entonces. Ella añadía:

—Prométeme que no volverás a hacerlo. ¡Anda, prométemelo!

Sisí accedía. Isabel tenía la nariz respingona, los labios gruesos y unos muslos sólidos y poderosos. Al moverse, desplazaba el aire con cierta majestad. Pisaba fuerte y como diciendo: «¡Ojo a mis caderas!»

En el buen tiempo daban paseos en bicicleta y Sisí se complacía observando las suaves curvas de Isabel Gutiérrez en acción. Acechaba la racha de viento, o la cuesta abajo, que la levantaría las faldas, o la cuesta arriba que la forzaría a inclinarse sobre el manillar ahuecando el escote. Sisí Rubes vivía en plena exaltación. Algunas tardes, se detenían en la ribera del río e Isabel se colocaba un breve bañador para tomar el sol. Hacía todas estas cosas con la mayor naturalidad y, por supuesto, con la firme convicción de que nunca iría más allá. Para vestirse se escondía tras un matorral y obligaba a Sisí a volver la cabeza. Una vez Sisí desobedeció y la vio entera. Isabel se turbó. Sisí no intentó nada porque sabía que sería rechazado. Sólo dijo: «¡Oh, por favor!» Parecía un mendigo, suplicando. Isabel no le habló durante el regreso y, al despedirse, se echó a llorar. Dijo:

—¡No vuelvas! no podría volver a mirarte a los ojos. Me has humillado.

Fué después de esta contingencia cuando Sisí Rubes pensó seriamente en la eventualidad de casarse. La imagen del cuerpo desnudo de Isabel tiraba de sus nervios y le descomponía. Tenía llena la cabeza de ella a toda hora. Entre sueños se agitaba y rodeaba amorosamente la almohada con su brazo izquierdo. Al despertar, le vencía una cruda e inhóspita sensación de soledad. Sus torpes desahogos en otros lugares revalorizaban el cuerpo de Isabel Gutiérrez. Ella era distinta: digna, firme y nueva, sus oscuros ojos prometían caricias y fervores sin cuento. Un día su padre le preguntó:

—Bien, esa muchacha... ¿quién es esa muchacha que ahora frecuentas?

Sisí se sintió espoleado:

—Voy a casarme con ella — dijo.

—A los dieciocho años. ¿Estás loco?

—¿Qué otra cosa se puede hacer cuando te gusta una chica, papá?

Rubes se echó a reír con una leve crispación:

—Hacer... hacer... Bien. ¿Es que te gusta como para casarte con esa chica?

—Todas las chicas guapas me gustan como para casarme — respondió Sisí.

Rubes trató de ordenarse. A veces tenía ideas, pero la dificultad de exponerlas le ponía en una situación tan comprometida como si no las tuviese. Por primera vez, y para ganar tiempo, ofreció un cigarrillo a Sisí y su hijo fumó en su presencia. Después de encender el suyo, dijo Rubes:

—Entiéndeme, cuando yo me casé con tu madre... Bien, cuando yo me casé con tu madre, ella era para mí la única mujer del mundo. Las demás no me importaban, fueran guapas o feas. Bien dicho, ni siquiera las miraba...

Rubes aspiró ávidamente de su pitillo como buscando en él nuevos argumentos. Mentía abierta, deliberadamente. Él sabía mejor que nadie que si la ley lo permitiera dispondría de un harén. En su día le ocurrió lo mismo que ahora le ocurría a su hijo y lo que imaginaba le ocurriría alguna vez a su padre. Era el torvo, desequilibrado sino de los Rubes. Fumó nuevamente y añadió:

—El hombre debe casarse cuando advierte que una chica... Bien, que una chica está a su nivel en todo y, sobre todo, que le comprende. A los dieciocho años, uno tiene el corazón lleno de hervores y... bueno, el corazón engaña y se agita a cada mujer bonita que pasa a nuestro lado. Bien, Sisí, eso no es amor, créeme a mí. Uno se obceca, cierra los ojos, se casa y, luego, a los pocos meses, se da cuenta de que ha cometido una solemne estupidez.

Respiró honda, laboriosamente. Sisí entornó los ojos. Se advertía en él un importante motivo de preocupación. Dijo:

—De hombre a hombre, papá. ¿Qué cosa puede hacer uno cuando una mujer le gusta más que ninguna y ella dice que ni hablar?

A Rubes le cogió un ataque de tos demasiado violento para

ser sincero. Se levantó y se sirvió una copa. Luego volvió a sentarse.

—Hay muchas chicas en el mundo; demasiadas chicas bonitas que puedan sustituirla —dijo dejando caer las palabras por su propio peso.

—¡Oh, no! —dijo Sisí—. Como ella no hay ninguna. Yo lo sé que no hay ninguna.

Rubes entrevió que por segunda vez en la vida —la primera fue cuando la gripe— rondaba un peligro en torno a su hijo. Le hubiera guardado bajo sí, como la gallina a sus polluelos, hasta que la amenaza pasase. Empero, Sisí ya tenía vida propia y entre sus virtudes no figuraban la docilidad ni la sumisión. Para Sisí la conversación con su padre no resolvió nada. Comprendía que su padre hablaba sin expresar lo que pensaba, es decir, que de sus labios a su cerebro mediaba un abismo. Su padre, aunque otra cosa pareciese, era un ser hermético. Lo adivinó la tarde que se encontró con él —la muchacha rubia por medio— en el escenario del Bretón. Como siempre que un problema serio le acuciaba, Sisí se volvió a Luisito Sendín. Pasaba meses enteros sin verle, pero le agradaba recurrir a él en los momentos difíciles. A pesar de sus vidas tan distintas, Luis infundía en él un elevado respeto y una encendida admiración. En los meses anteriores a las elecciones, Luis Sendín quiso ganarle para su partido. Le habló serena, reflexivamente, de «la difícil coyuntura del mundo», «la rebelde disconformidad de la juventud», «la posibilidad de un mundo nuevo», «la grave responsabilidad de quemar una vida sin objeto» y de otras muchas cosas. Luis peleaba en la calle y en la Universidad. Estudiaba mucho y, en los ratos perdidos, se reunía con su padre para familiarizarse con los asuntos del despacho. En alguna ocasión, Luis le había dicho a Sisí: «Si paro un momento, corro peligro. Tengo una sangre demasiado inflamable.» Sisí pensaba todo lo contrario. Acogió con una mueca desolada y escéptica la proposición de Luis Sendín. Era raro, pero Sisí Rubes a los dieciocho años se consideraba incapaz de muchas cosas. Juzgaba que era demasiado tarde para hacer marcha atrás. Le poseía una enervante incredulidad senil. A ratos, envidiaba a Luis, querría haber sido como él, pero a la sangre, se decía, la empuja una fuerza fatal.

Ahora, ante su problema, Luisito Sendín adoptó una actitud de extremada gravedad. Le dijo:

—¿Por qué no procuras interesarte en otras cosas? En el negocio de tu padre, por ejemplo.

A Sisí se le enturbiaban los ojos. Dijo:

—Tú no sabes cómo es ella. La he visto desnuda, ¿sabes?

Y Luis se levantó de un salto:

—¡Por favor, no me tientes! — chilló.

Sisí le observó vivamente extrañado:

—¿Te gustan también las chicas a ti? — preguntó.

Saltó ofendido Luis Sendín:

—¡Oye! ¿Por quién me has tomado?

—¿Y qué haces?

—¡Me aguanto!

—¡Vaya! — dijo Sisí —. ¿Y no fuiste nunca a...?

—¡Nunca!

—Eso es imposible. Y si ves una chica atractiva en bañador y luego piensas en ella, ¿qué haces? — inquirió.

—Suelto la ducha fría y me meto debajo — respondió Luis —. Cuando salgo procuro entretenerme en otra cosa. ¿Quieres un remedio? — añadió —. No te recrees nunca pensando en cosas que no están a tu alcance.

Una negra fuerza abatía a Sisí Rubes. Dijo:

—En mí... eso es una necesidad.

Luis dijo:

—Ocupa todas tus horas. Yo me levanto y me voy al frontón. Hago media hora de gimnasia y juego una partida de pelota. Luego voy a la Universidad. Al acabar de comer, estudio y ayudo un poco a mi padre. Después me reúno con mis amigos y tomamos decisiones. Cosas políticas, ¿comprendes? Los días de fiesta me dedico a pintar y a remar. Cuando me acuesto caigo en la cama como un leño. ¿A qué hora crees que puedo pensar en una chica atractiva en bañador?

Sisí experimentó una brusca reacción. Pensó: «Voy a imitar a Luis.»

Le dijo:

—¿Te importaría que fuese mañana contigo al frontón?

—Todo lo contrario — respondió Luis, sacudiéndole la espalda.

Sisí comenzó la nueva vida con mucho entusiasmo. Le agradaba alojar en sus articulaciones el dolor del ejercicio. Iba por el Establecimiento mañana y tarde y procuraba abstraerse en las cuestiones del negocio. Los domingos remaba durante dos horas consecutivas. A la semana pensó: «Soy otro hombre, verdaderamente.» Al día siguiente sorprendió a una linda muchacha subiéndose las medias en un portal. La visión de las piernas de la chica se le agarró tenazmente. Ello le llevó a pensar en el cuerpo de Isabel. Se metió debajo de la ducha y soltó el grifo frío. Al verse desnudo, su imaginación se remontó a algunos momentos íntimos y turbadores. Al secarse, pensó: «Recién bañada. El ideal.» A las ocho de la noche se dijo: «Hay que empezar poco a poco. Pretender ser como Luis de la noche a la mañana es una tontería.» De momento no experimentaba la menor repugnancia hacia las carnes blancas. «He cambiado mucho», pensó. Y luego: «Empezaré con una sola vez a la semana. Luego, cada quince días. Después, una vez al mes; luego, cada trimestre y, por último, lo dejaré.» Aquella tarde se emborrachó y perdió el control de sus pasos. Apenas recordaba a la muchacha. Tenía una vaga idea de que, al concluir, la chica se echó a llorar y le dijo que la vieja se lo llevaba todo. El la dio una buena propina. Se acostó tarde y sintiendo por dentro una inconcreta saciedad de sí mismo. Cuando a la mañana siguiente Luis pasó a buscarle, le dijo que había trasnochado y que dejaría por aquel día la gimnasia. A la noche siguiente, entre sueños, pensó: «Isabel es una mujer maravillosa.» Estaba soñando con ella cuando Luis le llamó. Se despertó indignado y le dijo a su amigo que se fuera al diablo. A las once, se bañó en agua caliente y se dejó estar en una actitud voluptuosa. Por la tarde buscó a Isabel e hicieron las paces. Sisí le dijo: «¿Sabes? No puedo vivir sin ti.» Ella entreabrió sus rojos labios. Había temido ser demasiado tajante, excesivamente dura. Por un momento creyó que Sisí no volvería. Se acercó a él con la ansiedad que despertaba en su pecho toda cosa inesperadamente recobrada: «¡Oye, tú! —dijo—. ¿Por qué nos atraemos los dos de esta manera?» Y, por primera vez, permitió a Sisí que la besara.

Para Cecilio Rubes no pasaron inadvertidos los altibajos sentimentales de Sisí. Le vigilaba con el acuciante temor de que un día se le ocurriera casarse con la hija del cerrajero. La chica estaba estupenda, bien lo comprendía él, pero un Rubes no podía buscar en ella otra cosa que un plan frívolo transitorio. Probarla y dejarla. Eso es lo que a los dieciocho años hubiera hecho él. Cecilio Rubes llevaba una temporada ligeramente desquiciado de los nervios. Estaba harto de que Adela, Sendín, Prado, el general López y todo aquel con quien tropezaba, en su casa, en la calle y en el club, presagiase calamidades inminentes. Él, efectivamente, se daba cuenta de que el edificio se bamboleaba, pero le irritaba que a cada momento se lo refrotasen por las narices. En las últimas elecciones tuvo una fuerte discusión con Adela. Ella terminó por subírsele a las barbas y él la llamó «heroína en cierne». Se quedó muy a gusto después de esto y hasta casi se alegró de que los suyos perdieran la elección. Adela dijo: «Han hecho trampas.» Luis Sendín decía: «Se han valido de toda clase de artimañas.» Ramón Prado agitaba admonitoriamente su enorme nariz en el Club: «¡Nos lo han robado; nos lo han robado!», decía a gritos. Cecilio decía: «Todos habéis hecho las trampas que habéis podido.»

Cuando pasó la fiebre de los primeros días, Cecilio presintió que se acercaba la hora cumbre y se sintió intranquilo. «Creo que ha llegado el momento de irnos a Portugal», le dijo a Adela una noche. Su mujer se opuso terminantemente. También a Rubes la medida se le hacía demasiado categórica y se apoyaba en la menor oposición de su esposa para desistir. En muchas ocasiones, Cecilio Rubes precisaba que le empujasen para poner en práctica una decisión.

Con frecuencia pensaba que a Adela la frenaban los Sendín. Sin los Sendín vigilándola enfrente, Adela misma le hubiese pedido que la llevase lejos de allí. A Rubes no le pasaba inadvertido el terror de su mujer. Algunas noches le despertaba con sus gritos y él la apaciguaba. Ella decía: «Soñaba que un hombre horrible quería colgarme de una higuera. Una mujer comía brevas al pie del árbol y se reía al verme llorar.» Por contra, los Sendín daban muestras de una admirable serenidad. A Rubes, «el clan Sendín», como últimamente llamaba a sus vecinos, empezaba a fastidiarle. Se le antojaba un «grupo de acción» y él aborrecía a los grupos y a los individuos de acción. Desde la cabeza rectora al último crío, la familia Sendín era un volcán en perenne actividad. Cada uno en su radio de acción organizaba, exigía y predicaba: «¡Dios, Patria, Familia, Orden y Trabajo!»

Rubes se decía: «Gloria acabará perdiendo su cintura y su feminidad. La política conseguirá lo que no consiguieron los años y los hijos.» Y lamentaba que ella fuese así. «Si yo fuera su marido —pensaba— velaría por sus encantos un poco más que ese zoquete.» Y se pasaba la punta de la lengua por los labios. Siempre que pensaba en la cintura de Gloria, o en la ya casi olvidada elasticidad de Paulina, se pasaba la lengua por los labios. Era en él un viejo hábito y un triste e insuficiente consuelo.

Respecto a Adela, lo que Rubes deseaba era que no se significase. Temía por el negocio y por su propia integridad. Entendía que permaneciendo en medio, unos y otros se detendrían, a una distancia prudencial. Todavía quedaba en el mundo, creía él, un asomo de respeto hacia los neutrales. Cuando estalló el primer petardo en la ciudad, en un almacén de muebles, Cecilio le dijo a su mujer: «¿Comprendes? Mira de qué le ha servido a Gómez ser de la C. E. D. A. ¿Crees tú que Gil Robles va a reconstruirle el almacén?» Transcurrida una semana, hizo explosión un petardo en la droguería de un furibundo socialista. Rubes dijo: «Mira, querida. En todas partes cuecen habas. Eso es lo que se saca en limpio tomando partido por unos o por otros». Quince días después, un artefacto estalló en la puerta principal del Establecimiento «Cecilio Rubes. Materiales higiénicos». Al recibir la noticia por teléfono, Rubes notó que le flaqueaban las rodillas. «No es posible —se dijo—. Debe de ser una equivocación.» Tartajeaba, al hablar, como un borracho. «Bueno... Bueno... ahora voy», dijo.

La puerta estaba destrozada, y también una vitrina, y dos retretes, y una bañera, y un número indeterminado de materiales y accesorios. Cecilio Rubes se estremeció a la vista de los efectos del atentado. Hasta ahora nunca creyó que nadie pudiera quererle mal hasta este punto. Valoró los desperfectos mentalmente. Hacía cuatro años que aseguró su establecimiento contra el riesgo de «motines y tumultos». El momento era inmejorable para dar salida a tres bañeras anticuadas y a dos de «tipo Rubes», arrinconadas ya como invendibles. Era la oportunidad que la Providencia le brindaba. Cecilio Rubes atribuía a la Providencia actos impropios de ella. Intencionadamente desportilló aquellas existencias y las incluyó, luego, en la lista de materiales dañados que la Compañía había de compensarle. Ello le sosegó un poco. No obstante, pasó tres semanas cavilando sobre quién podría ser el autor del atropello. Sentía un miedo sordo y tenaz. Adela le había dicho: «Para que veas, Cecil, que la revolución no distingue de matices.» Tuvo que callarse pero pensó: «Idiota, idiota, idiotísima, ¡qué sabes tú de revoluciones!» Dos días después le dijo: «Estoy pensando en el hijo de Valentín.» «¿Tú crees?», inquirió Adela. Agregó Rubes: «Cuando disolvimos la Sociedad, Jacobo dijo que él no podía ser subalterno de un indocumentado, y se marchó de malos modos.»

De repente, Cecilio Rubes empezaba a sentirse cansado de luchar. Veía enemigos personales por todas partes. Recordó los tiempos en que se esforzaba por dar una orientación más ambiciosa al negocio. Pensaba: «La época es peor que nunca. Me lo explico muy bien. A la gente tanto le da morir limpia como sucia». En su hipersensibilidad volvió a inquietarse por Sisí. Le veía a todas horas con la muchacha aquella y pensó que Sisí era antes que el negocio. De casarse Sisí con aquella zarrapastrosa, la honorabilidad y la categoría social de los Rubes bajaría muchos enteros. Era preciso evitarlo. También él se casó con una muchacha de nivel inferior al suyo, era cierto, pero aún existía una distancia entre un funcionario y un cerrajero. «A los dieciocho años a mí no me atrapaba nadie», pensó.

Una noche le dijo a Adela:

—A ese chico hay que quitarle la idea de la cabeza. Bien. ¿Qué te parece que se quiere casar?

A Adela nada de cuanto se refiriese a Sisí la cogía ya de sorpresa. Esperaba de él las más sombrías e insospechadas calamidades. Rezaba mucho por su conversión. Le dolían las rodillas de rezar por él. Últimamente sufría lo indecible por Sisí. Empezaba a sospechar que Sisí se relacionaba con mujeres de mala nota. Para Adela esto era propio de seres desalmados. La única cosa que la induciría a separarse de Rubes sería saber que su marido la faltaba con una mala mujer. Incluso que las hubiera frecuentado antes de casarse, la hubiera molestado mucho. A veces, preguntaba a Cecilio: «Tú, tan fogoso, ¿cómo te las arreglabas de soltero, querido?» «¡Ah, bien! —decía Rubes—. ¿Quién se acuerda ya de ello?» Sisí volvía borracho con demasiada frecuencia. Ella no sabía que Sisí necesitaba olvidar muchas cosas. Una noche le hizo una escena. Le había suplicado en todos los términos; la dolía en lo hondo su estúpida impotencia. Entonces se arrodilló y se abrazó crispadamente a sus piernas, llorando. Ella soñaba con ablandar a Sisí, atraerle al buen camino, pero a Sisí la actitud de su madre se le antojó ridícula y calamitosa. «Levanta —dijo—. A ti no te gusta mi manera de ser. A mí la tuya tampoco, mamá. ¡Oh, levanta!» Ahora, Adela pensó: «¿Casarse?» Clavó en Cecilio su mirada. Dijo:

—Tal vez fuese su solución, Cecil.

—Bien... —dijo él irritado—. ¿Es esa toda la estupidez que cabe en tu pequeña cabeza o debo esperar nuevas majaderías?

Adela no perdió la calma:

—¿Quién es ella? —dijo.

—La hija de un cerrajero.

—¡Oh! —gimió Adela.

—Comprenderás...

—No, no. Eso no puede ser.

—Si Sisí se casase...

—¡No se casará!

Adela le dijo a Sisí en la primera oportunidad:

—¿Quieres a esa muchacha?

—Bueno, sí —respondió Sisí, a quien le mortificaba ver a su madre escarbando en sus problemas.

—¿Por qué no te casas con ella? —preguntó Adela de súbito.

Adela poseía una idea muy clara sobre la psicología de los hombres indómitos. Sabía de antemano que si ella dijera a Sisí: «No puedes casarte con esa chica», al día siguiente le anunciaría su boda. Por el contrario, si le aconsejaba: «Debes casarte con ella», la susceptibilidad de su hijo le echaría hacia atrás y reflexionaría: «¿Por qué este empeño de mi madre en que me case con ésta?» Sisí acostumbraba a ver en las chicas que su madre le sugería que cultivase, monjas embozadas. Las madres no tenían idea, a juicio de Sisí Rubes, de lo que a los hombres les gusta de las mujeres. Su madre se asustaría si supiera que él anteponía unas carnes duras a una cara bonita. Su madre no sabía por dónde se andaba, esa es la verdad. «Pero, ¿por qué este afán de que él se casase ahora?»

Por otro lado, Isabel no se mostraba tan tensa e inabordable después de la reconciliación y hasta se dejaba besar trabajándola un poco. Isabel había pensado: «Le he perdido por ser demasiado rígida. Debí ir dándole confianzas poco a poco. Él se ha cansado». Cuando Sisí volvió a ella se propuso no caer en los mismos errores. Se dejó besar y hasta se hacía la distraída si él buscaba un furtivo roce con algún lugar substancial. «Un poquito sí debo darle», se decía. Sisí pensaba: «¡Ah, las primeras posiciones ya son mías! Las otras vendrán detrás. ¿A qué ton he de casarme si puedo conseguir sin compromisos lo que me propongo?» Cecilio Rubes se decía: «Parece que ha olvidado sus tontos propósitos». Respiraba. Pensando en la sensualidad de Sisí, olvidaba su propia sensualidad. Al ver a Sisí más encajado en el curso normal de la vida, Cecilio volvió a las andadas. Se fue a Madrid. Venía advirtiendo que conforme envejecía iba prefiriendo las mujeres entradas en años. «Las mujeres no están maduras antes de los treinta y cinco», se decía. Encontró una de esa edad que le proporcionó unas horas felices. Bebieron champán y ella bailó en dos piezas sólo para él. La chica se emborrachó y le anunció acontecimientos horribles. Él decía: «No hablemos de política ahora.» Al regresar, Cecilio Rubes experimentó una vívida nostalgia de Paulina. Guardaba de ella el buen recuerdo de las cosas cortadas en flor. De haber conservado a Paulina a su lado tal vez ahora la aborreciera. «¿Cuántos años hace?» se preguntó. «Sisí era una criatura de faldones.» Miraba distraídamente por la ventanilla del Lincoln o las espaldas, un poco cargadas, de Bernardino al volante. Se dijo: «¿Qué pensará Bernardino de todas estas cosas?» Luego pensó: «Paulina se portó como una señora. Esa es la verdad.»

Dos días más tarde, estando encerrado en el despacho del Establecimiento, apareció Paulina. Cecilio se quedó tan sorprendido que no se levantó. Notó, primero, una exaltación visceral y, luego una lisa, pavorosa calma. Pensó: «El tiempo no ha pasado por ella». Paulina pensó: «¡Qué calvo y qué gordo está! No parece el mismo hombre.» El pelo rojo de la muchacha centelleaba. Vestía sencillamente, sin afectación. En las manos llevaba guantes.

—Hola, Cecilio — dijo —. ¿Cómo estás?

Rubes se incorporó entonces penosamente. La vitalidad de Paulina le hacía sentirse viejo y anacrónico. Se precipitó:

—Bueno, Paulina... Bien... Siéntate. ¿Cómo te ha ido?

Advertía, de súbito, que la vida ya había pasado sobre él y, al mismo tiempo, deseaba fervorosamente hacerla recular y conectarla en el punto en que, diecisiete años antes, se escindiera de la de ella. Pensó: «No tiene más de treinta y ocho. Es aún una chiquilla.» Paulina se sentó frente a él, la mesa entre ambos. A la chica le vino a la cabeza el pequeño apartamiento soleado, con la curva del río abajo. Suspiró. En su conciencia, alguien removía la melancólica musiquita: «Con-una-fal-da-de-per-cal-plan-chá». «¡Cuánto tiempo ha pasado!», pensó. Dijo, de pronto, lúgubremente:

—¡Vaya!, no triunfé en el teatro, ni tuve un hijo... Mi

fracaso ha sido absoluto, Cecilio. ¿Es eso cuanto quieres saber?

Entre ambos se cernía el vago fantasma de una incomprensión. Quizá él, en un tiempo, no tuvo suficiente valor. Tomó las manos de Paulina entre las suyas:

—Paulina... Paulina... Mi querida Paulina —dijo.

La había deseado mucho y, sin embargo, la presencia de la muchacha ahora, no levantaba su carne. Sospechó que en su relación de entonces pudo existir algo digno y elevado. Dijo ella:

—Todos vuelven alguna vez al rincón de su infancia.

—¿Con tu hermano? —preguntó Cecilio.

—¡Oh, no! —dijo Paulina—. Tengo medios propios. He sido ordenada en mis gastos. Mi retiro ha de ser sólo mío.

La miró por primera vez Cecilio directamente a los ojos.

—Sólo mío, Cecilio; sólo mío —insistió ella.

En su voz había unos quiebros extraños. Poco a poco Cecilio Rubes iba volviendo a su verdadero ser. Reconocía que la inesperada irrupción de Paulina había movido en él una melancólica añoranza. Consideró su pecho aún floreciente y se dijo: «¡Qué hermosa es!» Se levantó y, al acercarse a ella, presintió que, no obstante su movimiento, se alejaba. La tomó por los hombros, pero la glacial indiferencia de Paulina le empujó a sentirse culpable de no sabía qué. Escondió las manos en los bolsillos. Súbitamente, le ganaban unos vehementes deseos de abrazarla. Ante ella, se le olvidaban toda la tensión y la inquietud que le desequilibrara en los últimos tiempos. Dijo, con velada pasión:

—¡Ah, Paulina! ¿Tú no sabes que no he podido olvidarte en todo este tiempo? Bien... he pensado en ti, a menudo. Te he buscado. Hace tres días pensaba en qué sería de ti y me decía, bien, me decía: «Cometí un tremendo error. Fui cobarde. Paulina ha sido la mujer de mi vida.»

Ella le daba la espalda y no volvió la cabeza al oírle. Tenía los ojos cerrados y la quemaban por dentro una suerte de indefinidos remordimientos. Ella no había acudido a Cecilio para reanudar lo pasado. La empujó a él la nostalgia, un velado sentimiento de despecho, el deseo de poder decirle: «Me he defendido sin ti. Ya lo ves.» Sobre Cecilio alimentaba una idea contradictoria: «Me pervirtió y luego me abandonó», pensaba. Otras veces, se decía: «Fue generoso conmigo. El más generoso de todos.» Ahora se encogía aunque estaba decidida a no reanudar sus malos pasos. Se volvió, de pronto:

—¿Y tu hijo, Cecilio? ¿Qué ha sido de él? — dijo.

—¡Bien, Sisí ya es un hombre!

—¿Cómo es?

Cecilio se sintió seguro y audaz. Dijo:

—Bien, ¿es que aún te remueve el chico un sentimiento de maternidad?

—Yo pude ser su madre — dijo Paulina —. Eso es lo cierto. Yo debía ser su madre. Cecilio; tú lo sabes.

Se volvieron los dos al oír la puerta y apareció Sisí. Paulina advirtió en seguida la resolución del muchacho; le gustó su impulsiva manera de mirarla, su bella cabeza, la forma en que abrió los ojos, atónito, al descubrirla. Sisí pensó: «¡Dios mío, qué mujer!» Se dijo Cecilio Rubes: «El fuego y la paja.» Pensó Paulina: «Podría ser mi hijo. Hijo mío, de verdad.» Le agradó la cálida vehemencia con que Sisí oprimió su mano. Dijo Sisí:

—¡Vaya, papá!

Dijo Rubes:

—Una antigua amiga.

Dijo Paulina:

—¡Vaya, Sisí, que grande te has hecho! ¡Dios mío, eras una cosita insignificante cuando te conocí!

Sisí expresó un cómico estupor:

—A algunas mujeres les gusta presumir de viejas. No es lo corriente, pero es así. ¿No es cierto, papá? — dijo.

Devoraba con los ojos a Paulina. Paulina pensó: «¿Qué tendré yo para atraer así a los chiquillos? Podría ser mi hijo; mi hijo.» Cecilio Rubes pensaba: «No debe mirarla así. Es como si deseara a su madre.» Sisí se decía: «¿De dónde ha surgido esta maravillosa aparición?»

Paulina dijo con remota intención:

—Vaya, querido. Podría ser tu madre, aunque no te lo parezca. ¿No es cierto, Cecilio?

Se le conmovió un poco la voz y se revolvió en la silla como una mujer tímida cuando le suenan las tripas. Estaba vagamente emocionada. Dijo Sisí:

—¡Caramba!

Paulina se incorporó súbitamente. Cecilió pensó: «Es como si no hubiese pasado el tiempo. Ella y yo. El gramófono. «Con una falda de percal planchá.» «El río abajo y el sol en la ventana.» Miró a Sisí y se dijo: «Sin embargo, ése es mi hijo y le gusta Paulina.» Se interpuso:

—Bien —dijo—. Iré a verte, Paulina. Bueno. Hemos de charlar aún de muchas cosas...

Por primera vez miró a su hijo con un sentimiento de desconsuelo. Los diecisiete años separados de Paulina eran este cuerpo grande y atractivo. Él mismo, Sisí, era su separación y, ahora, su vejez. Pensó: «Reanudaremos el pasado.» Los ojos de Paulina le infundían, no obstante, pocas esperanzas. De momento, nada le importaban los hombres ni el mundo. Dijo Paulina:

—Vendré por aquí, Cecilio. Nada de lo pasado cuenta ya.

Se movía con cierto imperio. Rubes constató la transformación, en la insinuante parábola de sus desplazamientos, y en su perfume. Sisí medía sus proporciones, la armonía excitante de sus pantorrillas, la calidad sensual de su rojo cabello desmelenado. Pensó: «¡Oh, es una real hembra! ¿Qué habrá habido entre mi padre y ella?» La vio estrechar la mano de Cecilio y cuando Paulina se la tendió a él, casi se enfadó:

—¡Yo salgo también! —dijo—. Yo voy con usted.

Sonrió Paulina. Le halagaba la fogosidad del muchacho y cuando salieron y él la tomó del brazo no hizo ademán de desasirse. Pensó: «Al fin y al cabo, como si paseara con un hijo mío.» Notaba en el antebrazo la mano fuerte de Sisí y le gustaba sentirla.

Cecilio Rubes, al verlos marchar, había pensado: «Es una monstruosidad. ¿Es que Sisí sabe siquiera lo que hace? Paulina no debería permitirlo.» A Sisí le excitaba la risa fresca y joven de Paulina. La muchacha no puso reparo para tomar tres copas con él y, a la cuarta, Sisí comenzó a hacerle confidencias. Le hablaba de Isabel Gutiérrez con fingida exaltación. «Una muchacha que dice que no y yo la quiero. ¿Qué otro remedio me queda que casarme con ella?» Paulina se echó a reír. Sisí se dio cuenta entonces de que lo que ansiaba era levantar los celos en el pecho de Paulina. Se confesó violentamente: «Me gusta más que Isabel. ¡A la porra Isabel! ¡A la porra!» Dijo Paulina: «¿Se casan aquí los chicos a los dieciocho años?» El vino y las cosas de Sisí le producían un arrebatador optimismo. Le miró de reojo y pensó: «Es extraordinariamente guapo y muy varonil. Estoy orgullosa como si fuera mi hijo. ¡Qué boba!» En el portal de la pensión tendió la mano a Sisí. «¡Oh!», dijo el muchacho decepcionado. Le miró ella desde el borde de las pestañas: «¿Qué?», dijo. Dijo Sisí: «¿Cuándo salimos a bailar juntos?» Añadió Paulina: «No me gustaría que por mí regañaras con tu novia.» «¡Eso no! —dijo Sisí—. No importa. No me importa... No le importa eso a ella.»

Empezaron a salir juntos con cierta asiduidad. Un día se cruzaron con Isabel Gutiérrez. Sisí dijo al oído de Paulina: «Mira; ésa es.» Paulina volvió la cabeza y chocó con la mirada furiosa de la chica. «¡Oh!, vete con ella, Sisí. Se ha enfadado.» Sisí apretó su brazo: «Déjala que se enfade —dijo—, tú estás conmigo.» Paulina quiso insistir, pero sentía una secreta alegría constatando la predilección de Sisí. A Paulina le complacía ver enamorados de ella a los chicos jóvenes y vitales. Al bailar con Sisí y notar en la cintura su amoroso cerco, le gustaba relajarse. Sisí despertaba en ella una sensación ambigua. Se decía: «Es como mi hijo. ¡Qué feliz soy con él!» Pero, en el fondo, sabía que no era como su hijo.

A veces se confesaba que exhibiéndose al lado del muchacho le estaba perjudicando. Tomaba, entonces, débiles decisiones. «No volveremos a salir juntos», se decía. Mas, al día siguiente, olvidaba sus propósitos o determinaba aplazarlos. Le agradaba la valentía de Sisí. No la encerraba entre cuatro paredes como su padre hizo un día, sino que la exhibía orgulloso por todos los locales de distracción de la ciudad.

Algunas noches, sola en la cama, Paulina repasaba sus últimos diecisiete años y se arrepentía, en cierto modo, de su vida interior: «Si él supiese», se decía compungida. Sus inocentes devaneos con el joven Rubes, despertaban en ella cosas ya casi olvidables: Sus pequeñas excitaciones de adolescente, sus primeras inclinaciones amorosas, antes de que Cecilio Rubes la llevara a Madrid y le pusiera un piso. Ahora, en este quiebro inesperado de su vida, Paulina desearía volver a empezar. No obstante, sabía que nunca volvería a tener trece años, ni tampoco podría borrar el pasado.

Una tarde, Sisí subió a su habitación a buscarla. Paulina le reprendió, pero, en verdad, celebraba su audacia, le agradaban los impulsos incontrolables del muchacho. Pensó: «Yo debería haber nacido veinte años más tarde.» Sisí paseó la mirada por la habitación. Era un apartamiento limpio, agradable y sin pretensiones: Una cama baja de tubo niquelado, un armario sólido, una cómoda, una mesa y dos sillas tapizadas de flores. La lámpara tenía unos flecos que suavizaban la luz. Paulina le sirvió una copa mientras ella se vestía tras la puerta abierta del armario. Sisí dijo:

—Llueve y está desagradable. Podríamos bailar hoy aquí.

Le temblaban levemente las manos. Oyó la voz de Paulina tras de la puerta:

—¿Estás seguro de que prefieres quedarte aquí?

Sisí dio cuerda al gramófono y puso un disco. Le atraía esta intimidad. Presentía que Paulina no era como Isabel Gutiérrez. ¿Por qué se había enfadado Isabel Gutiérrez con él? Sonrió al recordarla, la tarde anterior, golpeándole fieramente el pecho con sus puñitos cerrados. Él dijo: «Entre tú y yo no existe complicación. Tú lo has preferido así. ¿No es eso?» Isabel pensó: «¿Por qué he sido tan ridículamente comedida?» Insistió Sisí: «No me puedes exigir nada. No soy responsable de nada.» Ella seguía golpeándole el pecho e insultándole. Dijo Sisí: «Está bien, ¿has terminado?» Ella bajó la cabeza. Le invadía una demoledora sensación de fracaso. Comprendía que había desaprovechado los triunfos que tuvo en la mano. Añadió Sisí: «Entonces, adiós.» Dio media vuelta y la dejó sola en su pequeño y angosto portal. Ella le llamó, volvió a llamarle más fuerte en un último intento, pero Sisí dobló la esquina sin volver siquiera la cabeza.

Paulina estaba ya a su lado y Sisí la tomó por la cintura. El suave tejido de seda dejaba llegar hasta su mano la cálida vibración del cuerpo de ella. La ciñó estrechamente. La habitación era pequeña y se movían con alguna dificultad:

—Regañé definitivamente con ella, ¿sabes? — dijo Sisí.

Y como si ello le diera algún derecho sobre Paulina la atrajo aún con mayor fuerza. Paulina le miró a los ojos:

—¿Por qué lo has hecho? — dijo.

—Por ti — dijo Sisí.

Al concluir de bailar, se sentaron a beber unas copas. Cuando reanudaron el baile, Sisí dijo:

—¿Qué hubo entre mi padre y tú?

—Fuimos buenos amigos. Eso hubo.

Pensó Paulina: «No parecen padre e hijo. No lo parecen.» Rubes estuvo allí tres días antes. Se creía con derecho a exigirla. Dijo: «¿No comprendes que es monstruoso? Bien, tú misma dices que es como si fueras su madre. ¿Hay algo medianamente honrado en todo esto?» Ella le dijo: «Estás celoso, Cecilio. Eso te pasa.» «¿Celoso? ¿Celoso de mi hijo? ¿Es que sabes siquiera lo que dices?» La agarró por los brazos y la zarandeó con violencia. Añadió Paulina: «¡Suelta, me haces daño!» Entonces quiso besarla. Ella se zafó de su brazo: «Todo acabó hace diecisiete años, Cecilio. Ahora soy libre.» Él había llevado un gran ramo de flores y lo lanzó al suelo y lo pisoteó. Ella sonreía. «Bueno, ¿no es ridículo esto?», dijo. «¡Todo es una monstruosa inmoralidad!» voceó Cecilio. Ella dijo suavemente: «¿Desde cuándo sientes escrúpulos morales, cariño?» Cecilio cedió. La suplicó de nuevo y dijo «que era ella la mujer de su vida». Se puso de rodillas en ademán implorante. Paulina se reía. La fortalecía un sórdido sentimiento de revancha. «Tú me suplicaste que me fuera, Cecilio. Yo me fui. Todo acabó entonces.» Cecilio se levantó, intentó de nuevo abrazarla y ella se resistió. «Bien, si es así vete y no vuelvas más», dijo Paulina, abriéndole la puerta.

Ahora notaba una extraña excitación bailando a solas con Sisí. Le acariciaba voluptuosamente el rubio cogote. Constataba en su pareja la fuerza de la juventud. Sisí era como un fuego, como un mundo de energías reprimidas. Sin embargo, aquel muchacho removía en ella un algo maternal. Se alegraba de poder despertar en él un fervor y un anhelo porque estaba dispuesta a aplacarlo tan pronto él se lo pidiese. Creía haber obrado bien apartándole de Isabel. Un muchacho como Sisí no debía casarse a los dieciocho años con la hija de un cerrajero. Ella sabría consolarlo hasta que encontrase la mujer que le conviniera. Sentía un próximo orgullo de Sisí, como de cosa propia. Dijo:

—Me alegra que hayas regañado con ella. ¡Vaya! No te convenía.

Constató, como fuego, el cerco de él:

—Tú eres la que me conviene, ¿no lo comprendes?

Su aliento le quemaba la punta de la nariz. Dijo Paulina:

—¡Vaya! es una tontería. Yo puede ser tu...

La besó con tan extremosa voracidad que Paulina se asustó. Fue un beso largo y denso, mientras el gramófono cantaba ritmos inútiles.

Cuando volvió a la realidad, Paulina se dio cuenta de que la aguja rayaba fuera de la impresión. Sisí estaba a su lado, sobre la cama, y una mano lacia, que al parecer era la suya, le acariciaba mecánicamente sus alborotados cabellos rubios.

III

El periódico del día 7 de octubre de 1936, decía: «Comunicado Oficial: Ha transcurrido la jornada de hoy con gran actividad en el frente aragonés, en Asturias y en los dos sectores del frente de la VII División. En todos ellos ha cooperado muy eficazmente nuestra aviación, en íntimo enlace con las fuerzas de tierra, logrando importantes éxitos. La situación se sostiene y mejora en cada jornada. En la zona de la retaguardia de este ejército, sin novedad.» «Ha sido hallada la magnífica custodia de la Catedral de Toledo y, aunque está en pedazos, podrá ser reconstruida.»

Decía también el periódico del 7 de octubre de 1936: «El Día sin postre: Ayer se reunió en la Alcaldía con el alcalde accidental la junta organizadora del «Día sin postre» para cambiar impresiones sobre la organización de la recaudación.» Y, debajo: «¿Se entablará un combate naval en aguas de Casablanca?» «El barco pirata «Galerna» fue apresado cuando se dirigía de Bayona a Bilbao y conducido a Pasajes. Intentó huir forzando la máquina, pero los cañonazos de nuestros barcos le obligaron a entregarse.» Acompañaba a esta información naval una fotografía del hundimiento del submarino B-6, después de ser atacado por el destroyer «Velasco» y unos pesqueros.

En segunda plana, decía el periódico del 7 de octubre de 1936: «Procesión de Rogativas: Continúan las parroquias de la capital realizando rogativas matutinas, para implorar nuestro triunfo y la paz de España.» «Natalicio: Con toda felicidad dio ayer a luz un hermoso niño la esposa del sargento de infantería don Claudio Salgado —nacida Felicidad Alonso—, que se encuentra cumpliendo sus deberes militares en el campo de batalla.» Varios titulares de la tercera plana del periódico del día 7 de octubre de 1936 decían: «Suscripción pro avión para la defensa.» «¡A los toros, a los toros! El gran festival patriótico de mañana.» «Donativos recibidos para la Biblioteca de Heridos y Soldados.» «Junta del Tesoro de Guerra: Vigesimotercera relación de alhajas recibidas en esta ciudad a disposición de dicha Junta.»

En tercera página, decía el periódico del 7 de octubre de 1936: «Cinema Montoya: «Hoy se proyecta la extraordinaria producción Fox, hablada en español, titulada «El carnet amarillo», por Elisa Landi y Lionel Barrymore.» «Ideal Cinema: Hoy, la graciosísima película, «Limpia, fija y da esplendor», por la monísima artista Anny Ondra.»

Adela se cepilló el pelo ante el espejo del tocador, se quitó la bata y se metió en la cama. Miró a Cecilio de reojo y pensó: «Los hombres en calzoncillos están grotescos.» Se encontraba cansada y estiró las piernas. Llevaba cuatro meses acostándose rendida. En realidad, el hospital no daba reposo. Cada día llegaban nuevos heridos y suponía un quehacer exagerado atenderlos debidamente a todos. Eran muchachos jóvenes, casi unos niños, y a Adela la maravillaba el orgullo con que mostraban sus miembros destrozados y el sombrío estoicismo con que soportaban las curas. Aquella misma mañana sacaron un ojo a un chiquillo de dieciocho años y él había dicho con heroica displicencia: «Mejor; así no tendré que guiñarle para cazar codornices.» Le preguntó Adela: «¿Es que hay codornices en tu pueblo?» A Adela no le interesaban las codornices. Dijo el muchacho: «Años que sí y años que no. Depende.» Ella procuraba ocultarle el instrumental. Al principio, Adela no podía ver un rasguño sin marearse. La necesidad la obligó. Se improvisaban hospitales por todas partes y ella se puso al frente de uno. Todos debían cooperar a la causa. Aquella era una guerra total. Nadie podía regatear su aportación y su sacrificio. Adela se transformó en «doña Adela» y sus vestidos de última moda en una simple bata blanca. Tenía que tomar decisiones, organizar, saber mandar y saber obedecer. Era la guerra. Todos debían intervenir en la guerra y, de hecho, todos intervenían. Todos intervenían menos Sisí. Estaba cansada. «Pobre muchacho. Tuerto», pensó. De nuevo observó de reojo a su marido y se dijo: «¡Qué piernas tan blancas tiene!» Dijo:

—Sisí tendrá que alistarse, Cecil.

—Sí, tendrá que alistarse —dijo Cecilio sombríamente.

A Cecilio Rubes se le agarrotaba la garganta. «Tendrá que alistarse. No queda otro remedio», pensó. La guerra había llegado sin que él se diera bien cuenta. Él nunca se imaginó que las guerras empezaran así, tan bobamente. Tampoco suponía que las guerras y los terremotos pudieran acontecer un día en su ciudad. Él siempre creyó que las guerras y los terremotos eran catástrofes exclusivas de otros países. El Japón, por ejemplo. Después de todo fueron cuatro tiros y, de repente, se hablaba del frente norte y el frente sur, de ciudades abiertas, de posiciones y de trincheras. Era, pues, la guerra. Y Sisí tendría que ir a la guerra. Era inconcebible que un muchacho como Sisí, tan hermoso y pusilánime, tuviese que ir a la guerra. Cecilio le había visto retorcerse de terror cuando algún avión adversario arrojaba cuatro bombas sobre la ciudad. Pero el miedo no era un motivo de inutilidad. Como quien no quiere la cosa, Ramón Prado le decía repetidamente en el Real Club: «El valor no consiste en no tener miedo sino en comérselo.» Y Cecilio Rubes se encogía pensando en Sisí. Muchos muchachos de la edad de Sisí habían dado su vida alegremente en los primeros días. Era entonces cuando Cecilio Rubes pensaba que aquello no era la guerra, sino un deportivo movimiento de protesta. Él se sumó a esa protesta. Estaba harto de inquietudes, de petardos y de pensar marcharse a Portugal. Aquello era una ventana abierta a la tranquilidad y él se asomó, sin vacilar, a esa ventana. Respiró profundamente. Se alistó en «segunda línea» e hizo guardias con un fusil al hombro en los hospitales y en la Capitanía. En las vitrinas de su Establecimiento exhibió durante un mes la hélice de un avión enemigo derribado y un negro pedazo de pan del que comían los sitiados en el Alcázar. También entregaba cien pesetas por cada «Día sin Postre» y doscientas por los de «Plato Único». Donó a la Junta del Tesoro una medallita de bautismo y su alianza —con este gesto se sintió un tanto liberado— y no entregó sus dos relojes de oro, las alhajas de su madre, las bandejas y los juegos de café de plata, porque eran recuerdos de familia. Invitó a su casa a tomar café a dos legionarios rasos y tuvo alojado por una semana a un capitán de Regulares. Ante la bandera, se descubría y saludaba. A los acordes de un himno militar se ponía firme y saludaba también. Entregó quinientas pesetas para la suscripción «Pro Avión para la defensa». Envió diez volúmenes en piel para la «Biblioteca de Heridos y Soldados». No protestó cuando su Lincoln fue requisado para necesidades militares. Cumplía como un ciudadano disciplinado las órdenes de acogerse en los «refugios», si sonaban las sirenas anunciando la proximidad de aviones enemigos. En las primeras semanas, incluso, disparó contra ellos desde el mirador con la escopeta de caza que conservaba de su padre. Después del primer bombardeo, formó parte de la manifestación que desfiló ante el Gobierno Civil y la Capitanía execrando «la vandálica provocación de un adversario desesperado y sin escrúpulos». Cecilio Rubes, en fin, cumplió con un alto espíritu y se sumó como embriagado a la colectiva euforia. Ahora, de repente, se daba cuenta de que aquello no era cuestión de días sino que era la guerra y que Sisí tendría que ir a la guerra y que su reemplazo estaba ya en puertas y pensó, irritado: «¡Qué ganas tienen de enredar las cosas!» Se puso el pantalón del pijama y apagó la luz. Su voz retumbó en la opaca oscuridad:

—Mañana veré al general López —dijo.

—¿Qué quieres del general López? —dijo Adela.

—Bien. Lo de Sisí.

—¿Qué?

—Si puede hacer la guerra cómodamente será mejor.

—El Ejército le vendrá bien.

—Allá pueden matarlo.

—Lo meterán en cintura.

—Bien. Hablaré con el general López.

—Hoy sacaron un ojo a un muchacho más joven que Sisí.

—¿Ves?

—No se quejó. Sólo dijo: «Así no tendré que guiñarle para cazar codornices».

—¿Ves?

—Alguien tiene que luchar, Cecilio. Todos hacemos lo que podemos. Luisito está en la Legión.

—Bien. Es un loco. Todos los Sendín son unos locos.

—Los locos que tú dices nos sacarán las castañas del fuego, Cecil.

Rubes se soliviantó:

—¿Es que también tú vas a caer en la tontería de decir que tu hijo es un emboscado?

—Es fuerte y saludable, Cecil. Yo tampoco quiero que maten a Sisí, compréndelo. Yo no quiero que Sisí se aliste en la Legión. Pero debe de hacer algo.

—Le asustan las bombas.

—¡Oh, Cecil! —sollozó Adela—. ¿Por qué le hemos educado así?

—El miedo es el miedo. Se nace con él o sin él. Bien, la educación nada tiene que ver con las bombas, me parece a mí —dijo Rubes. Hubo un silencio. Adela dio una vuelta en la cama. Rubes pensó: «Veré a López mañana. Él me dará una solución.» No tenía sueño. De siempre durmió de un tirón, mas ahora no sentía sueño. Era raro. «¿Cuándo se decidirá esta mujer a poner dos camas aquí?», se dijo, malhumorado. Oyó dar la una en el reloj de pie del salón. «Bien —pensó—. No creo que López con la muerte de su chico haya cambiado. Al fin y al cabo era militar. Y si los militares cobran dinero durante toda su vida es para que den la cara en ocasiones como esta; es su obligación. Pero, ¿qué le va, ni que le viene a Sisí en esta guerra?» Más tarde pensó en los tiempos calamitosos que corrían. «¡Ah, qué tranquilidad la de 1918! Entonces se podía vivir y prosperar. El teatro, la berlina, el ama Jacoba. Sisí era un cachorrito que llamaba la atención. ¿Por qué se empeñó Paulina en conocerle? Entonces se podían acariciar; eran una mujer y un niño. Bien, el cadete aquel y el viejo de la silla la deseaban. Ahora es otra cosa... Adela pensó que Paulina era una prostituta. Lo de Paulina con Sisí es un... ¿Un...? Sí, un...» Cecilio daba vueltas desazonado. Las sábanas de hilo se le hacían demasiado ásperas y las almohadas de miraguano demasiado duras. No encontraba postura. Dio otra vuelta. Luego, otra. Se incorporó y mulló un poco la almohada superior. Volvió a tumbarse. Tenía calor. Estuvo pensando un rato en lo que le diría al general López. «No, así no», se dijo. Se colocó boca arriba. «Habré de tener tacto —pensó—. López es algo especial. Además le han matado un chico. Bien, él no ha podido olvidar que hace años me brindó el homenaje.» Las tinieblas le daban calor y le producían una rara sensación de asfixia. Se puso del lado derecho. Después del izquierdo. En el reloj de pie dieron las tres. Rubes volvió a acostarse del lado derecho, bostezó dos veces y notó el reguero fresco de una lágrima surcando su mejilla. Volvió a bostezar. Pensó, entre nieblas: «¿Cuándo se decidirá Adela a poner dos camas aquí?» Se le iban esfumando paulatinamente las ideas de la cabeza y, finalmente, se quedó dormido.

Sisí Rubes no creía que lo suyo con Paulina fuese un... Si es caso, si pensaba en lo de su padre con Paulina, cuando la chica contaba diecisiete años, le parecía un infanticidio. Paulina le gustaba. Hacía tiempo que Sisí no necesitaba de otras mujeres. Hasta el palmito de Isabel Gutiérrez, en otro tiempo tan deseado, era ya historia. No lo recordaba, o de recordarlo, lo hacía con absoluta frialdad, como algo de lo que podía buenamente prescindir. Sin embargo, hacía meses que Sisí constataba en su alma un vacío; Sisí se sentía fogueado y ardiente a rachas, mas, inmediatamente, caía en un estado de laxa postración. No era la guerra. Él sabía que no era la guerra, porque meses antes de la guerra ya advirtió en su sangre este decaimiento y este desánimo. Era algo como un sentimiento brutal y vívido de incapacidad. Frecuentemente, Sisí Rubes pensaba que en la vida gozó de todo, conoció de todo, y que, por lo tanto, la vida, en el futuro, carecía para él de objetivo.

Cuando le habló a Paulina de su decepción, ella se atribuló y le atusó la cabeza. Paulina no era como su padre o como su madre: ella creía en su problema moral y se esforzaba en hallarle una solución. Le aconsejó que leyera. En otra ocasión le dijo: «¿No sientes alguna inquietud especial, Sisí? ¿No te gustaría la mecánica, o las leyes, o estudiar el curso de las estrellas?» Sisí se miraba, abrumado, sus manos grandes vacías. Experimentaba la sensación de ser un algo frustrado e incompleto. «Quizá —le dijo a Paulina una noche cálida, en el campo, con el alto cielo arriba— sea que yo no he empezado la vida por el principio, como debe ser. Dime, Paulina, ¿qué hay más allá de los veinte años?» Paulina le acariciaba la cabeza: «Cariño, no te atormentes. Encontrarás, tal vez, la mujer de tu vida.» «¿Y más allá de las estrellas?», indagaba Sisí. «Está Dios», decía Paulina, levemente sobrecogida. «Dios, Dios, ¿crees tú que Dios me odiará?» Paulina rompió a llorar. Aun era mayo. Emitía unos sollozos crispados. También a ella la atormentaba la idea de Dios. A Sisí le atraía, en cambio, una difusa noción de la nada. Le apetecía, más que otra cosa, descansar mucho, sin limitaciones. Preguntó: «¿Crees tú que los que no han nacido es como si hubieran muerto?» Paulina hizo un esfuerzo y se secó las lágrimas: «No te entiendo, Sisí», dijo. «Bueno —dijo Sisí—. Si un hombre se casa con una mujer tiene hijos distintos que si se casase con otra, ¿no es así? ¿Puedes decirme, Paulina, cuántos seres quedaron sin nacer desde que la Tierra existe?» «No pienses esas cosas», dijo Paulina. Se le torció la boca a Sisí en una mueca de precoz amargura: «¿Temes que me vuelva loco? ¿No es eso?» Paulina le estrechó tiernamente contra sí. Le dolía el desvalimiento y la soledad de Sisí. Pensó: «Cecilio es un egoísta. Siempre fue un egoísta Cecilio.»

Con cierta frecuencia, Sisí la deseaba y ella se entregaba con un violento deseo de hacerle dichoso. Pero el ardimiento de Sisí era puramente transitorio. La depresión volvía más acentuada tras el momentáneo goce. Pensaba Sissí: «¿Es hartura o es limitación?» Su padre le había dicho un día: «Lo tuyo y lo de Paulina es... es... bien, es algo así como si sedujeras a tu madre.» Por fuera se echó a reir Sisí, pero, por dentro, le sobrecogió una especie de viscosa repugnancia. Se lo contó a Paulina. Ella dijo: «Tu padre está celoso.» «¡Oh!, ¿celoso de mí? —protestó Sisí—. Eso es mezquino.»

Bebía mucho para olvidar su vida en el tope, su hartura o su limitación; para olvidarse de todas las cosas. Se encontraba mejor inconsciente, transportado a un mundo maravilloso al margen de toda atadura. Hubiera deseado estar siempre borracho o, al menos, bajo la sensación placenteramente difusa del borracho. Entonces nada le importaba. Una noche, Gloria y Luis Sendín le recogieron inconsciente en un banco del parque. Su madre se lo contó abochornada, al día siguiente. Sisí dijo: «¿Qué quieres?» Adela lloraba sobre su pecho. A él le mortificaba ser causa y ocasión de lágrimas y pesares. «No puedo hacer otra cosa. Es más fuerte que yo.» Su madre le abrazaba convulsivamente. Sólo decía: «Hijo... hijo... hijo.» A Sisí le dolía el esfuerzo de todos por alterar su signo; las lágrimas de su madre, la tesonera actitud de Luisito Sendín, los leves reproches de colegiala de Elisita Sendín. Sólo Cecilio Rubes, su padre, decía: «Bien, ¿qué os choca? ¿Es que la juventud ha sido alguna vez de otra manera?»

Un día caluroso de junio, camino de su casa, Sisí Rubes tropezó con una Elisa Sendín desconocida. Se había cortado las coletas y había jubilado su uniforme de colegiala.

—¡Oh! —dijo Sisí—. ¿Puedes decirme qué ha pasado? ¿Qué cambio es éste?

Ella se sofocó. Tenía los ojos pequeños y rasgados, muy brillantes, como su madre. El pelo corto alargaba su garganta y la daba un aire de graciosa fragilidad. Su cuerpo conservaba aún la vaga imprecisión de la adolescencia. Dijo:

—Hola, Sisí. No volveré al colegio. Tengo dieciséis años.

A Elisa la azoraba Sisí. Estaba acostumbrada a oir hablar de él a sus padres en cuchicheos e interrumpirse cuando ella se acercaba. Solía verle con mujeres raras y, últimamente, con una pelirroja que debía llevarle muchos años. Ante Sisí se sentía pequeña, ridícula y un poco ñoña. Le consideraba un chico mayor y recelaba que se riese de ella. Algunas veces se atrevió, sin embargo, a decirle que no bebiera vino. Sisí, en cambio, la trató siempre con un asomo de cariñosa condescendencia:

—Estás muy guapa —dijo—. ¿En qué piensan los chicos de aquí que te dejan volver solita a casa?

—¡Ah! —dijo ella—. ¡Qué tonto eres!

Llevaba los brazos desnudos y eran como dos ramas delgadas y vitales. En otro tiempo, Sisí la tomaba del brazo y bromeaba con ella. Quince días antes la hubiese tirado de las coletas. Hoy, todo era distinto. En primer lugar, Elisa Sendín ya no tenía coletas, y, en segundo, algo emanaba de ella que le frenaba. Dijo él:

—Te vi de lejos y pensé: «Aquella chica es nueva en la ciudad; no hay chicas tan guapas que yo desconozca.»

Dijo ella:

—¿Tan rara me hacía el uniforme?

En el fondo, estaba halagada, aunque sospechaba que Sisí estuviese bromeando. Ella sabía que a Sisí le gustaban las chicas más atractivas. Tenía Elisa Sendín un pobre concepto de sí misma. Era alta, pero se consideraba torpe y desgalichada. Dijo Sisí:

—Bien. Una nueva mujer se asoma al mundo. ¡Oh, vaya, ten cuidado! Hay quien piensa que el mundo se come a las niñas crudas.

Elisa Sendín apretó el paso. Apenas sabía sostener una conversación a solas con un chico. Intuía que ahora sería torpe abordar los mismos temas que cuando era una atolondrada colegiala. Todo era distinto, pero, a pesar de ello, ella seguía aún sin saber dónde colocar las manos. Echaba de menos los libros, los lapiceros y la cartera de estudiante. Su madre le decía, a veces: «Hija, tienes que corregirte; andas lo mismo que un soldado.» Ella decía: «Pero mamá...» Mas no se atrevía a preguntarle si eran los brazos o las piernas o ambas cosas lo que movía como un soldado. Se sentía tonta, grotesca y humillada. Experimentó un cierto alivio al llegar a casa. Sisí vigilaba de cerca el azoramiento de Elisa. Acaba de descubrir en ella una desconfianza en sí misma que le conmovía. Ella dijo:

—¡Hasta luego, Sisí!

Sisí pensó: «Estaba deseando escaparse.» Mientras comía, Sisí pensó: «¡Oh!, a lo mejor la hice llorar.» Notaba que la sensación de la muchacha no había huido completamente de él; quedaba agarrada a sus poros y a su esencia. Se tumbó después de comer y se dijo: «Es una ingenua.» Tenía las manos debajo de la nuca y la mirada fija en el techo. Hacía calor. Oyó una música amortiguada tras el tabique y pensó: «Elisa da su lección de piano.» Al cabo de media hora, la música cesó; pensó Sisí: «Ya ha terminado.» Luego se dijo: «¿Qué me importa a mí lo que haga la pavisosa de Elisa Sendín? Parece como si la estuviera acechando.» Inmediatamente reconoció que su conversación con la muchacha había venido a descubrir en la tenebrosa sima en que últimamente se movía, una rendijita de luz. «Vaya —se dijo—. ¡Es curioso!» De su vida de relación con Elisa Sendín no recordaba más que los coscorrones normales de la primera infancia y las irrupciones inoportunas de la niña cuando él hablaba de cosas fundamentales con Luisito Sendín. Él decía: «Hola, Elisita.» Ella decía: «Bueno, me tengo que marchar, ¿no es eso?» Decía Luisito Sendín: «Exactamente, querida. Lo has adivinado.» Después, alguna vez, Elisa le decía: «¿Por qué bebes vino si dicen que es un veneno?» Él decía: «Es rico.» Ahora, Sisí pensaba en todas estas cosas y las rumiaba. A las seis, se incorporó y pasó a casa de los Sendín. Preguntó por Luis. Vio a Elisa cruzar el pasillo y dijo:

—Hola, Elisita.

—Hola, Sisí —dijo ella.

Él añadió:

—¿Qué vas a hacer esta tarde?

Sisí temía la aparición de Gloria. Sabía que el matrimonio Sendín estaba en guardia ante él. En cierto modo lo consideraban un apestado. Elisa dijo:

—Estoy yo sola con los niños. Pasa.

Dijo Sisí:

—¿Por qué no tocas un rato el piano para mí?

Se sentó en un sillón mientras Elisa tocaba. El salón estaba en penumbra y Sisí advertía a través de la música una misteriosa y confidencial comunicación. Por lo general, la música le inspiraba un reblandecimiento melancólico. Hoy, este reblandecimiento estaba impregnado de un algo vivificante y placentero. Mantenía los ojos cerrados y ahora no notaba el calor. Descansaba totalmente así, como en un sueño profundo. Elisa no hablaba. Tocaba de oído y antes de que sus dedos oprimieran las teclas dibujaba la armonía en su cerebro. Esto suponía para ella una agradable concentración. La complacía esta tarde tocar sólo para Sisí. Anteriormente estuvo tumbada en la cama, llorando. «Soy una estúpida —se dijo—. Sisí me habla como a una criatura estúpida.» Y, quizá por primera vez en la vida, ambicionó ser exageradamente bonita. De pronto, ante el piano, con Sisí escuchando, se encontraba más sosegada. Estuvo así casi una hora y, al concluir, se levantó. Vio a Sisí aplaudir, y de nuevo le subió de la garganta un imperioso deseo de llorar. Chilló Sisí:

—¡Bravo, Elisa! Eres una gran pianista, ¿sabes?

Ella se recostó en el brazo del sillón:

—Sisí... —dijo.

—¿Qué?

—Te voy a pedir un favor.

—¿Un favor? Dime.

—No me hables siempre como si yo fuera una chica tonta —dijo Elisa.

—¡Oh, no! —dijo él—. ¿De veras crees que yo pienso eso de ti?

Le gustaba ver las manos de ella, delgadas, inquietas e imprecisas; unas manos que ahora se le antojaban recorridas de una nerviosa vibración.

—Me dices las mismas cosas que cuando yo era pequeña. ¿Por qué hablas siempre conmigo en tono de broma?

Sisí tuvo un impulso de cogerle una mano, pero el pelo corto de Elisa le dominaba. Dijo:

—De veras pienso que tocas muy bien el piano. No es una broma eso.

—Bueno —siguió ella—. Me refiero a todo lo demás.

Se alzó un silencio tenso. Sólo se oía un reloj y el lejano rumor de los niños. Sisí pensaba: «¿Qué puedo decir yo ahora?» Dijo Sisí, al fin:

—Bueno. ¿Puedo salir contigo esta tarde?

Ella denegó con la cabeza.

—¿Cuándo podemos salir juntos, entonces?

—Mañana —dijo Elisa.

A Sisí empezó a serle agradable la compañía de Elisa Sendín.

Salían juntos a menudo y regañaban por naderías. A Sisí Rubes le divertía que Elisa se enfureciese si él decía que Shirley Temple era una niña retaco y empalagosa. Notaba una ardiente oleada de ira si veía a Elisa Sendín paseando con algún muchacho. Un día le dijo: «Las chicas en cuanto os dicen que sois guapas os volvéis insoportables.» Ella se enfadó. Al día siguiente no salieron. Al otro, Sisí pasó a preguntar por Luis Sendín. Elisa, como quien no quiere la cosa, entró en la habitación. «Hola», dijo Sisí. «¡Hola!», dijo Elisa. Dijo Sisí: «No estarás enfadada, ¿verdad?» Dijo Elisa Sendín: «¿Por qué voy a estar enfadada?» Así hicieron las paces. Sisí pensaba: «¿Qué me sucede?» Advertía, o mejor intuía, algo parecido a un cambio. En ocasiones pensaba que él, en la vida, fue siempre derecho hasta el fin sin reparar en muchas cosas bellas del trayecto. Ahora había hecho marcha atrás y repetía el recorrido por sus pasos naturales. Eso era todo. Podía ser lo suyo un despertar u otro nuevo, pasajero y frustrado intento. Era un fenómeno extraño el que Elisa provocaba en él. No levantaba su apetito y, por tanto, en su opinión, aquello no era amor. Por primera vez en la vida, Sisí Rubes sentía un placer pleno, sin más que estar sentado al lado de una muchacha más bien delgada. No experimentaba deseos de entablar contactos más o menos furtivos. Ni deseos de abrazarla. Él creía que de intentarlo, la estropearía y la mancharía; destruiría, de fijo, aquello tan hermoso, y tan extraño, y tan frágil, que de un tiempo a esta parte se ensanchaba dentro de él.

Un día, Elisa le hizo esconderse para que no les viera su padre.

Dijo Sisí:

—¿Es que no quieres que te vean conmigo?

Fruncía el ceño y su expresión se endureció al ver azorarse a la muchacha. Insistió:

—Es eso, ¿verdad?

Elisa Sendín vaciló. Dijo:

—Mamá dice... mamá dice que tú eres de otra manera. Bueno... que te diviertes de otra manera... Yo la dije: «Sisí ya no bebe vino.» Ella dijo: «De todos modos, hija...» Yo... yo...

Se ofuscó. Era como un vehículo que empieza a vacilar en un camino arenoso y termina por detenerse. Se esforzó Elisa en decir algo, en vano. Añadió él:

—¿Tú qué piensas de mí?

—¡Ah, Sisí! Tú antes ibas con chicas raras... Ibas con una chica pelirroja... Bueno, no sé. Ahora vienes conmigo. Yo no pienso más cosas de ti, te lo aseguro.

Aquello dejó una huella en el alma de Sisí. A solas, se decía: «Soy como un hombre con las manos sucias.» A menudo se desesperaba y se golpeaba a sí mismo con los puños crispados. Había comprado unas píldoras para aborrecer el vino, pero, aunque bebía menos, seguía haciéndolo, por más que ahora se ocultase. También continuaba visitando a Paulina, a quien daba cuenta de su proceso. Paulina le animaba y le decía: «Esa es la chica con quien has de casarte.» Decía Sisí: «No me gusta para eso.» Paulina volvió a sentirse encerrada entre cuatro paredes. «Es mi sino», pensaba. Claro que ahora poseía la libertad de moverse sola a su capricho. Pero Sisí ya no la llevaba a bailar, ni hacía ostentación de ella. Paulina decía dolorida: «Amor es lo que sientes por ella; no lo que sientes por mí.» Él se enardecía entonces y la quería. «Ella no me atrae así; de ninguna manera», decía Sisí apasionadamente. Pero, después, le quedaba un regusto seco y áspero, como una desolación. Y tenía conciencia entonces de lo que pueden ser dos mundos diametralmente contrapuestos.

Una vez, Luisito Sendín se encerró gravemente con él, en el despacho de su padre. «Me va a pedir cuentas», pensó Sisí. Le encendió una reacción intemperante de lobo acorralado:

—¡No me irás a prohibir andar con tu hermana! —chilló—. Yo sé mandar en mí y ella sabe mandar en ella. ¿Por qué diablos todo el mundo se mete en nuestras vidas?

La familia Sendín tenía un concepto calderoniano del honor. Sisí sabía que los Sendín anteponían el honor familiar a toda otra posible virtud. No ignoraba Sisí que los Sendín matarían por defender el honor. Dijo Luis con fría calma:

—¡En modo alguno!, yo no prohíbo nada a nadie. Yo te quiero como a un amigo, Sisí. Bueno, eso ya lo sabes. No me meto en vuestras vidas. Pero te conozco a ti y ella es mi hermana y... sólo quiero decirte... quiero decirte que si algo le pasara a Elisa yo te mataría. Créeme que no vacilaría en matarte en ese caso.

Le había mirado con unos ojos lejanos, desconocidos. Sisí pensó: «¡Oh, qué ridiculín está Luis diciendo estas majaderías!» Después, Luisito Sendín le hizo sentarse, como si no ocurriera nada, y le dijo:

—Sisí, quiero anticiparte que es cuestión de días el que se arme un buen fregado aquí. Vamos a jugarnos todo a una carta. Eso es. Desearía saber si tú..., en fin, si tú... si tú... si podemos contar contigo para la causa que defendemos. Es la ocasión y...

—Habla más claro —dijo Sisí.

Luis frunció el ceño y apretó las mandíbulas. Dijo:

—Más claro: ¿Estarás o no a nuestro lado para pegar tiros cuando sea necesario?

Le sorprendió la rápida negativa de Sisí.

—No —respondió—. De ninguna manera. Todo eso es cuenta vuestra. Yo no entiendo ni lo que vosotros queréis ni lo que quieren los otros. Hay algo turbio en todo eso aunque tú no lo creas.

Salía con Elisa todas las mañanas a sentarse en la penumbra del parque. Sisí constataba la resurrección de la primavera en torno. Por primera vez advertía, en algo más que las alteraciones de temperatura, la sucesión de las estaciones. Sisí no sabía que su existencia precoz le privó de estos goces. En ocasiones pensaba en Ven y en la Nati, en sus lejanas aventuras en estos mismos bancos del parque. Se decía: «Es curioso. Me parece como que soy más joven ahora y, sin embargo, han pasado muchos años.» Elisa decía: «¿No es Elissa Landi la mejor artista de cine? Di.» Respondía Sisí: «¿Lo dices, acaso, porque se llama como tú?» Una mañana, Sisí Rubes le confesó: «¿Sabes qué pensaba yo de ti?» «¿Qué?», dijo Elisa. «Me parecías una pavisosa. Yo decía que si no fueras hermana de Luis, haríais un matrimonio perfecto.» Elisa Sendín se sofocó: «¡Ah, Sisí!, ¿de veras no te parezco ahora una pavisosa?» Dijo Sisí: «Hace un calor sofocante.» Añadió Elisa: «Luis, mi hermano, es un chico muy guapo.» Después hablaron otra vez de Elissa Landi. Al despedirse, Sisí advirtió en la cara de Elisa Sendín una leve alteración. Dijo Sisí: «¿Te ocurre algo?» Respondió Elisa: «Sisí, dame tu palabra de honor de que ahora no te parezco una pavisosa.»

Unos días después estalló la guerra. La guerra alteró la vida y la tranquilidad de Sisí. Aquellas bombas que, de vez en cuando, caían sobre la ciudad abrían un estrépito como si la tierra toda se desgarrase. Eran como truenos horrísonos, que metían su estruendo a través de la carne. Luis Sendín y los muchachos como él, andaban de aquí para allá con el fusil presto y las cartucheras a la cintura. Eran tan jóvenes que parecían niños jugando a la guerra. Salían de la ciudad en camiones, voceando al viento, Sisí no sabía dónde, y muchos no volvían; quedaban tendidos sobre los surcos o sobre las crestas grises de las montañas. Había una vibración extraña poseyendo la ciudad, poseyendo la tierra, poseyéndolo todo. Sisí, en el foco de este caos, se sentía descentrado. Le sorprendió la actitud decidida de su padre, el sentido de iniciativa de su madre organizando en tres días un hospital donde antes hubiera un colegio, los arrestos de Luis Sendín, la voluntad y el entusiasmo de Elisa Sendín yendo cada tarde al polvorín para fabricar municiones. Sisí se preguntaba: «¿Cuándo acabará todo esto?» Le parecía impropio que las gentes volcasen toda su capacidad y todo su esfuerzo en una causa impersonal, en algo que no era tangible y sí muy problemático. Se le antojaba que la gente le miraba en la calle, como diciéndose: «¿A qué espera este muchacho para agarrar un fusil?»

Luego venían los aviones y, con ellos, el estruendo, y, con el estruendo, la muerte. Sisí gemía, arrinconado bajo un colchón, y se decía: «Yo no sirvo para la guerra. No podría ser útil a nadie.» Temblaba. Elisa le decía con frecuencia:

—Sisí, ¿por qué no vienes al polvorín conmigo? ¿Por que no haces alguna cosa?

Comprendía Sisí que para Elisa y para su clan, su actitud resultaba incomprensible y humillante. Solía decir:

—¡Ah!, yo no tengo nada que ver con vuestras tonterías.

Se veía con Paulina frecuentemente. Él le decía: «Yo no valgo para la guerra. Yo no veo nada útil detrás de esta guerra.» En cierto modo, Sisí barruntaba que la vida y la persona no eran, en determinados momentos, lo primero. Los ojos de Elisa Sendín le permitían entrever que se cernía algo grande y elevado por encima de aquella espantosa catástrofe. Paulina le alentaba: «Tampoco valgo yo para la guerra.» Mas la guerra se prolongaba — no fue cuestión de meses como Sisí previera — y la amenaza de ser llamado a filas se alzó en él. Era como el soldado que ve aproximarse un rosario de bombas y piensa: «Otras dos y la siguiente caerá sobre mí.» El alistamiento avanzaba implacable. «Oh — pensaba Sisí —, cada vez bajan más el tope y yo soy cada día mayor. No hay remedio. Tendré que ir a la guerra.» Se abrazaba a Paulina crispadamente: «¡Esas bombas! ¡Esas bombas! ¿Es que no se darán cuenta de que no lo puedo resistir?»

Ante Elisa fingía serenidad. Consideraba que para ella verle temblar sería causa del mayor desencanto. Salían menos ahora porque el esfuerzo de la muchacha parecía cada vez más necesario. Un día le dijo Sisí:

—Esas manos, Elisa. ¿Qué te ha ocurrido en esas manos?

—¡Ah, no te preocupes! Se ponen amarillas de la trilita. Es como si te dieras yodo — dijo ella sonriendo.

«La trilita, la pólvora; la dinamita», pensaba Sisí. Odiaba

esos vocablos. Odiaba a la hélice que su padre exhibía en la vitrina principal del Establecimiento. Odiaba los himnos, la unción colectiva, el veneno bélico que endurecía los corazones. «Tal vez si la guerra hubiera llegado antes de que Elisa se cortase las coletas no me hubiese importado tanto», se decía. Un día le dieron la noticia de que Luis Sendín se alistaba en el Tercio. Sisí se sobrecogió. Cada iniciativa de Luis Sendín le humillaba más. Parecía como si quisiera echarle en cara su pasividad. Elisa decía:

—Haz algo, por Dios. ¿No comprendes que en estos momentos no es posible estar mano sobre mano?

Una tarde volvieron los aviones y la muerte sobre la ciudad. Las bombas caían lejos y su estruendo era más prolongado, pero menos intenso. Al concluir el bombardeo, Sisí salió a la calle. La gente señalaba atemorizada las densas columnas de humo izándose en el aire quieto de la tarde. Dijo una mujer: «¡Es el polvorín! ¡Han volado el polvorín!» Algo como un ramalazo le sacudió por dentro a Sisí. Echó a correr enloquecido, sin detenerse a pensar nada y, mientras corría no le importaba que los aviones volvieran, ni que el estrépito de las bombas hundiese la Tierra. Decía sólo: «¡Han matado a Elisa! ¡Han matado a Elisa!» Caía el sol de plano sobre la carretera, y él continuaba corriendo desencajado. Oía el rasguear de las chicharras sobre los chopos de las orillas y el hedor acre del asfalto reblandecido. Todo cooperaba a formar en él una confusa sensación de tragedia. Le adelantó un camión de socorro y él se agarró crispadamente a la trasera y trepó hasta él. No quería concretar su pensamiento en Elisa, porque se le formaba una bola en la garganta. Tenía que estar tranquilo para actuar con serenidad. Se aproximó a la cabina y oyó la voz de un soldado: «No ha sido en el polvorín. En el polvorín no ha pasado nada.» Sisí experimentó unos deseos locos de reírse a carcajadas. Se sentía inconteniblemente feliz. «No ha pasado nada», se repetía. Se pellizcaba para hacerse más real la realidad. Frente al polvorín, se arrojó del camión en marcha y cayó dando volteretas sobre la carretera. Notó un fuerte dolor en un hombro, pero echó a correr hacia el edificio de ladrillos. Todo, allí, estaba intacto. Preguntó al centinela por Elisa y al verla ante él le empezaron a escocer los ojos como si los tuviera llenos de tierra.

Dijo Sisí:

—¡Oh, Elisa, querida! Las bombas... dijeron que habían caído aquí. Yo dije: «Han matado a Elisa», ¿sabes? He pasado un miedo atroz.

Tomó de la mano a la muchacha y ella se dejó llevar. Algo, dentro de Sisí se conmovía al contacto de aquella mano. Caminaban lentamente por la carretera. Sisí no advertía ahora la dureza del sol, ni el acre olor del asfalto.

Se sentaron al pie de un pino y Sisí dijo:

—Tú te vendrás conmigo, ahora; no trabajarás más esta tarde.

Elisa frenó su entusiasmo. A veces, Elisa Sendín parecía mayor de lo que era por su aplomada gravedad:

—Tengo que trabajar, Sisí —dijo—. Todos deberíamos trabajar hasta más allá de nuestras fuerzas. La victoria depende de nuestras manos.

Se miraba patéticamente sus pequeñas manos amarillas de trilita. Prosiguió:

—¿Ves? Esas bombas, Sisí, no me han matado a mí, pero habrán matado a otros. Alguien estará sufriendo ahora, ¿no lo comprendes?

Sisí miraba las débiles manos de Elisa, todo su frágil cuerpo. Una rara fiebre le enardecía. Pensó: «¡Oh!, ¿qué me pasa a mí que no logro ver las cosas de esa manera?»

Cecilio Rubes se despertó temprano. Adela, empero, ya había salido para el Hospital. Su primer pensamiento fue para el general López. «Bien. Allá voy», se dijo. Se bañó de prisa, se afeitó y, por primera vez en mucho tiempo, no entonó una canción mientras se rasuraba. Últimamente solía tararear himnos patrióticos. Las reuniones en casa de los Sendín desde que la guerra estalló, giraban en torno a los himnos patrióticos. Gloria los interpretaba al piano con notable pasión. Si tocaba la marcha de «Los legionarios» o «El novio de la muerte», le brillaban mucho los ojos y tecleaba con cierta impaciencia. Seguramente pensaba en su hijo mayor. Las reuniones no las distaban ahora los aniversarios, los santos o los cumpleaños, sino las conquistas, los avances y las ocupaciones. Una cota, hoy, tenía un valor superior a un cumpleaños. «La guerra —pensaba Cecilio Rubes— ha trastornado muchas cosas.»

La víspera, habló con Sisí. Su reemplazo estaba en puertas y no se podía perder el tiempo. Por la noche, Adela le había dicho que a Sisí le vendría bien el Ejército. Él tardó mucho en dormirse. Ahora recordaba que oyó dar las tres en el reloj del salón. Con este recuerdo se creyó en la obligación de tener la cabeza pesada. «Claro —se dijo—. Apenas si he pegado el ojo.» Andaba de prisa y como abstraído. Vio cruzar un camión cargado de soldados y pensó en Sisí. «Dios mío», se dijo. Más allá, en el balcón de un edificio militar, ondeaba una bandera y Cecilio Rubes se tocó el ala del sombrero en actitud respetuosa. Cruzó una muchacha a su lado y la midió de arriba abajo. «Espero que López no me suelte una coz. Cuando lo de su chico estaba muy entero», pensó. Poco más tarde, pensó: «¿Quién iba a adivinar que esto era la guerra? Bien. Parecía una cosa de broma y como quien no quiere la cosa ya llevamos cuatro meses enredados en esto. ¿Qué vamos a adelantar? Todos arruinados, la nación arruinada, los hogares sin pan. Ese es el resultado de las guerras. Luego, la gripe, por si acaso la guerra no hubiese arrancado bastantes vidas. Y cuando pase la gripe a preparar otra guerra para que los chiquillos que nazcan entonces también tengan su parte.» Cecilio Rubes ya no se acordaba de los petardos, la incertidumbre, ni de sus proyectos de marcharse a Portugal. En sus breves semanas de militante activo de la segunda línea, se sintió bélico. Ahora de súbito se sentía pacifista y odiaba la guerra porque la guerra, para él, era Sisí.

Se puso un poco nervioso esperando en la anacrónica salita de la casa del general. La amistad entre los socios del Real Club tenía características propias. Se reducía a la escueta solidaridad del centro, tal vez, a una ocasional confluencia los domingos en misa de una. Pero, por ejemplo, Cecilio Rubes no había pisado hasta hoy la casa del general López, ni el general López pisó nunca la suya.

El general López, en bata, parecía mucho más alto. Su mirada era también más dura y desafiante, desde la guerra. A Cecilio Rubes se le antojaba un hombre distinto al que él conocía y trataba en el Real Club. Dijo:

—Mi querido general.

—¿Qué hay, Rubes...?

Se sentaron uno junto a otro en el sofá isabelino. López lo miraba con fijeza. Rubes vaciló:

—Bien, López —dijo—. ¿Cómo está tu esposa?

El general López clavó la mirada en la alfombra. Cualquiera pensaría que contaba los rosetones de la greca. Respondió:

—Las mujeres reciben ahora esos golpes con sorprendente serenidad. Ella se hizo a la idea desde el principio de que esta guerra habría de costarle algo importante. Cuando vine a darle la noticia lo vio antes en mis ojos. «¿Ya, Mariano?», me dijo. Yo dije: «Ya.» Ella dijo, entonces: «Alabado sea Dios. ¿Podrán traerle?» No quiso que nadie, fuera de mí, la ayudara a amortajar al chico.

A Rubes le picaba la garganta. Carraspeó. No comprendía cómo podía hablarse con esta tranquilidad de la muerte de un hijo. Añadió el general:

—Yo creo que Dios las envía una fuerza sobrenatural. Claro que queda el consuelo de que han muerto por una gran causa.

—Ya, ya —dijo Rubes—. Los chicos. Bien, uno cría y educa a los hijos pensando en su porvenir y... y..., bueno, nadie sabe nunca lo que hay detrás de la cortina. Bien, a propósito de chicos, López, yo... bueno, mi chico, va a entrar ahora en edad militar. Bueno, yo he pensado en ti. Sólo tengo un chico, López, y tiene un temperamento del diablo. Bien, es como un manojo de nervios; con las explosiones se agita y se vuelve como loco... temperamentalmente, es un inútil para estas cosas. Bueno, no está acostumbrado, eso es todo. Yo comprendo bien que ésta es una guerra en la que cada cual debe aportar su esfuerzo y... y... bueno, que no es correcto que unos ganen la guerra y otros disfruten de la victoria. Bien, todo eso es lo natural y lo justo. Pero yo digo, López: Un chico despierto, ¿no puede encontrar un sitio tranquilo donde rinda a la causa una utilidad superior... bien, una mayor utilidad que con un fusil en la mano?

El general no se inmutaba. Para ablandarle, Cecilio le dio una cariñosa palmada en el muslo izquierdo. Añadió amistosamente:

—Ayer pensé en ti. Recordaba cuando me ofreciste el homenaje hace un montón de años. Y... me dije: «Bueno, iré a ver a López, que me aconseje.» En realidad, fue mi mujer la que me empujó a ello. Bueno, ya sabes lo que son las mujeres. Una madre con un solo hijo cree que sus sentimientos son los únicos que merecen... bueno, que merecen respeto. Tú ya me entiendes.

El silencio que siguió estuvo poblado, para Rubes, del zumbido de la ansiedad. Intuía que acababa de dar un mal paso. El rostro del general López estaba tenso y sombrío. Cuando le miró, Cecilio no pudo resistir la fuerza de sus ojos grises y bajó los suyos a la alfombra. Dijo el general López:

—Mi querido Rubes. Entiendo que tú y yo vemos estas cosas de distinta manera. Quizá sea la diversa circunstancia personal. En fin, tu hijo es fuerte y sano y yo no veo otro lugar más apropiado para él que las trincheras.

Algo cambió de sitio en el abdomen de Cecilio Rubes. Pensó: «Maldito. Está resentido.» Sonrió, empero. La amabilidad del general dejaba aún una vaga esperanza. Dijo:

—Es un chico extraordinariamente nervioso, te lo aseguro.

Sonrió el general con amargura:

—¿Qué pensarás si te digo que mi hijo se asustaba de los ratones, Rubes? Eso no importa. Cuando hay que ser hombre, se es hombre. Prado dice: «El valor no consiste en no sentir miedo, sino en comérselo.» Es una gran verdad. Comprenderás que mi hijo tampoco era tonto y pude buscar para él «un sitio tranquilo». No lo hice entonces por él, porque entendía que su deber era ir al frente y no lo haré, ahora, por tu hijo, porque la conciencia me lo reprocharía.

Cecilio Rubes se agitó. Se pasó la mano acolchonada por la frente. Pensó decir: «Tu hijo era militar y era su deber y para eso cobraba», pero se contuvo. Dijo sólo:

—Entonces, ¿no me das ninguna esperanza?

El general se levantó:

—Lo siento, Rubes, lo siento mucho, créeme. Cuenta conmigo para todo menos para eso. Otra cosa sería atropellar mis principios y los principios son algo sagrado para mí.

Le acompañó a la puerta. Rubes pensaba: «Quiere que maten a mi hijo y a todos los hijos porque él ha perdido el suyo. Bien. No me hace falta, ¡que se acueste con su egoísmo!» Sonrió débilmente:

—General... — dijo.

—Adiós, Rubes —dijo el general—. Di a tu hijo que esta guerra es una cruzada y que todos los muchachos están orgullosos de servirla en los puestos de mayor riesgo y responsabilidad. Es una guerra...

—Adiós, López — dijo Rubes.

Pensó: «Esta guerra, esta guerra, esta guerra. ¡Me cago yo en la guerra! La guerra es desolación, hambre y ruina. ¿Es que hubo en el mundo alguna guerra provechosa?» Le dolía el pecho y notaba una rara fatiga. Tal vez fuese la ira; tal vez la humillación. En el Establecimiento no encontró la calma. Sisí le dijo:

—¿Qué hay, papá?

Dijo Rubes:

—Nada; es un buey.

A Adela le dijo por la noche:

—Hemos de hacer algo. Cualquier día se nos llevan al chico a morir por ahí. Bien, es preciso obrar con rapidez. López ha estado hecho un mentecato.

Adela estaba cansada. Todos los días estaba cansada Adela. Dijo:

—¿Por qué no hablas con Hipo, querido?

—Hipo, Hipo, ¿qué puede hacer Hipo?

—Es teniente coronel de Intendencia, Cecil.

—¿Bien?

—Es un puesto ese de cierta seguridad.

Como un rayo atravesó el cerebro de Rubes esta idea: «Siempre estará mejor el chico cebando a los que pegan tiros que pegando tiros.»

—¡Ah, Adela! ¡Claro que puedo hablar con él!

—Podría hacerle su asistente, incluso.

—¡Eso no! —dijo Rubes—. ¿Mi hijo limpiando las botas a tu primo? ¡Eso nunca, querida! Antes la Legión.

—En estos casos debemos dejar el amor propio a un lado, Cecil. Eso al menos creo yo. Siempre estará mejor limpiando las botas a su tío que a un desconocido.

Rubes se revolvía inquieto en el lecho. Hubiera deseado que fuera ya mañana para actuar. «A lo mejor están disponiendo en este momento la movilización del próximo trimestre», pensaba. Continuaba oprimiéndole el pecho algo así como un cuerpo extraño. Pensó: «¡Cuánto me alegro ahora de haber intimado con Hipo y con la tonta de Ester! Bueno, en la vida lo esencial es tener amigos. Siempre lo he creído así.» Oyó dar las dos, las tres y las cuatro. A las ocho ya estaba de pie. Visitó a Hipólito en el cuartel:

—¡Arrea! —dijo Hipólito—. ¿Qué le trae a mi primo por aquí?

Se limpiaba el sudor de las manos en la guerrera.

—Bien —dijo Rubes sin aliento—. Sisí está en vísperas de movilización, ¿entiendes? Bueno, tú ya sabes lo que ese chico es para su madre y para mí. Mi querido Hipo, nunca te he molestado, pero ahora necesito que me eches una mano. Bien, ¿no podría presentarse Sisí antes de que lo llamaran? Estando a tus órdenes el chico... bueno, el chico se desenvolvería mejor y tú velarías por él.

Hipo sonreía:

—Yo saldré para el frente dentro de un mes, primo —dijo.

—¿El frente?

—Bueno. No a la primera línea, si es eso lo que quieres saber. La Infantería está en la Sierra. Nuestros almacenes de víveres estarán abajo.

—¿Donde no llegan los tiros?

—Nos situaremos donde no alcance la artillería. Eso es esencial.

—Bien —dijo Rubes—. Yo no pretendo que mi hijo se escurra de sus deberes militares, naturalmente. Entiendo, bueno, entiendo que vale la pena de sacrificarse por esta causa. Irá al frente contigo y... y... bueno, todo lo demás.

Hipo dijo:

—Podría hacerle mi asistente. Estará mejor y más libre que en el batallón.

—¡Oh...!

Rubes, de pronto, se encontraba incómodo y humillado. Pero no quería humillar a su primo aun a costa de descargarse de su propia humillación. Vacilaba. Pensó: «Quizás en este instante estén decidiendo la movilización de Sisí.» Dijo, abrazando afectuosamente a Hipo:

—Querido primo. Eso lo dejo a tu albedrío. Bueno. Tú sabrás lo que le conviene al chico. Mañana se presentará. Bien, muchas gracias por todo.

—¡Arrea! ¿Gracias? —dijo Hipo—. No querrás que me enfade, ¿verdad, Cecilio?

Por primera vez en la vida Sisí se vio sujeto a un destino impuesto a contrapelo de su voluntad. Estaba acostumbrado a obrar sin coacciones. Se le hacía abusivo e inícuo que alguien —el Estado o quien fuese— dispusiera ahora de su persona sin contar con su asentimiento. De todos modos, si por algo se alegraba era por Elisa. Había llegado el momento de hacer algo. El día antes, Daniel Sendín, el hermano de Elisa, le avergonzó delante de todos. Le dijo: «¡Ah, si yo tuviese tus años, Sisí!» «¿Qué harías?», dijo Sisí. «Irme al Tercio con mi hermano.» Le dijo Elisa: «Vete al colegio. ¡Anda!»

Por la mañana, estando en el parque con la muchacha, un soldado borracho le había llamado emboscado. Le dijo, además, que las chicas guapas estaban reservadas para los hombres. Sisí se levantó y le golpeó. Se pelearon ferozmente. Elisa temblaba sin encontrar una solución. Era horrible verles rodar por el suelo, golpeándose, y oírles mascullar palabrotas. Al fin, Sisí le dominó. Jadeaba y dijo:

—No te mato porque soy más hombre que tú.

—De verdad que tienes agallas —dijo el otro.

Luego, Elisa había acompañado a Sisí a la fuente y le ayudó a restañar la sangre del labio. En el pómulo tenía un cardenal. Le dijo Elisa:

—Tienes valor, Sisí; tienes mucho valor. ¿Por qué no tomas una determinación? En el frente se necesitan hombres como tú.

Sisí lo pensaba ahora, camino del cuartel. Su tío estuvo afable y le habló amistosamente y los soldados le trataron con consideración y, finalmente, le dieron un uniforme. «Tendrás que cortarte un poco el pelo», le dijo su tío Hipo. Después le dijo: «Mientras estemos aquí podrás dormir en casa. Será poco tiempo porque saldremos al frente en seguida.» Sisí se esforzó en mostrarse amable: «¿Y Hipolitín?», dijo. «Ya sabes que lo dieron inútil.» «Ya», dijo. Prosiguió su tío: «Está en Sevilla, en servicios auxiliares.» Sisí pensó en cuando Ven y él le atravesaban la carne con alfileres. «¿Y lo de cura?», preguntó. Dijo su tío: «Seguirá cuando la guerra acabe, digo yo, si no encuentra antes una chica en forma que se lo quite de la cabeza.» Sisí se rió. Consideraba que era una cosa muy importante ahora caerle en gracia a su tío.

A Elisa no le anticipó nada. Esperaba darle una sorpresa. Sin embargo, al presentarse ante ella con el uniforme de soldado, Sisí sentía cierta prevención. Elisa gritó al verle:

—¡Qué alegría, Sisí!

Él mantenía una rigidez un poco envarada. Al aproximarse, la muchacha distinguió las insignias de sus solapas. Sisí creyó adivinar en ella un desplome desilusionado:

—¡Ah, de Intendencia! —dijo Elisa.

Estuvieron juntos un rato y cuando, al fin, Sisí se marchó, Elisa Sendín se llevó las manos a las mejillas. Sentía un calor inusitado en ellas. Pensó en sus amigas. Se sentía ridícula al pensar en sus amigas. «Él... él... ¿qué dirán?» se dijo. Se le formaba un obstáculo arriba del pecho. Comprendió que tenía necesidad de llorar, echó a correr y se encerró en su habitación dando un portazo.

IV

PAULINA, en cambio, lo recibió como a un héroe. Paulina no distinguía de Cuerpos ni de Armas. Para ella se era soldado o no se era soldado. El soldado era un hombre diferente de los demás hombres; era un ser creado para la guerra y que por el mero hecho de estar dentro de un uniforme ya quedaba sujeto a un riesgo. Sisí, por tanto, era un héroe. Le dijo Paulina: «¿Por qué lo has hecho?» Dijo Sisí: «No por mi voluntad. Te lo aseguro.» «Bueno, no importa —añadió la muchacha—. Casi todos los chicos jóvenes son hoy soldados.» Prosiguió Sisí: «¿Qué, si no?» Paulina dijo: «Quiero que brindemos por tu suerte en la guerra.»

Paulina se sentía esta temporada triste e inquieta. Las visitas de Sisí la rejuvenecían. No obstante, sospechaba que un día no lejano, Sisí, cansado de ella, la abandonaría a su suerte. Era su destino, inexorable. Cuando regresó a la ciudad creyó que anhelaba la soledad y el descanso. Después de conocer a Sisí, desearía volver a ser joven, bonita y honrada. Lo quería así más por ella que por él. Estaba habituada a despertar hervores en los hombres y aplacarlos, después. El día que no pudiese hacerlo se consideraría fracasada e inútil. Fuera de la técnica de la seducción y el amor Paulina no conocía otra cosa. Podría vivir, es cierto, mas la soledad, de repente, la asustaba. Sin embargo, en su cabeza brotaban las canas y en los ángulos de sus facciones iban surgiendo unos pliegues sutiles, pero cada vez más acusados.

Había intentado reanudar las relaciones familiares, mas su hermano se mostró con ella demasiado bruto: «¿Qué dice la gran...?» Fueron sus primeras palabras. Después, le dijo: «Qué, te has cansado de... y ahora vuelves para ser buenecita, ¿no es eso? ¡Largo, no quiero zorras en casa!» Ella se marchó. Su hermano estaba envidioso, pensaba, porque a pesar de su trabajo no había salido de pobre. Ni podía soñar en un decoroso retiro. Paulina tampoco levantó los hombros en actitud displicente y regresó a casa. Ahora, ante Sisí, olvidaba su aislamiento. La inclinaba hacia el muchacho un sentimiento complejo. Le agradaba su cuerpo joven y su vitalidad, pero detrás de todo latía una emoción protectora. En principio, pensó que le gustaría ver a Sisí enamorado de una buena chica, mas ahora que lo estaba, la recomían los celos, la humillación y la impotencia. No obstante, se mostraba tolerante tal vez porque preveía que planteado un régimen de opción, ella llevaría siempre la peor parte.

Brindó con Sisí y luego charlaron. Con disgusto advertía Paulina que la actitud de Sisí a su lado iba trocándose paulatinamente en algo ponderado, contenido y sobrio. Ella presumía que la sensualidad era su única arma y que una vez que fuese incapaz de provocarla, Sisí se marcharía. Pensó: «Cuando regrese él de la guerra tal vez sea yo un vejestorio.» Sisí decía: «La vida de cuartel es un infierno. ¿Tú sabes lo que es no poder encontrar en ningún lado un momento que sea sólo tuyo?»

Sisí se hallaba en un solemne proceso de transición. Odiaba con todas sus fuerzas el régimen de comunidad. Le molestaba tener que moverse a la voz de la corneta y aborrecía saberse parte de una voluntad gregaria, donde la individualidad quedaba absorbida por un espontáneo sometimiento al espíritu de disciplina. Eran las primeras renunciaciones que la vida exigía de Sisí y a él le costaba entrar por ellas. Iba todas las mañanas por el cuartel, hacía instrucción, comía allí y las últimas horas de la tarde, así como la noche, eran suyas por entero. Sin embargo, el cuartel se le hacía un penoso lugar tan indeseable como una cárcel. Era húmedo y hedía a humanidad concentrada, a local superpoblado. Había en él una atmósfera de prosmicuidad y grosería. Pero Sisí sabía que ahora de nada valdría decir que no. Era extraño, mas, de pronto, acababa de descubrir que existía en el mundo una voluntad superior a la de su padre.

Para él fue un alivio cuando su tío Hipo le anunció una mañana: «Dispón tus cosas. Dentro de cuatro días saldremos para el frente.» Ese mismo día le dieron la noticia de que Luis Sendín había recibido un balazo en un hombro. Llegó Luis al día siguiente, con el brazo aparatosamente levantado casi a la altura de la cabeza. Elisa le dijo: «A Luis le gustaría verte.» Luis le dijo reticente: «Hola, Sisí, vaya, ya veo que te has alistado.» Sisí estaba incómodo y dijo: «Pasado mañana salimos para el frente.» Añadió Luis: «Cuando se me cure esto me haré oficial.» En casa de los Sendín vibraba un barullo infernal y Gloria tocaba el piano. Los niños no habían ido al colegio. El regreso del hermano era un acontecimiento; su brazo levantado y su hombro roto era un motivo de orgullo allí, no de pesar. Cuando Luis hablaba cesaba todo otro rumor. Traía con él el viento y el fragor de la guerra y en sus ojos brillaba un algo enloquecido.

Adela, Cecilio y Sisí pasaron a merendar. Rubes dijo: «¡También Sisí marcha pasado mañana a la guerra!» Lo dijo a gritos, como desafiando, y Sisí sintió vergüenza por él y por su padre. Gloria abordó después el himno de la Legión y todos lo cantaron a voz en grito. Existía algo allí que Sisí Rubes no era capaz de discernir. Le embargaba una emoción opaca. Por la noche, después de cenar, Sisí bucó a su padre. Le dijo:

—Papá, ¿te importa que te hable reservadamente?

Rubes dejó con lentitud el libro que leía sobre la mesa y se quitó las gafas. Hacía tres meses que usaba gafas para leer. Empezó notando mareos y dolores de cabeza y el oculista dijo: «Hacen falta unas gafas, Rubes. Ya no somos chicos.» Ahora dijo Cecilio:

—¿Qué ocurre?

Sisí vaciló. Dijo, al cabo:

—Yo me marcho ahora, papá, y no quiero irme sin decirte antes una cosa. Yo no sé si lo habrás advertido, pero creo que en mí ha cambiado últimamente algo importante.

Rubes entornó los párpados y se inclinó hacia adelante:

—¿A qué te refieres? —dijo.

—Bueno, me refiero a Elisa Sendín. Ella se quitó el uniforme y se quitó las coletas y, de repente, se me apareció como una chica distinta. No sé si me explico bien o no, pero...

Cecilio Rubes simulaba una actitud de profunda solemnidad. Le divertían las palabras de Sisí. «Es un chiquillo ingenuo», pensó. Dijo:

—Sigue, sigue...

—Yo siempre pensé que Elisita Sendín era una pavisosa, papá, y, en fin, cuando ella se quitó el uniforme y se cortó las coletas, yo me dije: «Es una chica inteligente y tiene algo que no sé lo que es.» Bueno, empecé a salir con ella y me di cuenta de que cuando estábamos juntos se me olvidaban otras cosas y cuando no estaba con ella pensaba que me gustaría estar con ella aun sin hablar y, por supuesto, sin hacer otras cosas peores. Yo me dije, papá: «Esto es raro.»

Rubes cruzó las piernas, irguió el busto y miró a Sisí con atención:

—¿Es eso todo? —dijo.

Sisí se desahogaba hablando. Temía, ahora que se marchaba, que a Elisa pudiera sobrevenirle algún mal irreparable.

—Es una chica excepcional, papá —añadió—. Yo sé que ella no ha hecho nunca nada malo y que puede ir con la cabeza bien alta y sin embargo, sin embargo... va por la calle como si molestara o cosa por el estilo. Yo sé, papá, que no la merezco, que ella se merece un hombre honrado y bueno y, sin embargo, sin embargo, yo la necesito tanto que no puedo prescindir de ella.

—¿Bien? —dijo Cecilio.

—Yo he sido un poco cabeza loca, papá, ¿a qué vamos a engañarnos? Pero te prometo que, en lo sucesivo, voy a sentarla. No me choca que los Sendín no me miren con buenos ojos y...

Cecilio se echó, de nuevo, impulsivamente hacia adelante:

—¿Quieres decir que al tonto de Luis Sendín le pareces poco para su niña?

—¡Oh, no es eso, papá! Él sabe que bebo y que he ido con mujeres... y... que soy desordenado en mi manera de vivir. Esto es lo que quería decirte, papá. Tú debes hacerle ver que estoy decidido a cambiar. Además, además, me gustaría que, en cierta manera, tú velases por Elisita ahora que yo no voy a estar aquí.

—No tienes que preocuparte por eso —dijo Rubes.

Algo le picó por dentro:

—¿Y... Paulina? —añadió Cecilio casi sin voz.

—¡Oh, Paulina! —dijo Sisí—. Lo de Paulina es más complicado. Ella y Elisa son como los dos extremos de algo. Yo no he tenido voluntad para dejarla. Ahora que me marcho será más fácil. Pero no olvides lo que te digo, papá: Cuida de ella y haz ver a Luis Sendín que estoy decidido a vivir de otra manera.

Al quedarse solo, Cecilio Rubes tomó el libro aun a conciencia de que no le sería posible reanudar la lectura. La conversación con Sisí le había dejado un eco reconfortante. Su hijo no acostumbraba a desahogarse con él. Por otro lado, el que pretendiera dejar a Paulina, era para él un motivo de felicidad. De pronto, no le lastimaba que su hijo Sisí estuviese enamorado de Elisa Sendín. Tal vez las cosas estuvieran mejor así, con su hijo engranado dentro de un orden. Tal vez fuese la guerra la que le empujaba a pensar de otra manera, o, tal vez, Paulina. Lo cierto es que Cecilio Rubes no se inquietaba ahora meditando en el negativo cociente que resultaba de dividir nada entre nueve.

El día que Sisí se marchó, Cecilio le dijo:

—Actúa con precaución. Bien, en los momentos decisivos piensa siempre que la vida es el mayor beneficio de que dispones. En las guerras tienen poco valor las acciones aisladas.

Elisa le había dicho:

—La guerra debemos ganarla un poco cada uno, Sisí.

Paulina le dijo:

—No te arriesgues, ninguna cosa vale tanto como para arriesgarse por ella.

Adela vertió unas lágrimas y dijo:

—Cumple con tu deber, hijo mío.

Más tarde, Sisí no oía más que los compases de las cornetas y los tambores y todo su afán se concretaba en ajustar el paso a su ritmo. Avanzaban por la gran Avenida, camino de la estación y la gente se congregaba a su paso en los andenes para aplaudirles. Era un espectáculo que se repetía a diario. En cada corazón latía, en aquel tiempo, una especie de exaltación militar. Cecilio Rubes vio pasar a Sisí y se le esponjó en el pecho un cálido orgullo. Luego echó a correr, adelantó a las tropas, y se detuvo para verle pasar otra vez. Aún repitió varias veces la operación. No se cansaba de mirarle. Deseaba hacer ver su parentesco con un soldado y le hacía señas. Algo como un prurito o una exigencia le arañaba en la garganta. Vio a una mujer entusiasmada y quiso decirla: «Mire usted, el segundo de la tercera fila, es hijo mío.»

En el último recodo, Rubes se empinó sobre la punta de los pies y gritó: «¡Vivan los valientes!» Apenas halló respuesta y observó en derredor atemorizado. Dos metros más allá, un legionario le miraba con una media sonrisa condescendiente. Cecilio Rubes trató de escabullirse. Ya no pensaba en Sisí. Alimentaba un concepto terrible sobre los legionarios. Le impresionaban sus tatuajes, sus rostros curtidos, el hecho de que se dejasen clavar las medallas y los detentes sobre la carne del pecho. Huyó aceleradamente. Algunas noches soñaba que un legionario le obligaba a tumbarse en una mesa y le sujetaba, mientras otro le tatuaba sobre la piel delicada del vientre una mujer desnuda.

Se despertaba sudando y gimiendo débilmente.

A partir de la marcha de Sisí, Cecilio Rubes se transformó de nuevo. Leía cada mañana, con delectación, las crónicas de guerra; escuchaba por la radio, en actitud recogida y devota, el parte oficial; aplaudía a los soldados que desfilaban hacia el frente o que regresaban de él; daba cinco pesetas mensuales por la insignia del Auxilio de Invierno; donó otros diez volúmenes encuadernados para la «Biblioteca de Heridos y Soldados»; intervenía en las discusiones en favor de la situación y, si se terciaba, y a veces, sin terciarse, chillaba: «Yo tengo un hijo en el frente y ello me da algún derecho a hablar», decía en el Real Club: «Gracias a la juventud podemos vivir tranquilos»; si veía un muchacho joven de paisano, pensaba: «Qué bonito y qué cómodo que otros nos saquen las castañas del fuego.» En una palabra, Cecilio Rubes volvió a ser el que fuera en los preliminares de la revolución.

Cuando empezaron a llegar las cartas de Sisí, Adela y él se reunían para leerlas en voz alta a la hora de comer. Para Rubes la guerra era Sisí y mientras a Sisí le fuese bien, bien iría también la guerra. Cada párrafo era comentado y desentrañado con dulce complacencia. Por lo general, Sisí se mostraba contento y extrañamente filial. Adela decía: «Este chico ha cambiado, Cecil. Es distinto.» Y se sentía conmovida. Una vez, Sisí dijo: «No olvides, papá, mi encargo.» «¿Qué es ello?», dijo Adela. «Bien —respondió Rubes—, Sisí está enamorado de Elisa Sendín.» Adela le agarró de las solapas: «¿Es eso cierto, Cecil?» «Bueno, ¿me puedes decir por qué había de engañarte?» «¡Dios me ha oído, Cecil! —dijo Adela—. Hace años que se lo vengo pidiendo.» Aquella noticia la transformó. Escribía a Sisí con frecuencia y ya no se contenía en trasladar al papel lo que la dictaba el corazón. Antes pensaba que su hijo se reiría de ella. Sisí le decía en una carta: «Te daré la buena nueva de que ya no bebo vino.» Adela rompió a llorar. La desbordaban las lágrimas como si su cuerpo estuviese lleno de ellas, reventaba de una dolorosa felicidad. Rubes dijo: «Esto ya te lo anuncié, querida. Por ese sarampión pasamos todos.»

Por las cartas de Sisí, le localizaban en una topografía adusta, con un fondo de crestas de granito. Arriba, estaban las trincheras; abajo, los campos, ahora yermos. Entre ambos, los barracones de víveres y Sisí. Sisí decía: «A veces subo con los camiones hasta las primeras líneas.» Esto desazonaba a Cecilio Rubes: «¿Quién le manda arriesgarse así?», decía. Un día tomó la pluma y escribió a su primo Hipo: «Te estamos agradecidos. ¿No podrías impedir que Sisí subiera con los camiones hasta las primeras líneas?»

Sisí, en aquel panorama desolado, empezaba a descubrir muchas cosas. Le agradaba tumbarse al aire las noches de luna y extasiarse ante el firmamento de Dios. Se encontraba, en esos casos, diminuto, levemente sobrecogido. Pensaba en Elisa Sendín y en que le gustaría contemplar a su lado la armoniosa majestad de las estrellas. «Cuando la guerra acabe —se decía— me casaré y viviré con ella en el campo.» A veces, tronaba la artillería y a Sisí le parecía imposible que los hombres alterasen la paz del mundo sólo para matarse. Los aviones eran su única preocupación. Los barracones y los almacenes tenían los tejados cubiertos de maleza, mas, así y todo, de vez en cuando las bombas destripaban la tierra a su alrededor. Sisí huía entonces despavorido. Le asustaba más el ruido que la metralla y únicamente se hallaba seguro en los almacenes, sepultado bajo una pirámide ingente de sacos de víveres. Cuando el bombardeo cesaba. Sisí salía al exterior y el mundo le parecía nuevo y recién construido.

Un día Sisí Rubes descubrió el afanoso deambular de las hormigas. Le interesó aquello tanto que pasó dos horas largas observando sus movimientos. Le gustaba distinguir, ahora, un pájaro de otro, un árbol de otro y un insecto de otro. Sus compañeros, en su mayoría campesinos, le ilustraban a su satisfacción. Como disponía de mucho tiempo, Sisí pidió libros a su casa, libros de Historia Natural o referentes a curiosidades de las plantas o de los animales. Empezó a coleccionar insectos. Al principio, caprichosamente, clasificándolos por sus formas o sus colores; luego, al recibir los primeros libros, aprendió los nombres de las grandes familias y se acostumbró a ordenarlos por sus características peculiares. Para él suponía una satisfacción inmensa encontrar un ejemplar nuevo y alinearlo junto a los demás en su caja correspondiente. Al mismo tiempo, llevaba un fichero con las peculiaridades de cada ejemplar. Sisí se mostraba concienzudo y minucioso en su trabajo. Era un gran placer aquello y sus cajas constituían para él un estimado tesoro. Pasaba la mayor parte del tiempo entre los riscos, o en el campo, inspeccionando la tierra o las plantas. Le gustaba comprobar por su cuenta las particularidades y costumbres que los libros describían. Descubrió así, que las hembras del escarabajo depositan sus huevos en una bola de estiércol que el macho empuja. Descubrió que la «abeja maestra» era fecunda y la «neutra» estéril y que la «albañila» jamás vive en comunidad. Todas estas cosas despertaban en Sisí Rubes un interés avasallador. Leía libros con inquieta voracidad. Acababa de desvelar un mundo nuevo y deseaba desentrañarlo hasta el fondo.

Adela y Cecilio comentaban la curiosidad de Sisí por los insectos. Decía Rubes: «Bien, será un magnífico naturalista.» Decía Adela: «Parece mentira, con lo que me horrorizan los bichos a mí.» Cecilio exultaba. Decía en el Club: «La guerra todo lo cambia. Mi hijo ha necesitado irse al frente para hacerse un estudioso.» Una tarde le dijo Ramón Prado: «Si tu hijo tuviese que pegar tiros, seguro que no tendría tiempo de coleccionar cucarachas.» Rubes se indignó: «¿Insinúas que mi hijo está en el frente tocándose la barriga?» La nariz de Prado se bamboleaba: «No digo tanto —dijo—. Lo que yo pienso es que no pueden ejercitarse simultáneamente las armas y las letras.» Rubes pensó entonces que lo de la gripe no fue un incidente casual. Ramón Prado trataba de zaherirle y airear sus puntos flacos porque le tenía envidia. En adelante procuró relacionarse con él empleando tan sólo las palabras justas.

El género de vida de Sisí durante nueve largos meses le inclinó a amar el campo y a buscar el contacto directo con la naturaleza. Su equilibrio era tan exacto que no necesitaba beber vino para ofuscarse la razón. También su sensualidad, desbocada en otro tiempo, era moderada ahora y, muchas veces, dominada en flor. Sisí empezaba a darse cuenta que matar la imagen es matar la tentación y admitir la imagen es preparar, y aun exacerbar, la caída inmediata. En ocasiones bajaba con los camiones al pueblo y al ver mujeres se le avivaban los recuerdos y, con ellos, el apetito carnal. Llevaba muy metida en la sangre la lujuria, mas ahora, después de las caídas, experimentaba como un enervamiento y una fatigada repugnancia de sí mismo. Verse entre cuatro paredes, le producía, además, una opresiva sensación de ahogo. Amaba el aire libre, la luz y el calor del sol, la fría comunicación de las estrellas.

Con frecuencia, una carta de Paulina levantaba en su pecho turbias tempestades de pasión. En los renglones mal trazados, enviaba ella siempre insinuaciones y promesas embozadas. Los momentos de intimidad con Paulina fueron siempre tan vivos y completos que sólo la letra de ella, ya suponía para Sisí una apremiante excitación. Él procuraba mostrarse apagado e idealista en sus cartas. Le escribía una vez: «Voy descubriendo poco a poco que hay otras cosas hermosas en la vida además de las mujeres.» Ella contestó: «Además de las mujeres, ¿es que las mujeres siguen pareciéndote todavía lo primero? Si así no fuera, cuando estés a mi lado, yo me encargaré de hacerte cambiar de opinión.»

Cecilio Rubes visitó a Paulina en el primer mes de ausencia de Sisí. Pensaba: «Debo cortar esas relaciones. Bien, reanudarlas yo tampoco. Eso sería monstruoso.» Le dijo a la muchacha: «Sisí está enamorado de una buena chica. Creo que lo tuyo podría perjudicarle.» «¡Vaya! —dijo Paulina—. ¿No estabas tú casado con una buena chica cuando me pusiste un piso?» Dijo Rubes, mirando descaradamente el pecho de la muchacha: «Son cosas distintas.» Se acercó a ella e intentó acariciarla. «¡Vaya! —exclamó ella—. ¿En qué quedamos?» La voz de Rubes tenía unos trémulos opacos: «Yo fui el primero. Bueno, ello ha de darme algún derecho sobre ti, creo yo.» La chica abrió la puerta y dijo enérgicamente: «Vete, Cecilio. Ya te dije un día que habíamos terminado.»

Sobre toda actividad de Sisí Rubes se cernía la imagen de Elisa Sendín. Notaba, a través de la distancia, una misteriosa comunicación entre ellos. Al partir la había dicho: «Mira al sol, a las once del día y piensa en mí. Yo pensaré en ti y nos sentiremos unidos.» Y, en los días claros, le gustaba sentir su retina deslumbrada y se le hacía que era a esa hora cuando el sol poseía mayor fuerza, mayor pureza y mayor esplendor. «Refleja —pensaba Sisí— la mirada de ella.» La evocación de la muchacha jamás le llegaba empañada por la menor sombra de impureza. Se la representaba siempre como una pobre desvalida. Mirando a las estrellas, se preguntaba Sisí Rubes qué es lo que le había enamorado de Elisa Sendín. Le era difícil concretarlo. Toda ella le encendía una idea de incomprensión y desvalimiento. No era bonita, ni demasiado armoniosa, ni demasiado inteligente, pera era quizás esta ostensible necesidad de apoyo lo que le impresionaba. Él deseaba ampararla, protegerla y, también, despertar su pueril indignación diciéndole, por ejemplo, que Shirley Temple era una chiquilla empalagosa.

Le escribía a menudo, cartas simples, de una espontaneidad elemental. Le decía: «Te recuerdo a toda hora, hasta cuando cazo escarabajos.» Ella decía: «Ayer no hubo sol y se pasaron las once sin poder encontrarme contigo.» En invierno,

Elisa le envió un chaleco, unos calcetines y un pasamontañas. Él escribía: «Estas cosas me traen tu calor.»

Ella le escribía: «Ayer entré en el despacho de papá y estaba tu padre y hablaban de ti.» Cecilio Rubes le había escrito: «Por lo que se refiere a tu temor no creo que haya el menor fundamento. Luis Sendín considera a su hija una chiquilla, pero no hay otra cosa.» Un día le escribió Elisa Sendín: «Un oficial de la Legión, amigo de Luis, sale conmigo. Acepto su compañía en la seguridad de que a ti no te importará. Me parece una obligación moral animar a todos a que peleen con entusiasmo.» A Sisí Rubes le produjo esta carta una lacerante humillación. Se atribuía un papel secundario en la disposición bélica de elementos y le hería que entre ella y él se interpusiese alguien con más méritos y más brillantez.

Había transcurrido un crudo invierno de nieves, una tibia primavera y un verano abrasador, cuando Sisí recibió el primer permiso. Su tío Hipo le dijo: «Pásalo bien y saluda a tus padres en mi nombre.» Su tío Hipo, más curtido y flexible, parecía más joven y arrogante. Se portó bien con él y Sisí Rubes le estaba agradecido. En el tren pensaba Sisí: «Dentro de unas horas estaré a su lado.» Ahora que se aproximaba a ella no recordaba su timbre de voz, ni su expresión. «A Paulina no la veré», se dijo. De momento no le importaba renunciar a Paulina.

La ciudad, recién anochecida, le pareció más nueva que cuando la recorría a diario. Más nueva y más estridente. Le aturdía el rumor de la concentración urbana y su movimiento. El corazón aceleraba el ritmo en el pecho de Sisí Rubes. «Bien —pensó—, ya estoy aquí.» Se notaba un poco forastero. Y su padre dijo: «Sisí, haces un aguerrido soldado.» Le palmeaba la espalda y le dio a beber una copa y al sonar la musiquita del mueble-bar, Sisí pensó: «El tiempo no pasa sobre las cosas.» Estaba impaciente y hablaba para aturdirse y su padre exultaba y Adela, mirándole, se encontraba saciada, desbordada de una queda felicidad. Fue Rubes quien dijo: «Pasa enfrente. Te esperarán.» En un momento, desfilaron por la imaginación de Sisí, los Sendín, Ventura Amo, la Mary, la Nati, la muchacha del pelo tirante, Isabel Gutiérrez, Paulina... Los muebles familiares comportaban una gran fuerza evocativa. Sisí pensó en sus insectos como en algo anacrónico y lejano. «Que esté ella sola», se dijo. Pero oyó la música del piano y rumor de voces en el salón y quiso volverse atrás. De repente vio a

Daniel Sendín delante de él, y se dio cuenta de que era tarde para evadirse:

—Pasa, Sisí —le dijo—. Estamos todos.

Lo primero que vio Sisí desde la puerta fue a Elisa Sendín bailando en brazos de un oficial, y las risas de ambos le abrieron en el pecho una vía de amargura. La muchacha corrió a su lado al verle, Gloria dejó de tocar, los ojos de todos se fijaron en él y Sisí Rubes se sintió acobardado. Dijo Elisa: «¡Sisí! ¿cómo no has avisado?». Estaba azorada y su falta de seguridad se le contagiaba. Hizo un torpe saludo al oficial y vio venir a Luisito Sendín con una estrella en el pecho: «¡Hola, Sisí! ¡Cuánto me alegra verte! ¿Sabes? Hace una semana concluimos el curso. Ahora a la guerra otra vez.» Gloria le dio la bienvenida. Había vasos con bebidas encima de los muebles. Sisí Rubes tuvo la impresión de haber interrumpido una reunión íntima. Elisa le presentó al oficial. Dijo el oficial, que parecía un poco borracho: «Saludo en tu persona a las heroicas fuerzas de Intendencia.» Daniel Sendín se rio alto, desde un rincón. El oficial y Luis Sendín crecían ante los ojos atónitos de Sisí como dos gigantes de la guerra. Llevaban en los ojos la fuerza y la resolución. Estaba descentrado y una injustificada atonía se apoderó de la reunión. Se dijo: «Estoy estorbando.» Vio a Elisa preparándole una bebida y el oficial diciéndole algo por detrás, muy cerca de ella. Elisa se reía. Dijo: «No seas tonto.» Se volvió a él: «Bebe una copa, Sisí.» Le dijo al oído: «¡Qué alegría tengo de que estés aquí.» Dijo Sisí: «Te veré en otro momento.» Chilló Luis Sendín: «Toca un pasodoble, mamá.» Osadamente el oficial se acercó a Elisa y la tomó por la cintura. «Si no te importa —le dijo a Sisí— voy a bailar un pasodoble con esta preciosa chica.» Luis bailaba con una amiga de Elisa y Daniel con su hermana Ana. Sisí dijo: «Nos veremos, ahora tengo que irme.» El oficial arrastró a Elisa y ella miró a Sisí con cierto desconsuelo.

En la calle se encontró mejor Sisí. Ahora se sofocaba de su sofoco anterior, mas la frescura del ambiente le entonaba. No llevaba idea alguna en la cabeza, sino una depresión en el pecho como una oquedad. Él mismo se sorprendió al encontrarse en el portal de Paulina. Pensó volverse atrás pero una sensación ardiente, como de tacto, le enervó. «Charlaré con ella —se dijo—. Simplemente charlaré un rato con ella.» Paulina no estaba y él se encerró en su habitación y pensó: «Esperaré». Se sirvió un vaso de vino. No acertaba a mitigar la sensación de escozor que le ardía en el pecho. Transcurrió un cuarto de hora y Sisí tomó otra copa. Puso en marcha la «radio». La conciencia del apartamiento removía en él muchas cosas. Al oir la puerta se volvió. Chilló Paulina:

—¡Sisí!

Él no la habló. La tomó en sus brazos y en su sangre se reflejó toda la intensidad del contacto. Al ayudarla a despojarse del abrigo pensó que la desnudaba. Constataba Sisí ahora el inmenso contraste entre la fría aspereza de la guerra y la cálida suavidad femenina. Ponía una meticulosidad voluptuosa en cada uno de sus movimientos:

—¡Vaya, querido mío! —dijo ella—. ¿Cuándo has llegado? Yo pensaba: «Sisí ya no quiere volver a verme. Me ha dejado sola.»

Le acariciaba el cogote mientras Sisí observaba el suave escorzo de su pecho. Advertía en sus manos una fuerza extraordinaria. Y en su cuerpo toda la tensión reprimida durante meses.

Se sentaron juntos en la cama. Dijo Paulina.

—Háblame de ti, Sisí; de esas cosas maravillosas que has descubierto. ¿Por qué os cambia la guerra a los hombres de arriba abajo? ¿Es que ya no te gusto yo?

Sisí la besó. Notó en los labios de ella una intensidad absorbente. Dijo, luego:

—Sobre ti no hay nada.

Pensó en sus insectos y casi rompió a reir.

—¡Ah, son las diez! —dijo Paulina.

—¿Las diez?

—Debes marcharte, Sisí. Ya nos veremos.

—¿Marcharme?

Su cabeza no tenía ya la menor lucidez. Dijo Paulina, incorporándose:

—A no ser que cenemos juntos y...

Sisí se incorporó también:

—¡Claro! —dijo.

—Avisa a casa, entonces.

Paulina pensaba en Rubes. «¿Qué se creía?», pensó.

Sisí se incorporó. Añadió Paulina:

—Cariño mío, ¿qué vas a decirle?

Él la abrazó, con sostenida tensión.

Paulina le apartó suavemente:

—Ahora no, Sisí —dijo—. Ten paciencia.

—Bueno —dijo Sisí. Su cerebro estaba ofuscado. Le costaba pensar—: Diré... eso es, diré que he encontrado a un compañero... eso es, que cenaré con él y que regresaré tarde.

—¡Ah! —dijo Elisa Sendín—. No puedo evitarlo, compréndelo. Es un amigo de Luis. En la guerra todo lo que hagamos por los que luchan es poco.

Decía Sisí:

—Me humilla, ¿sabes?

—¿No tienes confianza en mí?

—Sí la tengo.

—Entonces no te preocupes, Sisí.

Sisí Rubes tornaba a moverse a impulsos. A veces pensaba que nada había cambiado en él y, a veces, se decía: «Soy un hombre completamente distinto.» La ciega vehemencia de la carne continuaba viva en él, mas también vibraba en su alma un ardiente anhelo de dignificarse. Dentro de él existía otra guerra. A los diecinueve años, Sisí Rubes no encontraba en la vida una postura definitiva. Oscilaba. Le asustó una noche el insistente deseo que le asaltó de abrazar a Elisa. Él pensó siempre que ella estaba al margen de todo eso. Y, sin embargo, él hubiera querido abrazarla y sentir el dulce peso de su cabeza sobre su hombro. Se dijo: «Nunca me ha ocurrido una cosa semejante.» Otro día pensó: «Es ridículo que me llamen Sisí.» Activaba su imaginación el hecho de saber que había en el mundo otros hombres, más brillantes, más decididos y más completos que él. Deseaba que la guerra terminase y que los uniformes y las insignias dejasen de establecer una diferencia. Su permiso se consumió bajo esta idea obsesionante. Le quemaban los celos. Pero los celos no creaban en su alma impulso de desesperación, sino de callada amargura. Cada día salía con Elisa Sendín y al verla a su lado, experimentaba una estable seguridad. Mas, al separarse, pensaba: «El alférez ese volverá cualquier día a tomarla de la cintura y ella bailará.» Sus conversaciones con Elisa, aun partiendo de puntos opuestos, convergían inexorablemente en ese sentimiento obsesivo. La tarde que Elisa le comunicó que Luis y su amigo habían partido para el frente se confesó que deseaba que no volviese. No le importaba la razón; cualquier razón sería buena si él no volvía.

Con Paulina no volvió después de la primera noche. Tan sólo fue a despedirse. La encontró bebiendo junto a la «radio». Pensó Sisí: «Es una vida extraña la de esta mujer.» Ella dijo amargamente: «¿Me has olvidado, verdad pequeño?» Dijo él: «¡Oh, Paulina! ¿por qué piensas esas cosas?» Ella se levantó y se aproximó a él: «Yo sé que si no es hoy será mañana; pero me dejarás.» Sisí la estrechó contra sí y ella lloró sosegadamente sobre su hombro. Sisí se dijo al entrar: «Estaré un minuto. Sólo un minuto.» Pero ahora se sentía férreamente amarrado. Se sentó a su lado. Ella dijo: «Ven; mañana, lejos de aquí, me echarás de menos. Quiero que mientras puedas seas feliz.» El pelo rojo de la muchacha incendiaba en el pecho de Sisí un volcán de furiosos afectos. Se rindió. Le preguntó ella, después: «¿Volverás pronto?» Temía Paulina su inminente desplome. Imaginaba que un día se levantaría de la cama, se miraría al espejo y pensaría: «Ya llegó. Ya soy vieja.» Cada día se encontraba más ajada y mustia. Ella siempre creyó que una mujer de cuarenta años era un desecho. Y era raro, pensar que, precisamente ahora, a esa edad, no le importaba el dinero. Dijo Sisí: «Depende.» Ella añadió besándole: «¿Sabes? Esta noche tuve un horrible presentimiento.»

Sisí regresó a su sol, sus estrellas y sus insectos con cierta nostalgia. Sus compañeros le preguntaban qué cosas y qué chicas había visto allá. Tenía que fingir. Seguramente el hablarles de Elisa Sendín les defraudaría. Después del rancho de la tarde se sentaban en corro en derredor de él para que les contase. «En la guerra se cambian los papeles —pensaba Sisí—. A mí me interesa el campo y a ellos la ciudad. ¿Por qué deseamos todo lo que no tenemos?»

Volvió a sus bichos, y a sus búsquedas, y a sus colecciones, pero no hallaba, ahora, en todo ello el equilibrio de otros tiempos. Una mansa y callada tristeza, le envolvía. Era como una desolación que no dependía de él el arrancar. Su tío Hipo le decía: «Esto marcha; tal vez la guerra no dure medio año.» Él lo escribía a casa y a Elisa y a Paulina. No tenía voluntad para dejar de comunicarse con Paulina.

Su padre le escribía con mucha frecuencia. Algunas veces le consultaba cuestiones del negocio. Rubes escribía: «Los tiempos son «difíciles» para «Cecilio Rubes. Materiales higiénicos», y, sin embargo, su padre era millonario. Con bastante asiduidad, Rubes hacía literatura. «El día de mañana —escribía—, si los bichos no te siguen trastornando, comerciarás. Pero te prevengo que el amor, el estómago o la vanidad son mejores estímulos para el cliente que la higiene.»

Rubes, en el Real Club, comentaba las incidencias de la

guerra. Continuaba explotando la primacía que su «bañera Rubes» le otorgara sobre sus consocios. Él mismo se veía por encima de los demás. El general López no volvió por el Club desde la muerte de su hijo. Cecilio pensaba: «Es una manera bien extraña de interpretar el luto.» Rebasados los cincuenta, Cecilio Rubes se achaparraba y engordaba. A veces le asaltaba el deseo de rejuvenecerse: «Mañana empezaré a hacer gimnasia», se decía con firme convicción. Había resuelto dejar la bebida porque le pegaba al hígado; le salieron, además, varices en las piernas. Su bigote, ahora recortado, tenía canas en los bordes pero afortunadamente pasaban inadvertidas porque el resto era muy rubio.

Llevaba desde hacía un año una vida más bien metódica. De no exacerbar deliberadamente su sensualidad — lo que hacía con frecuencia — las mujeres no constituían ya problema para él. Sin embargo, reanudaría la relación con Paulina de buen grado. A las nueve iba al Establecimiento y volvía por la tarde, sobre las cuatro. Méndez llevaba bien su gestión contable. Era un muchacho meticuloso y con buena letra redondilla. Tenía cuatro chicos y se diría que cada chico le quitaba de la cara media docena de granos. Sin duda, tenía una madurez más favorable que la adolescencia. Últimamente, Rubes colocó de mecanógrafa en el Establecimiento a la hija pequeña de Valentín, su ahijada. Aquella familia se defendía mal desde la muerte del padre. Los chicos se fueron casando y quedaba la viuda con dos hijas. Cecilio Rubes sintió una noche un arranque caritativo y dio un puesto de 250 pesetas a su ahijada. Hacía tiempo que necesitaba una mecanógrafa y su ahijada no mostraba excesivas ambiciones. La viuda de Valentín quiso ponerse de rodillas delante de él, para agradecérselo, pero Rubes se lo impidió y dijo en tono grandilocuente: «No es caridad, señora, es justicia.» Le gustó la frase y por la tarde, cuando Ramón Prado insinuó en el Club que la lucha de clases podría evitarse con un poco de caridad hacia los suburbios, Rubes voceó: «Bien, no es caridad, sino justicia lo que el suburbio necesita.»

Al salir del Establecimiento, antes de ir al Club, Rubes pasaba un rato en la librería vecina. Se acostumbró a ello desde que Sisí empezó a pedirle libros y folletos sobre los animales. Ahora, todo cuanto veía que podría interesar a su hijo lo compraba y se lo remitía. Encontraba un gran placer en su conducta. A Cecilio Rubes, de tiempo atrás, le hubiera agradado proteger a un sabio o a un gran artista; figurar como mecenas de una destacada celebridad. La posibilidad de que Sisí fuese algo grande algún día le llevaba a procurarle todos los medios precisos.

Una tarde, al llegar al Establecimiento, Méndez le entregó un telegrama. Rubes constató en su abdomen una conmoción injustificada. Le temblaban ligeramente sus pulcras manos rechonchas al abrirlo. Méndez le vio empalidecer y formársele en las pupilas como un velo traslúcido. Cecilio volvió a leer. Por la cabeza le pasó la idea de una broma cruel: «Sisí gravísimo, ven en seguida, abrazos. Hipólito.» Notó las manos de Méndez piadosamente en su brazo: «¿Ocurre algo, señor Rubes?» Le tendió el telegrama. «¿No será una confusión, señor Rubes?» Méndez se sofocó levemente. Sabía que había dicho una torpeza pero no se le ocurrió cosa mejor en ese instante. Le asustaba la rígida pasividad de su jefe. Le hizo sentar, pero Rubes no reaccionaba; su mirada era tan fija y abierta como la de un muerto. Cuando volvió en sí, lo primero que se le ocurrió a Cecilio Rubes es que nadie tenía derecho a darle un golpe de esta naturaleza. Se sintió airado contra Hipólito. Luego se dio cuenta de la vecindad de Méndez y dijo: «Yo sé que ha muerto. Me lo han matado.» Su voz era ronca, como si saliera a través de un tubo herrumbroso. De improviso todo él entró en actividad; una actividad desordenada, enfebrecida. Tuvo ganas de salir a la calle a gritar su angustia, pero se contentó con tomar el teléfono y marcar el número de su casa. Colgó antes de que le respondieran. Chilló: «¡Méndez, un coche!» Dio dos vueltas por el despacho sin saber lo que buscaba y, luego, salió a la calle corriendo. Méndez gritó algo pero él no le escuchaba ya. Avanzó corriendo pesadamente hacia la plaza. Le subía por las piernas como un peso muerto, que le entorpecía, y la gente le miraba sin descubrir en su expresión más que un lado grotesco. El vientre se bamboleaba y cada tumbo era un dolor. Al sentarse en el asiento trasero de un taxi casi se ahogaba. Dio la dirección de su casa y empezó a resoplar como una locomotora. Eran rugidos acongojados, densos, como si estuviera asfixiándose. Adela saltó a su paso: «¿Qué sucede, Cecil? ¡Dios mío! ¿Le pasa algo a Sisí?» Él no podía hablar y le alargó el telegrama. Deseaba ardientemente compartir su dolor, hacer sufrir a los demás. Adela se apoyó en el respaldo de una silla. Su rostro denotaba una perplejidad estúpida. Pensó que iba a caerse y chilló algo inarticulado. Notó el brazo de Cecilio en su cintura y a su contacto rompió a llorar mansamente: «Dio mío, Dios mío.» Algo le temblaba en los pulsos además de la sangre; sentía unos latidos ajenos a su propia vitalidad. Como entre sueños vio a Cecilio encerrar cuatro cosas en un maletín y salir corriendo. Pensaba Rubes: «Bien. Me lo han matado. Yo sé que me lo han matado.»» Le agradaba, ya en el coche, tener constancia de la velocidad a través de los árboles vertiginosos. Pensó: «Un árbol de estos podría ser la solución.» Cuando entraron en zona de guerra y aparecieron casas demolidas por las bombas, camiones destripados, árboles arrancados de cuajo, Cecilio Rubes se dijo: «La guerra, la guerra. ¡Ah, maldita sea la guerra!» De nuevo, sus sentimientos cambiaban de signo, mas, a pesar de todo, columbraba que algo honrado vibraba por encima de tanto desastre.

Hipo le esperaba en la carretera. En su abrazo conmovido, apreció Cecilio Rubes la trágica solemnidad del momento. Después de tanta impaciencia, deseaba dilatar, prolongar su tensa incertidumbre. No se decidía a hablar. Se miraron Hipo y él, como si recelaran el uno del otro. Tendió la vista en derredor y la posó en las altas crestas de granito, en la faja de tierra parda a sus pies. No estuvo nunca allí y, sin embargo, todo aquello le resultaba vagamente familiar. Balbució, al fin:

—¿Bien?

Hipo se miraba la puntera de sus botas de campaña:

—Ha sido algo imprevisto, Cecilio. Es la primera baja en el batallón desde hace meses.

—¿Qué fue?

—Una bomba.

«Cuánto habrá sufrido», pensó Rubes. No se atrevía a preguntar si quedaba aún algo de Sisí. Hipo le tomó del brazo.

—No eres una excepción, Cecilio. Otros padres pasaron por este trance antes que tú —le dijo Hipólito.

—¿Quieres decir...?

Estaban ante un barracón de madera carcomida por las lluvias. Hipólito empujó la puerta y el corazón de Cecilio Rubes se detuvo un momento. A través de la puerta entreabierta divisó cuatro cirios encendidos en torno a una mesa y sobre la mesa, un bulto cubierto con una bandera. Cuatro muchachos, rígidos como los cuatro cirios amarillos, custodiaban el cadáver.

¡Ah! —rugió Rubes—. ¡Dios mío!

Era la cuarta vez que se acordaba de Dios en la vida. La primera, cuando la muerte de su padre, la segunda cuando el nacimiento de Sisí, la tercera cuando la muerte de su madre... «Yo tengo de todo en la vida; ¿para qué ir a molestar a Dios con peticiones superfluas?», solía pensar. De pronto, deseaba estar solo con aquel bulto de encima de la mesa y, como si su pensamiento se trasluciera, Hipólito ordenó retirarse al piquete. Entonces Rubes se aproximó, levantó una punta de la bandera y emitió un ronco sollozo.

—¡Oh, Dios, Dios! —dijo.

No quedaba nada de las serenas facciones de Sisí; un trozo de hierro se llevó por delante su hermosa nariz y sus labios. Su rostro era un pingajo mutilado. Cecilio se ahogaba. Cada espiración era en él un doloroso gemido. Los dientes de Sisí, al descubierto, detentaban una imposible voracidad. Tan sólo su pelo estaba intacto, su pelo fuerte y rubio, centelleando a la luz de los cirios. Maquinalmente acarició aquella cabeza. Todo el mundo se desmoronaba en torno de Cecilio Rubes. Tan sólo quedaba él, para sufrir hasta el fin de su resistencia. Se inclinó y besó la frente helada de Sisí. No pensaba que fuese Sisí lo que besaba, sino un mero símbolo. Hipólito le empujó, luego, hacia la puerta. Voceó Rubes.

—¡Dime! ¿Por qué me has engañado? Yo te entregué mi hijo para que velaras por él. ¿Qué has hecho de mi hijo?

Odiaba a Hipólito, y al general López, y a la guerra, y a la vida, y al mundo. Odiaba todo y de su pecho se esfumaba toda su ya escasa capacidad de amor. En la carretera se hallaba detenida una furgoneta funeraria. Una hilera de soldados se trasladaba de un barracón a otro, en silencio. «Ayer, Sisí haría lo mismo» pensó Rubes. Y le asaltó una fiebre desordenada de destrozar.

Dijo Hipólito:

—Vinieron dos aviones. Yo paseaba con Sisí y le dije: «Aguanta aquí.» Él dijo: «No, me voy al barracón de víveres.» Me tumbé en la cuneta y grité: «¡Ven aquí!» Ne me escuchó y salió corriendo. La bomba estalló a cuatro metros de él. Murió en el acto.

Se acercaba un soldado flaco, medio calvo, e Hipólito dijo, secándose el sudor de las manos con un pañuelo:

—Es el castrense. Baja de las trincheras todas las tardes.

Dijo el castrense:

—Su hijo era un buen muchacho. Lo siento.

Dijo Rubes vagamente:

—¿Estuvo antes con usted...?

—Ayer se confesó conmigo —dijo el cura—. Tenía unos excelentes propósitos.

Pensó Rubes: «Me estoy volviendo supersticioso.» Confusamente entreveía que algo se salvaba en alguna parte de Sisí.

Anochecía. Unas leves nubes rojizas surcaban el cielo hacia poniente. Olía a la pureza del campo. Dijo Hipólito:

—Cenarás aquí y descansarás. Puedes salir mañana por la mañana, Cecilio.

—No —dijo Rubes—. Saldré ahora. ¡Tengo que marchar ahora!

En el coche se dio cuenta por primera vez de que Sisí no estaba con él y de que aunque diera la vuelta al mundo no lo encontraría en ninguna parte. No obstante, se hallaba cerca, en el coche de delante, pero Sisí ya no estaba allí. Sisí ya no estaba en el mundo y Rubes constató la inmensidad de su abandono. La torva paramera se abría a ambos costados del automóvil y todo el mundo era, ahora, para Cecilio Rubes, como esta ingrata paramera. Era, el mundo, un gigantesco desierto desolado. Sisí no estaba ya. Y al mundo enloquecido, nada le importaba. Nada se trastornaría con su ausencia más que su corazón. Sisí no estaba ya. No pensó como el general López y otros muchos padres inconscientes: «Mi consuelo es que mi hijo ha muerto por una gran causa.» A Cecilio Rubes todas las causas que provocaban la muerte le parecían malsanas. Sisí había muerto y lo que ocasionaba la muerte de Sisí no podía ser, en modo alguno, una gran causa. Se dijo: «¿Por qué no aguardó en la cuneta? ¿Por qué no le forzó Hipólito a quedarse con él? ¡Oh, Dios, cuánto habrá sufrido!» Más adelante pensó: «¿Por que no le darían permiso un mes más tarde?» Se encontraba tan cansado que le parecía que él no fuese él; una sensación de plomo le agarrotaba las piernas y los brazos. Pensó: «¿Por qué López no me escuchó? López tendrá una gran alegría al saberlo.» La furgoneta levantaba una nubecilla de polvo que la luz de su automóvil hacía parecer amarillenta. «Tal vez en la Legión no le hubiera pasado nada. ¿Por qué no se alistaría Sisí en la Legión?», se dijo amargamente Cecilio Rubes.

V

EL periódico del día 1 de enero de 1938 decía: «Parte Oficial: Las fuerzas nacionales han llegado a Teruel, levantando el cerco de las tropas enemigas, derrotadas en brillantísimo combate. La guarnición de Teruel, a las cinco de la tarde, telegrafía diciendo: «Entusiasmo indescriptible ante la presencia de nuestros compañeros victoriosos. ¡Arriba España! ¡Viva España!» En la primera plana, a mano derecha, decía un entrefilete del periódico del 1 de enero de 1938: «Por dificultades de abastecimientos, por falta de medios económicos, nuestros soldados no pueden, a veces, fumar. Asistencia a Frentes y Hospitales le brinda una ocasión para que en estos días no les falte a nuestros combatientes el puro o los cigarrillos que les harán pasar un rato agradable.» En el parte inferior de la plana, del periódico de 1.° de año de 1938, decían unos titulares: «La charla del General Queipo de Llano: Permitidme que me ría. Radio Madrid... ¡que te crees tú eso! Lo que ha pasado en Teruel.»

En su segunda plana, decía el periódico de 1 de enero de 1938: «Día del "Plato Único"». Por acuerdo de la Sociedad de Fondistas y similares de esta capital, el plato que se servirá en sus respectivos establecimientos en el mes de enero de 1938, será como sigue:

Comida del mediodía

Día 7. Cocido castellano, un postre.
Día 14. Lechazo asado con patatas doradas, un postre.
Día 21. Vaca estofada a la italiana, un postre.
Día 28. Paella valenciana, un postre.

Comida de la noche

Para los días en que corresponda el Plato Único, se servirá en todos ellos carne asada o a la parrilla, con legumbres del tiempo, un postre.»

Decía también el periódico de 1.º de enero de 1938: «Cantidades enviadas por los pueblos para el Aguinaldo del Soldado.» «Por la Comisión Provincial de Chatarra, se efectuó ayer la entrega de los regalos correspondientes al sorteo del último Jueves Chatarrero.» «Nueva lista de donativos en alhajas recibidos por la Junta del Tesoro.» Y decía otro entrefilete: «Español, se precisa urgentemente para la patria todo el aluminio, latón y cobre que poseas.»

En tercera plana, decía el periódico de 1 de enero de 1938: «Atención, duros a peseta. Café Malta y a la Crema. Recordar que en el despacho central, comprando un kilo o medio kilo, se regala un cuarto de kilo. Nota de garantía: Si nuestro café Malta no resultara igual que el café corriente, devolveremos el importe del género. Si no quiere perder tiempo y dinero desconfíe de las imitaciones.» También decía el periódico de 1.º de enero de 1938: «Cinema Montoya: Hoy, sesión única, de cinco a nueve. «Campeones olímpicos», en español, y «Una chica angelical», por Margaret Sullivan y Herbert Marshall. Bellísima e interesante producción a gran presentación. Mañana, reestreno de la producción española «El niño de las monjas», por Raquel Rodrigo. Cinema Olaso: «Ha sido tan enorme el éxito de la película, en español, titulada «El jorobado o el juramento de Lagardere» que se proyecta hoy por última vez a las 4,45, 7 y 10,15. Mañana, formidable estreno, «Compañeros de juerga» por Stan Laurel y Oliver Hardy. Gran éxito de risa.» «Ideal Cinema: Hoy, otro estreno: «Sonata triste», drama según la novela de León Tolstoi. «Sonata triste», es un emocionante drama presentado por la famosa marca Ufa, de su nuevo lote 1938. «Sonata triste» está interpretada por Lil Dagover y P. Petersen. «Sonata triste» es otro programa garantizado de éxito, que presenta Ideal Cinema. Viernes, gran acontecimiento: «El sombrero de copa».

En la parte inferior izquierda de la misma plana, decía el periódico de 1.º de enero de 1938: «Nesfarina. Preparado de que se carecía...

¡Ya llegó!

Destete a sus niños con Nesfarina. Madres lactantes, pidan una muestra y librito explicativo. Sólo las madres lactantes.» Y, debajo, en otro entrefilete: «Frentes y Hospitales, por medio de la juventud femenina de A. C., reclama de tu generosidad un cigarrillo para nuestros combatientes.»

Cecilio se desnudó y se metió en la cama. Llevaba cuatro días, después de la muerte de Sisí, viviendo de una manera artificial. Dijo:

—Bien. Tú no querías ir a Portugal. ¿Quién va a defender esto?, decías. Esto ya está defendido. Bueno. Sisí ha muerto.

Gozaba estrechando la posible responsabilidad de su esposa, exacerbando su parte de culpa. Era en él un desahogo, excarbar en el dolor ajeno, fomentarle, no darle reposo.

—Ha sido la voluntad de Dios, Cecil.

Se encontraba Rubes cada vez más lejano y frío. La presencia de Adela le enfurecía. Era como si el hastío de veinte años atrás hubiera ido engrosando soterradamente y la muerte de Sisí le hiciera aflorar ahora a la superficie. Adela era para él un bulto responsable y mezquino.

—Vamos a rezar por él —dijo Adela.

—¿Rezar?

—¿Por qué no?

—Reza tú; tú le has matado.

—Cecil, ¡por Dios!

—¡Déjame!

A Cecilio Rubes le enardecía un anhelo de revancha. Si de él dependiese desataría sobre el mundo una catástrofe sin precedentes que dejara a todos los padres sin hijos. En cuatro días había envejecido y sus ojos tenían una expresión extraña. También sus labios se movían ahora constantemente, con un ruidito desagradable, como si chupetease algo. No iba por el Real Club, ni por el Establecimiento y se tornó apático y taciturno. No le gustaba recibir condolencias de sus amigos ni conversar con nadie. La presencia de Adela, sobre todo, despertaba en él una incomodidad física. Entre otras cosas, creía que Sisí estaba muerto porque Adela lo prefería así a borracho. Ya cuando llegó con el cadáver de Sisí y su mujer se asió a él, comunicándole su vibración dolorosa, chilló agriamente: «¡Suelta! Bien, Sisí ya hizo algo por esta guerra. ¿Estás satisfecha?» Después se encerró con su hijo en el salón y bebió hasta emborracharse. Le parecía que la musiquita del mueblebar cantaba el nacimiento de Sisí. El dolor de Adela se le antojaba impertinente y fingido; sólo existía su propio, desconsolado dolor. Había dicho: «Recibe tú a los curiosos. Bien, yo no estoy para nadie ¿comprendes? A mí, en este trance, no hay Dios que me consuele.»

No obstante, había llorado abrazado a Elisa Sendín y por primera vez en su vida, Cecilio Rubes tuvo en sus brazos una mujer sin saber que era una mujer. Era como sentir a Sisí porque ella tenía una parte de Sisí que él desconocía. Ella dijo puerilmente: «Yo no quería que Sisí muriera.» El vino ofuscaba la razón de Cecilio. Gritó: «¡Es la guerra, criatura!» Y Elisa confesó, entonces: «A veces pienso cosas de las que luego me horrorizo. Yo me digo: «Mejor que hubieran matado a Luis.» El ascensor zumbaba, subiendo y bajando. «Bien, ¿por qué no tuve yo una hija?», había pensado Rubes. Ella se desprendió de él e irguió su cuerpecillo de una manera patética. Dijo: «¿Qué culpa tienen los padres que sólo tienen un hijo?» «Culpa», pensó Rubes. Dijo: «Eso, eso, ¿qué culpa tengo yo?» El vino le encendía y le deprimía a intervalos. Antes de llegar Elisa Sendín se había estado riendo él solo a carcajadas, con una risa seca y lúgubre. Se echó a llorar de improviso, abriendo sus flojos dedos: «¿Por qué estoy ahora tan espantosamente solo, dime, criatura?», inquirió. Elisa le abrazó suavemente y le besó una mejilla. Él sólo dijo: «¡Dios mío!»

En los días siguientes le agradaba encontrar a la niña y unirse en el sentimiento de Sisí. Le decía Elisa:

—A veces pienso que Dios vela especialmente por las grandes familias. Luis está en la Legión y vive y Sisí murió donde en apariencia había menos riesgo. ¡Ah, Cecilio! Nadie sabe donde está el peligro, ¿no es cierto?

Aquella chiquilla, con sus incompletas ideas sobre las cosas y los fundamentos de las cosas, removía en Cecilio Rubes un sedimento de culpas y errores. Pensaba. «¿Será cierto que Dios protege a las grandes familias?» «¿Por qué no tuve más hijos?» Estalló de súbito:

—¡No es Dios, niña! Bien, nada importa que la familia sea grande o pequeña. ¡Es la guerra!, ¿sabes? La guerra es algo horrible y monstruoso.

Cecilio Rubes pasaba largos ratos encerrado en el salón, bebiendo. Las varices deformaban sus blancas piernas y la derecha le dolía de reuma. Alguna tarde, después de comer, salía solo a tomar el sol. Un día encontró a Elisa Sendín. Le dijo la chiquilla:

—Siento un orgullo muy grande, Cecilio, cuando veo los triunfos de nuestras fuerzas. Pronto ganaremos la guerra y Sisí ha cooperado a ello.

Se le movieron los labios nerviosamente a Cecilio Rubes.

Emitía unos ruiditos imprecisos, semejantes a quejidos intestinales. Se palpó los bolsillos en un ademán inútil:

—¿Significa eso algo para ti? — dijo.

—¡Oh, claro!

Él se sintió aplanado:

—¡Bien! — dijo —. Yo he perdido la guerra de todas maneras.

Un mes más tarde intentó reanudar su antigua vida. Fue por el Establecimiento y pasó un rato en el Real Club. Todo cooperó a despertar en él una evocación minuciosa de la vida pasada. Se consideró un fracasado. Su matrimonio, su amante, su hijo, su bañera, formaban una cadena ininterrumpida de intentos frustrados. Nada cuajó en algo continuado y práctico. Sus fracasos formaban una montaña. Prado dijo, en el Club:

—Mis chicos escriben que la cosa marcha. Pronto volverá la normalidad.

León Valdés, que acababa de regresar de Portugal y guardaba hacia Rubes una especie de resentimiento desde la disolución de la Sociedad, frunció su cara de pájaro para decir:

—Luego dicen que los españoles ya no tenemos agallas.

Cecilio le miró sorprendido. Dijo:

—Bien, sobran agallas para saltar la frontera, ¿no es eso?

Dijo Valdés:

—¿Qué quieres decir?

—Bien, ¿no me has comprendido? Digo que si todos hacemos lo que tú, esto se lo hubiese llevado el diablo.

—¡Si no fuera por que...! — dijo Valdés.

—Bueno — dijo Rubes.

Hubo un silencio violento. Por la noche, Cecilio dijo a Adela:

—He visto a Valdés. Bien, sin tanta patriotería, él aguantó en Portugal y ahora recibirá la victoria tocándose la barriga. ¿Quieres decirme, qué ley quebrantábamos esperando en Estoril los acontecimientos?

Un día le asaltó a Cecilio Rubes la idea de que no era demasiado viejo para empezar otra vez. «Tengo cincuenta y siete años. Si yo tuviera un hijo podría muy bien verle llegar a la mayoría de edad», se dijo. Pensaba mucho y esta idea surgió en él como algo natural después de sopesar los pros y los contras. En principio no le hizo demasiado caso, pero despejadas las perspectivas, se dio cuenta que era el único asidero para su vaciedad.

Adela se asustó, una noche:

—¿Qué intentas? ¿Estás loco?

—Quiero un hijo, ¿entiendes? Me has quitado un hijo y debes darme otro. Necesito tener un hijo.

Adela se echó a llorar. Chilló Rubes ásperamente:

—Así no, ¡idiota! ¿No comprendes que si lloras me inutilizas?

—¡Por amor de Dios, Cecil!

Su ardor mismo le imposibilitaba.

—Tú no lo quieres, ¡maldita! Tú quieres que me pudra en esta soledad.

Oía llorar a Adela fúnebremente. Dijo ella:

—¿Por qué no tuvimos a tiempo todos los hijos que Dios quiso darnos?

—Sí, ¿por qué?

—Ahora es tarde, Cecil. Un imposible.

—¡Ah! ¿Por qué un imposible? Todas las cosas son cuestión de desearlas. Bien, quiérelo mucho y tendremos otro hijo.

La cintura de su mujer estaba ancha y anquilosada, no despertaba en él la menor ansiedad. Dijo Cecilio:

—Podría ser el comienzo otra vez.

Recostaba, ahora, la nuca en la almohada y contemplaba las tinieblas por encima de él. Le envolvía como una ternura impalpable. Añadió:

—A veces pienso que los hijos son la única verdad de la vida.

De nuevo se enfureció con Adela:

—¿Por qué no pones un poco de tu parte? —chilló—. ¿Por qué te has mostrado conmigo siempre fría e indiferente?

Le alcanzó la poca voz de su mujer:

—Somos dos viejos, Cecil. La vida ha pasado ya sobre nosotros.

Mas la idea había cuajado sólidamente en el cerebro de Cecilio Rubes. Era un punto de luz en la oscuridad y se movía derechamente hacia él. Adela trataba de apaciguarlo:

—Querido, querido... es una insensatez.

—Lo quiero, ¿sabes?

—¡Oh! No se pueden querer imposibles.

—¿Imposibles? ¿Cuántas mujeres tienen hijos después de los cincuenta? ¿Por qué no quieres ayudarme un poco?

Rubes no se resignaba; una especie de anticipada terquedad senil le poseía. Volvía a ser el niño caprichoso que fuera siempre, el niño caprichoso que fuera, luego, Sisí.

Una tarde fue a ver a Tomás. Tomás era feliz con su enfermera y tenía tres hijos pequeños. Le recibió con mucho afecto:

—¡Ah!, me temo que no pueda ser — dijo.

—¿No hay muchas mujeres que tienen hijos después de los cincuenta años?

—Tu mujer tuvo ya la...

—Hace tres años.

Movió la cabeza Tomás:

—Veremos. Traéla por aquí.

Adela le hizo una escena al comunicárselo.

—Cecilio. ¡Por amor de Dios! ¿Vas a avergonzarme así a mis años?

—¿Avergonzarte? ¡Idiota! ¿Es una vergüenza para una mujer comprobar si está en disposición de tener hijos? Bien, prepárate, Tomás nos está esperando.

—¿No comprendes, Cecilio, que es una humillación para mí? ¡Oh, por favor, desiste! Te prometo, Cécil, que lo intentaré, pero no me avergüences delante de nadie.

Había una luz obstinada en los ojos de Rubes desde la muerte de Sisí que se acentuaba al enfurecerse:

—¡Idiota, idiota, idiota! — voceó —. ¿Es que no me has oído?

En su trato con Adela no observaba ya Cecilio Rubes la menor consideración. Una vez le dijo ella: «Cecil, no nos queda más que resignarnos.» Él se alteró todo. Era lo único que no admitía mientras hubiera vida. No comprendía cómo nadie podía aceptar la resignación por unos años, los únicos que le quedasen por vivir.

Tomás reconoció a Adela minuciosamente. Cecilio esperaba su fallo con el corazón agitado. Al concluir, Tomás se volvió:

—Lo siento — dijo —. No creo que haya la menor esperanza.

Rubes bajó la cabeza. En la puerta, Tomás le pasó un poderoso brazo por los hombros:

—Cecilio — dijo —. Cúidate. Estás envejeciendo prematuramente.

Cecilio Rubes entró en una nueva fase de postración. «Un hijo — pensaba —. Un hijo podía remediarlo todo.» Apenas cambiaba palabra con Adela y, si lo hacía, era para descargar su mal humor. Si tenía noticias de una visita de los Sendín, procuraba no estar en casa. Rehuía todo contacto y toda vida de relación. Un día tropezó con Elisa Sendín riendo junto a un alférez de la Legión y comprendió que se había quedado definitivamente solo.

La gente decía: «No parece el mismo Rubes.» «Le ha afectado mucho lo de su hijo.» Y él deambulaba con los tacones de los zapatos comidos, las ropas demasiado holgadas y sucias y arrastrando las vueltas de los pantalones desplanchados por el pavimento. No parecía el mismo Rubes de 1930 o 1918. Había adelgazado mucho y el cuello de la camisa le quedaba demasiado ancho. Sus ojos encerraban una vaga expresión enloquecida y sus labios se movían constantemente, murmurando letanías inaudibles. El paso de Cecilio Rubes por la calle despertaba sentimientos de conmiseración. Él advertía en sus antiguos amigos, principalmente en Luis y Gloria Sendín, una viva solicitud por remediar su decaimiento pero él la atribuía a fines ruines y sádicos. A veces, en plena reunión, Cecilio se levantaba y salía dando un portazo. Adela le decía, saliéndole al paso:

—¿Dónde vas, Cecil?

—¿Y a ti qué te importa?

—Por favor, Cecil. No debes descuidarte así.

—Déjame en paz.

Prefería sentirse solo y estarlo. Vagamente culpaba a su mujer de todas las cosas. En realidad, su mujer jamás en la vida le hizo totalmente feliz. Ahora que su dolor era más manso, le notaba más profundo, como si fuera vaciándolo poco a poco.

Para Adela, Cecilio se erigió en el foco esencial de su preocupación. Temía que se trastornase y le asustaba dormir con él en una misma cama. Bajaba a la iglesia diariamente. Ella sabía que lo de Sisí fue un merecido castigo y lo aceptó resignada. Si pensaba en los hijos que deliberadamente dejaron por nacer, sollozaba a impulsos de un arrepentimiento sincero. De nuevo se encontraba sola, pero ahora hallaba en su piedad un confortable alivio. En ocasiones, le lastimaba la intemperancia de Cecilio hacia ella, su afán por alejarse cada vez más:

—Por Dios, Cecil —le decía—. Vuelve en ti. Estás torturándote en vano.

Él se agriaba. Le dolía a Adela, tanto como las palabras, el tono infinitamente despectivo con que se las tiraba a la cara:

—¡Calla, pedazo de inútil! —chillaba—. ¿Qué me ofreces tú para evitar mi tortura?

La idea del hijo crecía en él hasta convertirse en una obsesión. Constantemente se lo echaba en cara a su mujer. En los largos insomnios pensaba en ello; casi estaba persuadido de que otro hijo sería recuperar a Sisí. Se acostaba hecho un ovillito, mirando al costado de la cama. Acostarse hacia su mujer, entendía él que equivaldría a una tácita absolución de su inutilidad. Cecilio Rubes necesitaba demostrarle constantemente su resentimiento. En ocasiones, sentía frío y, entonces, se acurrucaba y escondía sus manos entre las rodillas. Si Adela roncaba, gritaba él, sin contemplaciones: «¡Calla! ¡Me vuelves loco!» Adela dormía ahora en un perpetuo sobresalto. No se atrevía ni a darse la vuelta en la cama. Oía como en una pesadilla, los nerviosos ruiditos que producía Cecilio al mover los labios. Algunas noches, Adela se desazonaba pensando en Sisí, mas, cuando evocaba su pérdida, no se le representaba hecho un hombre, sino la criatura irresponsable, que, años atrás, tiraba glotonamente de sus pechos cada tres horas. Ello le producía una indecible emoción. Cecilio rebullía a su lado. Le dolía la pierna y le punzaba el hígado. Pensaba, a menudo, en Elisa Sendín: «Bien —se decía— ella se casará; conozco casos semejantes.» Elisa le había dicho a los pocos días de morir Sisí: «Hay guerras y guerras. Nosotros moriremos tristemente en una cama, molestando a todos, sin ser útiles a nadie. Nos queda el consuelo de que Sisí ha muerto por una gran causa.» Rubes había sonreído amargamente. «Una gran causa», pensó.

Una noche, Cecilio Rubes recordó a Paulina. No había vuelto a verla desde el día en que la visitó, estando Sisí en el frente. La actitud de Paulina aquel día le pareció grosera e ingrata. Juró no volver a visitarla. Su orgullo estaba entonces demasiado lastimado. Ahora, Cecilio Rubes no tenía orgullo y necesitaba un hijo por encima de todas las cosas. «Paulina también quería un hijo», pensó. Oía la respiración de Adela en el extremo opuesto de la cama y su regularidad le irritaba. «Veré a Paulina. Bien, Sisí ya no está y las cosas han cambiado de nuevo», se dijo.

Ya era de noche cuando, al día siguiente, subió a casa de Paulina. La «radio» cantaba de una manera estridente y Paulina, derrumbada en la cama, tenía un vaso con vino al alcance de la mano. «¡Qué ajada está!» pensó Rubes. Ella se echó a reir al verlo:

—Cecilio —dijo—. Esto no tiene remedio. Somos dos viejos.

—Bien —dijo Rubes y se sentó en el borde de una silla.

Sonaba la música locamente, agriamente. Dijo Rubes, incorporándose y acercándose al receptor:

—Esto es una locura. ¿Te importa...?

—¡Oh, no lo toques! —gritó Paulina.

Había una media asomando por debajo de una silla y un zapato sobre el tocador y varias prendas interiores revueltas por el suelo. Paulina tuvo constancia de su vejez el mismo día que enterraron a Sisí Rubes.

Necesitaba hablar a gritos para entenderse. Dijo Paulina:

—¡Vaya! Hace veinte años me visitaste para decirme que tenías un hijo, Cecilio, ¿recuerdas? Me regalaste unas perlas para las orejas y mi disco favorito. Hoy vienes a decirme que ya no tienes un hijo. ¿No me regalas, siquiera, un ramo de crisantemos?

Rompió a reir locamente y, con la estridencia de la «radio», no se sabía a ciencia cierta si todo aquello era una carcajada o una canción. Dijo Rubes sombríamente:

—Bien, Lina; estás borracha, ¿no es cierto?

Paulina torcía un poco la boca y se expresaba con cierta dificultad. Dijo irónicamente:

—No irás a pedirme mis favores... ¿verdad, Cecilio? Eso sería una monstruosa inmoralidad.

Se incorporó a medias en el lecho, apoyándose en un codo. Añadió, pasándose levemente las yemas de los dedos por las arrugas de la frente:

—¿Te has fijado en mí, Cecilio? Soy una vieja. Soy ya una pobrecita vieja que no sirve para nada.

Cecilio se aproximó a ella y se sentó en el borde de la cama. Se palpaba los bolsillos con nervioso ademán. No acudía a Paulina ahora en busca de un placer, sino a sentar las bases de un contrato. Cecilio Rubes no era en este instante un seductor sino el hombre de negocios que fuera siempre Cecilio Rubes:

—Bien, pequeña —dijo—. Escúchame, pequeña. —La tomaba autoritariamente por la muñeca—: Tú no estás borracha hasta el punto de no entenderme. Bien... Las cosas han cambiado un poco desde unas semanas. Sisí ya no está. Bueno, tú me recordabas antes lo que ocurrió hace veinte años. Bien, Lina, entonces me dijiste: «También yo, cuando pasen los años, desearía tener un bebé. Yo creo que todas las mujeres querían tener un bebé en alguna ocasión», ¿no lo recuerdas? Bien... Bueno, pequeña, yo también quiero un bebé; y...

Los labios de Paulina se entreabrían expectantes. Gritó, de pronto:

—¡Vaya!

—¿Bien?

La chica se puso en pie de un salto y miró a Cecilio Rubes

con una mueca ambigua. Cecilio ignoraba si ella iba a reir o a llorar. Al fin, gritó triunfalmente:

—¡Soy yo la única que conservo algo de Sisí! ¿No quieres saberlo, Cecilio?

Rubes se aproximó a ella y la tomó suavemente por la cintura:

—Bien, Lina —dijo—. Has bebido y estás excitada. ¿Por qué no apagamos de una vez este demonio loco?

Se acercó de nuevo al receptor. Gritó ella:

—¡No lo toques!

Cecilio se volvió calmosamente:

—¿Adónde vamos a parar, pequeña?

Agregó Paulina:

—También dije entonces, ¿no recuerdas?: «Cuando tu hijo crezca tendrá otro hijo y se llamará también Cecilio Rubes y de esa manera tú seguirás aquí y no te irás del todo.»

—¡Ah, bien! ¿Por qué divagas ahora, pequeña? Di, Lina, ¿por qué no atiendes a razones? Sisí ha muerto y los muertos no tienen hijos.

Antes de concluir, Cecilio Rubes ya advirtió que había dado un paso en falso. Quiso gritar a Paulina que se callara, pero su vitalidad no se manifestó sino en un extraño y angustioso temblor. Las palabras de Paulina le sacudían despiadadamente:

—¿Es que estás ciego, Cecilio? ¡Yo espero un hijo de Sisí! ¡Voy a tener un hijo de tu hijo! ¿Es que no lo ves? Yo quería un hijo ¿sabes? Yo sabía que Sisí moriría en la guerra y no quería quedarme sola. ¡La soledad es una cosa terrible, Cecilio! Yo soy vieja... ¡Vieja, oyes!, y no tengo a nadie.

Cuando Paulina se arrojó en el lecho, Cecilio no sabía si reía o lloraba. Sólo veía su cuerpo estremecerse en nerviosas convulsiones. Una ansiedad desconocida atenazaba su estómago y sus pulmones. Se desplomó en una silla como sin vida. Murmuró: «Tengo que pensar. Es una cosa muy importante, ésta. Tengo que pensar.» Luego le envolvió, como una nube, todo el asco y la amargura de la realidad. «Paulina, madre de mi nieto —pensó—. Paulina, madre de un Rubes, ¿cómo es posible que quede en el mundo algo vivo de Sisí?»

Al incorporarse Paulina, Cecilio la vio viciosa y basta y deformada y repelente, tal como él la había creado. Dijo ella:

—Cecilio...

—¡Calla! —dijo él—. Esto es una cosa muy importante. ¿Comprendes? Tengo que pensar en ello.

La radio cantaba con toda su potencia. Una atmósfera extrañamente enrarecida, sepultaba a Cecilio Rubes. «¡Dios! —pensó—. Sisí ha dejado una vida dentro de ella.» Se pasaba repetidamente la mano por las mejillas. Se levantó en un movimiento brusco y sujetó a Paulina por los brazos:

—¡Dime que es un absurdo eso! ¡Dime que me has engañado!

Ella levantó la cabeza para reirse:

—¡Vaya, Cecilio, estás celoso!

—¿Celoso?

—¡Loco!

—¡Calla, zorra!

La abofeteó cruelmente, con creciente frenesí. Cuando ella empezó a chillar, Cecilio sintió deseos de matarla. Le cruzó la mente esta idea: «El hijo de Sisí no nacería de esa manera.» Pero le echó atrás su cobardía. Cecilio Rubes fue siempre cobarde, y ahora lo notaba claramente en la indecisión de sus manos. Bajó la escalera a trompicones. Parecía un borracho. En el portal había dos hombres hablando de la batalla de Teruel. Atravesó la calle con pasos rápidos y vacilantes. La sensación de vacío se agrandaba en su pecho hasta extremos insoportables.

Ya en la cama oyó la voz de Adela, conciliadora:

—Cecil, ¿qué te ha ocurrido? ¿Por qué hemos de estar tan distanciados uno del otro?

—¿Te quieres callar?

—¡Oh, Cecil, estás destrozando tu vida! ¿No lo comprendes?

—¡Calla, calla!

De nuevo empezaba la tortura del insomnio, agudizada por el reciente descubrimiento. Rubes pensó: «¿Dónde empezaron mis fracasos?» «¿Qué hay en mi vida que no haya sido un fracaso?» Le dolía muy fuerte la pierna derecha. Oyó dar la una y las dos en el reloj del pie del salón. Le agobiaba la sensación de que Adela le acechaba en la oscuridad. Prefería tenerla dormida, inconsciente, a su lado que no así, vigilándole y compadeciéndole y torturándole. Notaba una rara imprecisión en la cabeza, como si no pudiera retener las ideas que le importaba retener, ni desechar las ideas que deseaba desechar. El control de su propio mecanismo le fallaba. Era una vaga impresión de dependencia aquello. Oyó rebullir a Adela y voceó:

—¡No podrás estar quieta un momento!

Entonces la sintió llorar. Se puso fuera de sí:

—¿A que son esas lágrimas? ¿Por qué diablos las mujeres resolvéis todos vuestros problemas llorando?

Dio la luz de la cabecera. Adela, sentada en la cama, se cubría el rostro con las manos. Dijo:

—¡Oh, Dios, Dios! Esto es superior a mis fuerzas. No lo puedo resistir.

Chilló Cecilio, histéricamente:

—¿Qué es lo que no puedes resistir? Di. ¿Es que sabes siquiera lo que es empezar a padecer? No te ha ido tan mal en la vida, digo yo. Bien, ¿qué te faltó en la vida?, ¿qué tuviste en la vida antes de casarte conmigo?

—¡Calla, Cecilio!

—¡No quisiste nunca a tu hijo, si es eso lo que estás tratando de hacerme creer. Sisí te estorbaba, ya lo sé yo. Trataste de mortificarle siempre. Cuando viste que no se te sometía, bien, que no se te sometía, quisiste deshacerte de él mandándole a la guerra.

Adela le miraba implorante. Dijo:

—Cecilio, Cecilio, ¡por Dios!, ¿por qué no tratas de comprenderme?

—¿Qué hay comprensible en ti?, dime.

—Vamos a hacer un frente común, querido, en vez de estar todo el día acusándonos mutuamente y martirizándonos.

—Bien, un frente común... un frente común. Se te ha pegado el cochino lenguaje de la guerra. ¡La guerra! Bien, ¿has pensado en cómo nos iría sin esa estúpida manía vuestra de enderezar las cosas? ¡La guerra! Entre todos habéis armado esta guerra para que paguemos los que no tenemos nada que ver con ella.

No existía la menor coherencia en las palabras de Cecilio Rubes. Sin embargo, él intuía que necesitaba desahogarse. Mas, a medida que hablaba, su cerebro se ofuscaba más y sus voces eran más fuertes y destempladas. Experimentaba un raro vértigo chillando como un loco, sin sopesar el valor de las palabras. De repente, la luz se apagó y se alzó poco a poco sobre la ciudad dormida el ulular de las sirenas, anunciando la presencia de aviones adversarios. Era como un gigantesco alarido lastimero, quebrado en mil gradaciones y matices. A Cecilio le exasperó aún más la oscuridad, la inmediata conciencia de la guerra, el hecho de que otra voz, aguda e implacable, eclipsara la vibración de la suya. Voceó:

—¡La guerra! ¡Ahí tienes la guera, idiota! Eso querías tú. ¿Y mi hijo? ¿Dónde diablos puedo encontrar ahora a Sisí?

Dijo Adela:

—Hemos sido cobardes, Cecil. Esto es un castigo del cielo.

Rubes soltó una palabrota. Notó que su boca se llenaba y soltó un rosario de palabrotas. Le hería la repentina calma de Adela. Palpó en la oscuridad, buscándola. La sirena zumbaba por encima de los tejados. Oyó la voz desgarrada de su mujer; como una conciencia:

—¡Esos hijos, Cecilio! ¡Esos hijos que dejamos por nacer!

—¡Hijos! —chilló él—. Maldita inútil, ¿qué hijos has sabido darme tú? ¿Qué has hecho de Sisí?

Todo su cuerpo estaba como electrizado. De la calle ascendía un rumor de gente huyendo a los «refugios». Sus manos toparon con el bulto de su mujer y lo retorció y lo golpeó a ciegas, fallando muchos golpes.

Gritó Adela:

—Eso no, Cecilio, ¿estás loco?

—¡Tú mataste a Sisí, maldita!

—¡Tú!, tu afán por esconderle lo mató.

Cecilio Rubes, ciego de furia, se incorporó. Sólo notaba nervios en su cuerpo y una tensión enloquecedora a flor de piel. Fuera, silbaba la sirena monótonamente, en tono menor. Adela le oyó avanzar hacia el balcón con los pies descalzos. Pensaba: «¡Oh, Dios!, ¿qué querrá hacer ahora?» Escuchó los ruiditos nerviosos que emitían sus labios y luego una palabra soez. Cuando Rubes abrió el balcón de par en par, el aposento se llenó del dramático alarido de la sirena. El cuerpo rechoncho de Cecilio Rubes, se recortó un momento sobre el fondo de las estrellas. Con una ligereza insospechada, Cecilio se encaramó a la balaustrada y saltó. Como en una pesadilla oyó Adela el ruido sordo de un cuerpo al chafarse contra el asfalto. No comprendía bien lo que acababa de ocurrir, pero mecánicamente se llevó las manos a la cabeza y gritó muy fuerte, una, dos, tres veces.